CAPTURER EICHMANN

Du même auteur

90 minutes à Entebbe, Stanké, 1976.
Mossad, les services secrets israéliens, Stanké, 1977.
L'inconnu de la Piazza Navona, Stock, 1978.
Opération Babylone, Balland, 1986.

En collaboration avec Ben Porat

L'espion qui venait d'Israël, Fayard, 1968.
Mirage contre Mig, Laffont, 1968.
Poker d'espions, Fayard, 1969.

En collaboration avec Peter Man

Ultimatum uranium, Stock, 1980.

Ouvrage collectif

Kippour, Hachette-Littérature, 1974.

Peter Man et Uri Dan

CAPTURER EICHMANN

Préfacé par
Guy Konopnicki

TRADUIT DE L'AMÉRICAIN PAR
FRÉDÉRIQUE NATHAN-SFEZ
ADAPTÉ PAR PIERRE MELVINE

Edition°1

PRÉFACE

Le sang-froid d'un homme

Sur l'album de ma famille deux enfants souriaient devant l'objectif d'un photographe d'autrefois. Partis de Drancy, ils furent gazés à leur arrivée à Auschwitz, avec leur mère et leur grand-mère, qui était aussi la mienne. Lorsque l'on me fit le récit de leur calvaire, j'avais l'âge des contes de fées et je ne pouvais admettre que leurs assassins soient des hommes de chair et de sang. Quelques années plus tard, un petit fonctionnaire bien tranquille paraissait sur l'écran de la télévision : c'était Adolph Eichmann. Il répondait de ses crimes sans une seule nuance de remords dans la voix. J'imagine qu'à travers le monde, les millions de juifs qui regardaient comme moi cette image n'avaient alors qu'un seul désir : étrangler Adolph Eichmann de leurs mains.

Pourtant, l'homme qui avait été en mesure de le faire s'était contenté de l'enlever afin qu'il soit jugé devant un tribunal régulier. Le véritable courage de Peter Man, c'est d'avoir accompli sa mission de sang-froid, sans céder à la passion légitime. Il eût été plus simple d'en finir, d'un seul geste, dans ce faubourg de Buenos Aires, où l'un des plus grands criminels de tous les temps menait la vie simple d'un ouvrier.

Mais Adolph Eichmann devait être jugé. Il le fallait parce que le judaïsme est d'abord la religion de la loi et de la transmission. L'ancien colonel S.S. devait comparaître devant le peuple qui avait jadis reçu la première loi écrite sur le Mont Sinaï et qui était entré dans la terre promise en y apportant, pour tout trésor, sa propre histoire, inscrite dans les cinq livres de Moïse. Juger conformément à la Loi, faire que l'histoire puisse être écrite et transmise aux générations futures : ces deux impératifs guidaient l'agent israélien chargé de ramener Eichmann, non pas mort ou vif comme dans les westerns, mais vivant.

Plus de vingt ans se sont écoulés depuis et déjà, de prétendus historiens soutiennent des thèses et tentent de nier l'existence des chambres à gaz et la réalité du génocide. Qu'en serait-il si Eichmann n'avait pas été jugé, si les preuves et les témoignages n'étaient consignés dans les minutes de son procès ? En 1963, bien des gens pensaient que ce jugement était inutile, que la cause était entendue. Mais aujourd'hui, alors qu'un autre criminel nazi attend de comparaître devant la justice française, il se fait comme une rumeur de lassitude. L'avocat de Klaus Barbie espère même retourner le procès en discréditant ces Français inoubliables à qui nous devons l'indépendance de la France. Il s'en faut de peu pour qu'on juge le Général de Gaulle, plutôt que Klaus Barbie !

Tandis que les survivants disparaissent lentement, certains bons esprits espèrent enfouir avec eux la mémoire, le souvenir d'un système criminel que l'on ne peut comparer à aucun autre. Certes, les monstruosités ne manquent ni dans l'histoire ni dans l'actualité, de l'immense goulag stalinien au génocide du Cambodge, en passant par les atrocités quotidienne des quarante guerres qui à ce jour ensanglantent la planète. Mais le nazisme était l'industrie du crime, la volonté avouée, délibérée d'exterminer plusieurs peuples, à commencer par le peuple juif, afin d'assurer pour un millénaire, la domination mondiale du Reich hitlérien. De ceci témoigne pour l'histoire le procès d'Adolph Eichmann. Ce procès n'aurait jamais eu lieu sans le sang-froid de Peter Man. C'est pourquoi, le récit qu'on va lire n'est pas une simple histoire d'espionnage et de services secrets. Les chasseurs de nazis n'étaient pas des agents ordinaires, même si leur entraînement, leur formation est digne des romans de Graham Greene et de John Le Carré. Tous les ingrédients du « thriller » classique sont présents ici, mais c'est la personnalité du « gibier » qui donne aux souvenirs d'Uri Dan une force incomparable. Tout simplement parce qu'il s'agit d'une histoire véritable, celle d'une mission dont l'enjeu n'était pas la guerre mais la justice et l'histoire.

Guy KONOPNICKI.

AVANT-PROPOS

Seul face à Eichmann !

Qui n'a jamais imaginé se retrouver dans une telle situation et ne s'est alors interrogé sur les réactions qu'il pourrait avoir ? Laisserions-nous parler notre colère, notre dégoût, notre haine ? Ou bien, parviendrions-nous à maîtriser nos impulsions viscérales et laisserions-nous à d'autres, à la justice, le soin de juger et de condamner ?

Chargé par Hitler de régler la « question juive » en appliquant la « solution finale », de l'organiser sur le plan matériel, l'Obersturmbannführer Adolph Eichmann porte personnellement, face à l'Histoire, la responsabilité du massacre de six millions de juifs — hommes, femmes, vieillards, enfants.

Aucun homme, dût-il vivre mille ans, ne pourra jamais expier dans sa chair une entreprise aussi monstrueuse, dont la barbarie dépasse les mots et même l'entendement. Aucun homme individuellement, pourtant, n'eût été capable à la fois de la concevoir et de l'appliquer. Et ce fut le génie maladivement diabolique des dirigeants du Troisième Reich que de morceller la responsabilité, d'anéantir dans la conscience des exécutants tout reliquat d'humanité.

Face au monstre, à ce rouage d'une machine destructive qui n'eut même pas l'excuse de l'aveuglement, la réaction de ses victimes aurait pu renouer avec l'horreur. Quoi de plus simple qu'une opération sans risque entraînant la suppression d'Eichmann ? Une mort contre six millions. Une mort unique au goût d'oubli et de soulagement.

Puis le silence !

Mais ce silence eût été un crime contre les générations futures. Un homme abattu dans les ruelles de Buenos Aires, fût-il Eichmann, Hitler ou le Diable lui-même, ne représente rien d'autre que sa propre fin. Vengeance dérisoire dépouillée de sa substance punitive. Car, à l'opposé de la vengeance, la punition n'a que valeur d'exemple, selon les principes mêmes de la démocratie.

Le récit de « Peter », agent des services secrets israéliens chargé, non seulement de la capture d'Eichmann, mais aussi de sa sécurité pendant toute la durée de l'opération jusqu'à son transfert, par ce qu'il comporte de réflexion, d'humanisme et de contrôle dépassionné, possède une force intemporelle qui lui permet de transcender toute actualité.

A l'heure de sa parution en France, quarante et un ans après la chute du Troisième Reich, la tache immonde de la mi-siècle n'a pas fini de nous éclabousser. Le procès de Klaus Barbie nous enseigne que la prescription n'existe pas pour les criminels de guerre, et l'ombre fantomatique de Mengele surgit encore parfois à la une des journaux, tantôt vivante, tantôt morte. Tout près de nous, en Autriche, un chef d'État récemment élu jure ses grands dieux qu'il n'a jamais... Certains le croient, d'autres ferment les yeux, beaucoup l'approuvent et d'autres encore préfèrent oublier. Un colonel syrien propose une thèse digne de figurer dans les archives d'Eichmann. Un pseudo érudit agréé par erreur nous dit-on par l'Université française, tente de prouver que la fumée des camps de la mort n'a jamais existé ailleurs que dans l'esprit enfiévré des propagandistes de la coalition juive internationale. Consolation peut-être, Élie Wiesel obtient enfin le Prix Nobel de la

Paix. L'antisémitisme a disparu, nous dit-on. Nous avons fait un cauchemar... Mais quand les enfants juifs d'Anvers tombent sous les grenades des terroristes, quand de pseudo-résistants achèvent, à Istanboul, les fidèles d'une synagogue, rassemblés dans la prière, que la sauvagerie frappe, aveugle et cynique, ici-même en France, rue Copernic ou chez Goldenberg, nous sommes en droit de demander : était-ce seulement un mauvais rêve ? Il ne faut jamais perdre l'occasion de le répéter : aucune cause, aussi sacrée soit-elle, ne saurait excuser le massacre de sang-froid d'innocents. Tant qu'il restera un terroriste en liberté, Eichmann ne sera pas encore mort. Il en va de la survie de ces denrées si fragiles et rares qui s'appellent Démocratie, État de Droit...

Au plus grand des crimes, la justice israélienne répondit par un jugement public, offrant à l'accusé autant et sinon plus que tout tribunal se doit de réserver au prévenu. Les principes exposés par le récit de « Peter » sont ceux d'une autodéfense selon les règles, face à l'Histoire.

En cela, MISSION ATTILA est un dossier unique. Non seulement sur le plan narratif, puisqu'il démonte les rouages d'une opération téméraire et délicate, mais aussi parce qu'il présente deux hommes, face à face : « Peter », dont la sœur et plusieurs membres de la famille ont été déportés puis massacrés, et Adolph Eichmann, ou plutôt Monsieur Klement, père de famille dépouillé de son uniforme et de sa charge, qui s'est réfugié dans sa nouvelle identité pour se reconstruire une vie, impuni, sursitaire sans jugement.

La victime survivante face à son tortionnaire.

Les sentiments confus qui traversent l'esprit de « Peter » face à Eichmann s'apparentent aux nôtres, lorsque nous sommes confrontés à la terreur aveugle, à l'injustice : colère, dégoût, désir de vengeance.

Eichmann fut jugé puis pendu. Aucune de ses victimes, pourtant toutes innocentes, n'eut droit à tant d'égards.

Ceci fait notre force.

Puisse-t-elle ne jamais nous abandonner !

Pierre MELVINE.

Vingt secondes en tout et pour tout !

Cent cinquante mètres à peine me séparaient d'Adolf Eichmann ! Cent cinquante mètres qui semblaient, tout à la fois, le plus long chemin à parcourir et une distance extrêmement courte à l'issue de ces années de traque, de ces milliers de kilomètres parcourus à travers le monde, de ces espoirs fugitifs déçus...

Je sentis mon cœur accélérer, puis mes membres se glacer. Mon entraînement reprit le dessus. Depuis des mois je m'étais préparé aux instants qui allaient suivre.

Vingt secondes ! C'était le temps que je m'étais imparti pour exécuter ma tâche. Et je ne doutais pas d'y parvenir.

Eichmann quitta l'arrêt d'autobus et se dirigea vers sa maison. Une seule inconnue subsistait : quelle serait sa réaction lorsqu'il me verrait en face de lui ? Pendant les quelques secondes que dura mon attente, aucune autre pensée ne vint distraire mon attention.

Eichmann s'avança d'un pas tranquille, en homme paisible et confiant qui rentre chez lui après une journée de travail. Les phares des voitures qui sillonnaient la nationale 202, menant à San Fernando, découpaient clairement sa silhouette. Quant à moi, je me trouvais rue Garibaldi, à cinquante mètres de la maison. J'étais sûr, ainsi, de lui barrer le passage vers le bâtiment, peu élevé, aux fenêtres faiblement éclairées. Mon cœur accéléra de nouveau. Le moment était venu. Je m'écartai de ma voiture, garée le long du trottoir. Eichmann pouvait flairer un piège s'il me voyait planté à côté du véhicule.

« Fais gaffe à sa main droite, il a peut-être un pistolet ! » me souffla Hans Kiryati, accroché au volant.

Je m'arrêtai net. L'avertissement avait coupé mon élan. Mais je repris immédiatement mon chemin. Il était trop tard pour modifier le plan de l'enlèvement. J'eus un bref élan de colère contre Hans, pour m'avoir déconcentré. Une fois que l'engrenage est enclenché, rien ne doit l'arrêter. Qu'Eichmann soit armé ou non ! Il le savait aussi bien que moi.

Pour ma part, je n'exécrais rien tant que porter une arme... Je me retournai quelques mètres plus loin. La maison était maintenant derrière moi. Eichmann marchait dans ma direction et n'avait plus que soixante-dix mètres à parcourir.

Je m'attachai alors à maintenir une allure normale, celle d'un passant innocent qui se dirige vers la nationale...

C'était une soirée d'hiver claire et froide, en ce 11 mai 1960, à Buenos Aires. Le temps était dégagé et le ciel constellé. Le froid me transperçait jusqu'à la moelle : je ne portais qu'une chemise noire, un costume gris et une cravate ; une tenue banale qui ne devait pas éveiller les soupçons. Mon trench-coat brun, cadeau personnel d'Isser Harel, le chef du Mossad[1], était resté dans la voiture. Il fallait que je sois totalement libre de mes mouvements pour transporter ma proie. Mes chaussures noires à semelles de crêpe assourdissaient le bruit de mes pas sur l'asphalte. Mes gants fourrés, de cuir marron, n'étaient pas tant destinés à me protéger du froid qu'à étouffer discrètement les cris d'Eichmann.

Il s'avança sans méfiance, de la façon la plus natu-

---

1. Service du contre-espionnage israélien.

relle qui soit. J'étais sûr qu'il m'avait remarqué. Nous étions seuls dans la rue. La circulation dense de la grand-route s'écoulait en un flux régulier. L'éclat des phares baignait sa silhouette par intermittence.

Des fragments d'images tourbillonnèrent dans mon cerveau agité tandis que mes jambes, mécaniquement, poursuivaient leur course.

« *Un momentito, señor !* » Jc murmurai la phrase doucement : c'était la seule expression espagnole que j'avais pu inscrire dans ma mémoire.

Partagé entre des sentiments divers, la peur, l'inquiétude, j'eus soudain envie d'en finir au plus vite. Mais, lorsque la silhouette voûtée se fit plus proche, un sentiment d'exaltation intense s'empara de moi. J'allais accomplir une mission historique : prendre l'homme qui symbolisait l'extermination de six millions de juifs ! Cette pensée me galvanisa. Je repris toute mon assurance. Seul un incident de dernière minute pouvait désormais empêcher l'accomplissement inéluctable de mon plan.

Je dépassai la seconde voiture sans même y jeter un regard. Mais je sentis le regard de mes trois compagnons rivé sur chacun de mes gestes.

Eichmann n'était plus qu'à quelques mètres !

« Ne touchez pas à un seul de ses cheveux ! Je veux Eichmann sain et sauf à Jérusalem ! » Les ordres d'Isser Harel résonnèrent dans ma tête une fois de plus. Je tiendrai ma promesse !

Trois pas nous séparaient maintenant. La main droite d'Eichmann était enfouie dans la poche de son pantalon. Je me rappelai l'avertissement de Kiryati. Il avait raison : l'homme était armé, sans aucun doute.

Eichmann leva les yeux. Nos regards se croisèrent pour la première fois. Je ne parvins pas à percer son expression. Il continua vers la droite, en se courbant légèrement, et me lança un bref coup d'œil soupçonneux. C'était le moment :

« *Un momentito, señor !* »

C'était sorti, machinalement, le plus naturellement du monde. Eichmann s'arrêta une seconde, eut un mouvement instinctif de recul.

Il était encore à un mètre de moi. En un bond je fus sur lui. Il étouffa un cri. Du bras droit j'emprisonnai son cou et lui soulevai le menton. De la main gauche je saisis brutalement son poignet droit pour l'empêcher de tirer son pistolet. J'avais mal calculé mon élan, m'attendant sans doute à plus de résistance, et nous roulâmes tous deux dans un fossé peu profond. Eichmann était allongé sur ma poitrine. De toutes les forces qui me restaient, je lui comprimai le menton et lui étirai la nuque, pour l'empêcher de proférer le moindre son. Je parvins enfin à me redresser et commençai à le traîner vers la voiture. Eichmann suffoquait. « Vivant, il nous le faut vivant ! » Dussé-je y perdre la vie, rien désormais ne me forcerait à le lâcher.

Sous le coup de la surprise, il n'opposa aucune résistance. Je parvins à le hisser sur mon dos et je réussis enfin à émerger du fossé.

La portière s'ouvrit.

Vingt secondes s'étaient écoulées depuis le début de mon assaut. Je le jetai à l'intérieur du véhicule, comme un fardeau inutile et demeurai à l'extérieur, pantelant. Une sensation de chaleur inonda mon corps. Une sensation de puissance. « On a pris Eichmann ! Le bourreau est tombé ! » Cet homme qui avait paru si redoutable était désormais un prisonnier impuissant, livré à la justice de ses victimes.

Les vingt secondes qui venaient de s'écouler étaient le paroxysme d'une chasse à l'homme qui durait depuis quinze ans.

De l'Allemagne nazie à Buenos Aires !...

L'entraînement

C'était un jour de printemps, en 1960. Rien ne présageait, ce matin-là, qu'une mission m'attendait et allait changer le cours de mon existence pour les années à venir. Depuis quelques mois je stagnais dans la routine, mon travail consistant pour l'essentiel à repérer l'intense activité d'espionnage déployée par les Soviétiques en Israël ; une tâche physiquement et moralement si éprouvante que j'avais vu arriver avec bonheur ma nouvelle période d'entraînement. (Tous les six mois, mes hommes et moi devions suivre un stage spécial d'entraînement intensif. Cela durait pendant une dizaine de jours.)

Nous étions dans la première quinzaine d'avril et la chaleur, étouffante, s'ajoutait à la difficulté des épreuves. Un premier groupe de camarades du Service secret avait achevé ses exercices et se vautrait paresseusement sur les tapis, tout en nous regardant nous démener dans le gymnase mal aéré de la caserne. Nous étions en nage. L'instructeur, David Szaczopeck, originaire de Tchécoslovaquie, nous faisait face, solidement campé sur ses jambes. David était doté d'un physique superbe, d'une musculature parfaite. Il avait appris le judo et le « close-combat » alors qu'il instruisait les commandos tchèques. Emigré en Israël en 1948, il avait mis au service des troupes de Défense de la

Haganah[1] un talent et une bravoure tels que son nom était devenu proverbial.

A la suite d'une blessure au couteau survenue lors d'un exercice d'entraînement, le côté gauche de son visage était resté paralysé, mais sa blessure ne parvenait pas à l'enlaidir totalement. Tous en rang, vêtus d'un treillis, torse nu et les pieds chaussés d'espadrilles, nous écoutions ses conseils et ses remarques avec un respect teinté d'admiration.

David, qui était attifé de la même façon, s'approcha de chacun de nous à tour de rôle, et enfonça rapidement son pouce dans une zone sensible du cou. Nous appelions cela le « coup de grâce », car nous savions que nous allions tous nous écrouler par terre, l'un après l'autre, comme des poupées de foire. Il n'y avait pas moyen de résister à ce coup-là. La victime perdait connaissance pendant quelques secondes au minimum.

C'était la façon dont David nous saluait quotidiennement : tour à tour, nous nous effondrâmes sur le sol. Il ne passa à l'exercice suivant qu'après avoir procédé ainsi. Nous nous rangeâmes alors par groupes de deux. L'un des partenaires avait un couteau de commando, tandis que l'autre devait se défendre à mains nues, utilisant tous les principes d'attaque que nous avait enseignés notre instructeur impassible.

Rien n'échappait au regard perçant de David. S'il soupçonnait que vous étiez de mèche avec votre compagnon, il criait halte et prenait sa place, couteau dégainé. Lorsqu'on avait affronté la lame nue, zigzaguant et lançant des éclairs, que maniait David, ce n'était pas une expérience qu'on désirait renouveler.

Le gymnase retentissait de cris de défi. David nous donna des ordres brefs pour que nous nous préparions à l'exercice suivant : un combat au corps à corps, à

---

1. Principal mouvement de résistance et de combat contre la présence britannique en Palestine et constituante essentielle de l'armée israélienne à sa naissance.

mains nues, contre un adversaire muni d'une arme à feu. Comment réagir quand quelqu'un pointe son pistolet contre vous, de face ou par-derrière, dans différentes situations ? Comment neutraliser et désarmer l'adversaire ?

Ce que nous devions apprendre, c'était évaluer, correctement et instantanément, les points faibles de l'adversaire, afin de le désarmer et de le mettre hors d'état de nuire.

Cette troisième série d'épreuves s'acheva et David nous accorda un moment de répit. Les exercices offensifs succédèrent aux exercices défensifs. Nos corps rouges et baignés de sueur se couvrirent rapidement d'égratignures et de bleus. Sans relâche, il énumérait les faiblesses du corps humain. Il n'en omettait pas une seule : des cheveux aux orteils, tout y passait.

Une paire de pouces qui vous pressent violemment les tempes vous étourdit sur-le-champ.

Un coup de karaté sur la nuque — ou dans la région de l'œsophage — vous suffoque.

Un coup dans les côtes — assez fort pour vous les fracasser — vous empêche de respirer.

Un coup de poing à l'abdomen, juste sous le plexus solaire, vous coupe le souffle et vous oblige à vous pencher en avant, faisant ainsi de vous une cible facile...

Inutile de dresser la liste de tous les tourments et tortures que nous endurions entre les mains de David, ou dans nos propres joutes. Nous avions appris à connaître intimement chaque parcelle de notre corps — et la douleur particulière qui s'y attache. A la fin des dix jours d'entraînement, sur les douze hommes qui étaient arrivés au camp, deux ou trois seulement auraient encore l'usage de leurs jambes... et la possibilité d'aller passer une soirée en ville.

J'attachais une grande importance à ces exercices. En tant qu'officier des services secrets israéliens, j'avais fait serment de ne jamais utiliser d'arme à feu.

Tout en étant fier de n'avoir pas une seule fois trahi ce serment, j'étais conscient que seul l'entraînement de David pouvait m'accorder une chance de survivre aux missions de plus en plus périlleuses qui m'étaient confiées...

En début d'après-midi, ce fut à mon tour de prendre place au milieu d'un cercle de spectateurs attentifs, pour un match de catch avec le partenaire qu'on m'avait assigné. Dans ce combat, Meir et moi devions faire la démonstration de tout ce que nous avions appris au cours de nos exercices défensifs et offensifs.

Les vingt hommes massés autour de nous avaient l'air d'une foule assoiffée de sang qui s'apprête à assister à un combat de coqs. Cette atmosphère me plaisait. Avant même que nous ayons pu en venir aux mains, l'assistance, encouragée par David, naturellement, se mit à nous couvrir de huées ou de bravos. Ils poussaient l'imitation jusqu'à prendre des paris. Exactement comme pour un match de lutte professionnel. En vérité, pour cette bande de voyeurs, un match entre Meir et moi constituait un spectacle rare. Meir était un géant de près de deux mètres avec des jambes comme des troncs d'arbres et des mains de la taille d'une raquette de tennis, dont la seule étreinte vous étouffait. Il était chauve, ce qui accentuait les dimensions colossales d'un crâne dont l'aspect général était celui d'une pastèque bien mûre au plus fort de l'été galiléen. Et pourtant, dans un contraste étonnant, ce corps de gorille était doté d'un visage d'enfant innocent. Au plus mince de sa forme — il faisait parfois un régime — il pesait environ cent dix kilos, tout en muscles, et sans une once de graisse sur le corps.

Je savais qu'il me fallait à tout prix éviter d'être coincé sous sa gigantesque carcasse : mes soixante-quinze kilos n'y résisteraient pas. Meir était l'un de mes subordonnés, mais sur ces tapis et pendant la durée du match, la hiérarchie perdait ses droits. Il n'y avait plus qu'un perdant et un gagnant.

Il lança en avant ses longs bras pour me soulever et me jeter à terre de toutes ses forces. J'essayai de le prendre par surprise en le criblant de coups un peu partout, pour le fatiguer et lui faire perdre l'équilibre. J'avais l'avantage d'être léger et souple comme un chat. Plus que tout, j'étais animé par l'ardent désir de ne pas perdre...

Alors que les spectateurs poussaient des hurlements d'enthousiasme, je fus surpris par deux violents coups de poing dans les côtes et au menton ; je crus un instant que j'allais m'effondrer. Mais, grâce aux encouragements de mes supporters, je me redressai promptement. Je bondis en l'air et, de mes deux pieds, je le frappai en plein abdomen, l'envoyant valser hors du ring, pour le laisser poursuivre sa trajectoire jusqu'au mur, derrière les spectateurs. A ma grande stupéfaction, il était toujours sur pied, et fonçait sur le ring, comme si de rien n'était.

Je rusai, sautillant autour de lui comme si j'exécutais une danse indienne. Par pure provocation, je lui demandai : « Alors, comment est-ce que je vais te régler ton compte, cette fois ? » « Comme tu voudras », marmonna-t-il, les dents serrées. Sa colère n'était pas feinte.

Tout à coup il se jeta sur moi, m'enlaça et, avant même que je puisse comprendre quoi que ce soit, il empoigna mes testicules, sur lesquels il referma son étreinte de fer. Je devins fou de peur et de rage à la fois. La douleur était atroce. Meir, je m'en rendais compte, était dans un état voisin de la folie. Le sang me montait à la tête. Mes yeux sortaient pour de bon de mes orbites. Je saisis son cou à deux mains et lui enfonçai mes pouces dans la gorge, à fond, comme David nous l'avait toujours enseigné. Nous étions à ce moment-là en proie à une douleur telle que nous commençâmes à nous affaisser doucement sur le tapis.

Je parvins à le mettre sur le dos, mais pas à lui faire lâcher prise, et il continuait à serrer mes testicules de plus en plus fort. Je sentais mes pouces s'enfoncer dans sa gorge. Meir émettait d'horribles gargouillements. Il avait le visage terriblement congestionné. Soudain, comme si quelqu'un avait agité une baguette magique, il desserra son étreinte et se mit à frapper sur le tapis, en signe de reddition. Mais j'étais encore trop furieux et trop blessé pour en tenir compte. Il avait évidemment le droit d'utiliser ce truc particulièrement ignoble pour me mettre à genoux. Mais j'avais le sentiment qu'il avait été déloyal ; je ne voulais pas le lâcher, et le cognai contre le tapis de toutes mes forces. Sans la prompte intervention de David, je ne sais pas comment cette affaire se serait terminée. Au point où en étaient les choses, il n'eut qu'à m'arracher de Meir, qui était allongé sur le tapis, en état de choc. Je roulai alors sur moi-même et m'étendis de tout mon long, le corps endolori, et incapable du moindre effort.

Nous nous aidâmes mutuellement à nous relever. Notre colère était tombée, même si nos corps souffraient encore des coups et des égratignures. Nos pantalons étaient déchirés, et complètement trempés. C'est à peine si nous pûmes quitter la salle en titubant, puis sortir du camp et atteindre la plage où, complètement nus, nous nous laissâmes lécher par les vagues. Nous étions trop épuisés pour penser à nager. Nous restâmes donc allongés sur le sable, abandonnant nos corps contusionnés et meurtris aux vagues bienfaisantes qui déferlaient sur nous.

Cela ne dura guère.

A quatre heures de l'après-midi, affublé d'un costume et d'une cravate, je m'engouffrai dans ma Ford Falcon bleue, avec, à mes côtés, un Meir souriant et détendu. Je me rendais à Tel-Aviv par la route côtière. Je branchai l'intercom. Aussitôt je captai la voix excitée de Yoel Rahavi, mon second, s'adressant à une troisième équipe : « Surveille bien la voiture noire.

Elle est conduite par le Colonel. Il arrive par la route de Ramat Gan. » Je savais ce qui provoquait l'excitation de Yoel, et j'attendis la suite des événements. « Bonjour, Yoel, appelai-je dans l'intercom. Ici, Peter. Je viens te donner un coup de main. » « Uzi t'attend au Q.G., répondit Yoel. Il dit que c'est extrêmement urgent. »

Pendant un instant, je considérai les deux possibilités. Finalement je me décidai pour Yoel. Si j'avais connu l'objet de l'appel d'Uzi, je me serais à coup sûr précipité tout droit au Q.G...

J'appuyai à fond sur l'accélérateur pour me rendre aussi vite que possible rue Hayarkon, au coin de la rue Gordon. L'intercom était toujours branché et je restai en communication avec les brefs messages radio que mes hommes envoyaient à Yoel.

« Le Colonel roule en voiture diplomatique vers le nord de Tel-Aviv », signalait l'un des hommes de Yoel. Le Colonel se dirigeait maintenant droit sur le réseau d'embuscades discrètes que nous avions tissé pour lui, et cela me galvanisa. Je confiai à Meir : « Si le Colonel ne décèle pas nos embuscades, on a peut-être une chance de mettre enfin la main sur leur agent. »

Meir n'ouvrit pas la bouche. De l'intercom me parvenaient les rapports monotones des hommes. « La voiture du Colonel est passée sur le pont Yarkon. Les deux voitures d'escorte continuent tout droit vers le sud de Tel-Aviv. Le Colonel poursuit vers le nord. »

Yoel donnait ses ordres d'un ton cassant : « Occupez-vous surtout de la voiture du Colonel. Vérifiez qu'il ne se croie pas suivi. »

J'étais content de voir que Yoel et les autres appliquaient mes ordres à la lettre. Nous avions passé six mois à échafauder notre plan et à rechercher le représentant du K.G.B. en Israël. Contrairement à l'opinion qui prévalait dans notre équipe, je persistais à croire que Sholokov, l'inoffensif chauffeur de l'ambassadeur soviétique, était l'homme qui, ces dernières années, avait maintenu en place et contrôlé un certain nombre d'agents importants dans notre pays. Qu'il était, en fait, le maître du K.G.B. en Israël.

Pour les profanes, Grigory Sholokov se comportait comme un chauffeur docile et scrupuleux : il se précipitait pour ouvrir la portière à l'ambassadeur, faisait ses courses, véhiculait sa femme et ses enfants lorsqu'ils partaient en excursion. Tous les deux jours, bien ostensiblement, il lavait la grosse Chrysler noire, modèle De Luxe, de ses propres mains.

Les soirs de congé, il rôdait sur les grandes routes, ramassant quelques auto-stoppeuses — de préférence — avec lesquelles il tentait un petit flirt sans conséquence. De cette façon, il réussissait à détourner l'attention des services secrets de sa véritable activité de chef du réseau soviétique en Israël.

De mon côté, je n'avais jamais cru à son innocence. Plus on m'apportait d'indices lénifiants et ennuyeux, plus je me méfiais de lui. « S'il n'était qu'un simple chauffeur, les Russes, méfiants comme ils sont, ne le laisseraient jamais frayer aussi librement avec des étrangères ! » Sholokov était en Israël depuis huit ans. Je me refusais à croire que Moscou pouvait laisser en place un chauffeur russe aussi longtemps, s'il n'était pas chargé d'une mission ou d'une liaison spéciale avec une sphère vitale pour le K.G.B.

J'avais décidé d'appeler cette opération « Colonel », parce que je subodorais que le chauffeur occupait, au sein du K.G.B., un rang supérieur à celui de l'ambassadeur dont il était le domestique. Dans mon bureau, j'avais classé son dossier dans la section ultra-importante des probables espions soviétiques.

Après quelques mois d'enquête de routine, j'avais pris une carte de Tel-Aviv, et y avais tracé un rectangle de cinq cents mètres de large et d'un kilomètre de long. C'était le seul quartier où, à trois reprises, Sholokov avait été vu en train de garer sa voiture, à différents endroits, à la tombée du jour, pour aller flâner dans les rues adjacentes.

J'étais fermement convaincu que ces petites excursions n'avaient pas simplement pour but de lui faire aspirer une bonne bouffée d'ozone méditerranéen, ou de lui donner l'occasion de lever l'une des prostituées qui arpentaient le quartier pour accoster plus commodément les touristes.

Aussi mes hommes, attentifs et vigilants, l'attendaient-ils maintenant aux confins du rectangle suspect que j'avais tracé en rouge sur la carte de Tel-Aviv. Ils guettaient la prochaine sortie de Sholokov. Je tirai un autre trait rouge le long de la rue Gordon.

Les deux voitures qui l'avaient escorté lorsqu'il avait quitté l'ambassade n'avaient d'autre objectif que de nous attirer sur une fausse piste. Les Russes ont pour règle d'entourer leurs rencontres de toutes les précautions possibles. Chaque rendez-vous constitue par lui-même une opération concertée, mise au point en accord direct avec les ordres et les autorisations détaillées du K.G.B. de Moscou.

J'informai Yoel par l'intercom que je me garais rue Hayarkon, au nord de l'hôtel *Dan*, et que j'arrivais immédiatement.

Semblable à une boule de feu sur l'horizon bleu et calme, le disque rouge du soleil était sur le point de plonger dans la mer. L'obscurité se répandait rapidement.

Je donnai à Meir l'ordre de rester dans la voiture et de maintenir le contact radio. Me frayant un chemin à travers les arrière-cours des immeubles, je me dirigeai vers la maison de la rue Gordon, située à quelque deux cents mètres de la rue Hayarkon ; j'y avais installé, au deuxième étage, un poste d'observation.

Alona, ma secrétaire, une brune à la poitrine opulente, m'ouvrit la porte de l'appartement, protégé de la lumière par des rideaux noirs accrochés aux fenêtres.

Nous avions choisi cet appartement comme avant-poste pour l'opération « Colonel ». Yoel était à la fenêtre, avec l'intercom à portée de main. De cet admirable point de vue, il pouvait contempler le flux de la circulation automobile et piétonnière dans la rue Hayarkon.

Alona Zamir, qui n'avait que vingt-deux ans, et l'un de mes plus jeunes collaborateurs étaient assis sur le canapé, figés dans l'attente des ordres.

Yoel, dont les lunettes avaient quelque peu glissé dans l'excitation, nous annonça :

« Tout semble indiquer que le Colonel roule dans notre direction. Ça fait déjà deux heures qu'il regarde par-dessus son épaule pour voir s'il n'est pas suivi, et il n'arrive que maintenant dans le voisinage.

— Crois-tu qu'il ait remarqué un de nos hommes ?

— Non ! » Yoel était formel. « Il descend doucement la rue Frishman. Il cherche une place ! »

Yoel et moi échangeâmes un coup d'œil. Pouvions-nous espérer que ce serait notre dernière soirée de peine et de tourment à la poursuite du chauffeur Sholokov ?

« Il se gare rue Frishman, au coin de la rue Fug », cracha l'intercom.

Nous nous dirigeâmes tous deux vers la fenêtre. « En marchant doucement, il est là dans dix minutes... » dis-je.

La pendule marquait sept heures moins quatre. La nuit était tombée sur Tel-Aviv. Les gens flânaient sur leurs balcons, se délassant d'une journée de travail. Les réverbères tentaient vaguement d'éclairer la rue et les trottoirs.

Les rapports ne cessaient d'affluer par l'intercom, car les observateurs consignaient toutes les allées et venues qui survenaient dans notre espace.

« Un homme en costume d'été beige s'avance depuis la plage en direction de la rue Gordon. Il a une serviette de cuir marron foncé à la main droite. »

De notre fenêtre, nous étions aux aguets. L'homme s'avançait lentement, d'ouest en est. A cette heure-là, la circulation était clairsemée. Au lieu de rester sur le trottoir, il se promenait au hasard le long de la chaussée. Lorsqu'il arriva près de la rue Ben Yehuda, il tourna brusquement sur ses talons et prit la direction de la mer. Il fit à nouveau demi-tour, et se mit à aller et venir, sur une vingtaine de mètres, en regardant sa montre de temps à autre, comme s'il attendait quelqu'un.

Impossible d'établir l'identité de cet homme grand et mince.

« Le Colonel entre dans la rue Gordon, communiqua une fille du poste Est. Il poursuit son chemin vers la rue Hayarkon. »

Une atmosphère lourde d'attente silencieuse avait envahi la pièce. La radio s'était tue. L'heure de vérité allait sonner. Yoel et moi restions collés à nos postes ; nous étions cachés par les fines tentures noires. Personne ne prononçait le moindre mot. La robuste silhouette de Sholokov s'approchait, le long du trottoir d'en face.

L'homme au costume clair suivait le même trottoir. Il fit une halte. Sholokov avançait lentement, réduisant pas à pas la distance qui les séparait.

Par l'intercom j'ordonnai à Meir de sortir de la voiture pour bloquer la rue Gordon, du côté de la rue Hayarkon.

Certes, Sholokov commençait son travail d'espion pendant la journée, mais nous avions basé notre plan sur l'hypothèse que la rencontre aurait lieu dans l'obscurité. Mon expérience m'avait en effet appris que les agents préfèrent opérer au cœur de la nuit, pour éviter d'être surpris en compagnie de leurs « contrôles » en plein jour.

J'eus soudain peur que Sholokov ne nous échappe. Il marchait avec assurance le long du trottoir, et dépassa l'homme au costume et à la serviette, sans même lui accorder un regard.

Nous étions abasourdis. Nous étions-nous trompés une fois de plus ? Cependant, une vingtaine de mètres plus loin, Sholokov revint sur ses pas. Nous comprîmes alors qu'il effectuait simplement une dernière vérification.

« Numéro trois, prépare-toi ! » dit Yoel dans l'intercom.

Désormais sûr de pouvoir agir en toute impunité, Sholokov s'arrêta près de la silhouette en costume clair. Ils parurent échanger quelques mots. L'homme tendit sa serviette à Sholokov.

Au même instant, un jeune homme et une jeune fille, qui présentaient l'apparence du couple le plus innocent du monde, surgirent d'une obscure porte cochère. Trois flashes crépitèrent coup sur coup, et la rencontre du Colonel et de l'homme au costume fut immortalisée pour la postérité. C'était le garçon de l'équipe du « jeune couple », le « numéro trois » en personne, placé en embuscade pour la photo, qui maniait l'appareil.

J'eus à peine le temps de voir l'agent et son contrôle soviétique se figer sur place, béants de surprise et parfaitement ridicules.

Je dévalai les escaliers quatre à quatre et me retrouvai dans la rue en un rien de temps. Je ne voulais pas laisser l'agent s'enfuir, et j'avais aussi une terrible envie de mettre la main sur la serviette qui avait été remise à Sholokov : si jamais elle atteignait l'ambassade soviétique, on pouvait lui dire adieu.

Dans la rue, l'homme au costume, pâle et tremblant de peur, était resté figé.

« Où est la serviette ? demandai-je à " numéro trois ".

— C'est le Colonel qui l'a. Il a détalé vers Hayarkon. »

Je me ruai comme un fou vers la rue Hayarkon. Lorsque j'atteignis le carrefour, je vis, à mon grand soulagement, que Meir avait posé ses lourdes mains sur Sholokov. Celui-ci se débattait désespérément pour se libérer de l'étreinte d'acier, et hurlait en anglais, avec un accent très fort : « Je suis un diplomate ! »

Je repris ma respiration, et je vins soulager Sholokov de sa serviette. Il me la remit sans protester. Je dis à Meir de le relâcher. Sans un mot de plus, Sholokov releva son col, redressa les épaules, et s'éloigna avec toute la dignité qui pouvait lui rester. Sur son visage se lisaient la colère et la déception.

Nous retournâmes vers l'homme en costume. Meir approcha la voiture. Nous y introduisîmes l'homme. La scène n'avait pas duré trois minutes, et personne n'en avait été témoin.

« Je ne comprends pas. Que me voulez-vous ? » balbutia-t-il.

Yoel s'était assis près de lui et Meir conduisait. J'avais pris place à côté de Meir. La voiture fila vers le Q.G. de Jaffa. Je demandai à l'homme ses papiers. La carte d'identité indiquait : professeur Yaakov Engelstein, né en 1910 en Pologne. Le nom ne me disait rien du tout.

« Que s'est-il passé ? Que s'est-il passé ? demandait-il désespérément, où m'emmenez-vous ? Qu'est-ce que j'ai fait ?

— Nous allons vous soumettre à un interrogatoire, professeur Engelstein. Vous venez de donner une serviette contenant des documents à un agent soviétique ! »

Le professeur se tut. Il sembla se recueillir. Je m'adressai à toute mon équipe par l'intercom : « Opération " Colonel " pleinement réussie. Vous êtes tous libres pour la soirée. A demain. »

La voix d'Uzi me parvint alors : « Félicitations pour

cette opération. Je t'attends à mon bureau. Le Colonel est retourné à l'ambassade.

— A minuit dans mon bureau ! » répondis-je, et je débranchai l'intercom.

Mission « Eichmann » !

Uzi Neeman m'attendait impatiemment dans mon bureau. Les pieds sur la table, dans sa posture favorite, il buvait nerveusement et fumait cigarette sur cigarette.

« Te voilà enfin ! » Il se redressa pour m'accueillir. « C'était du boulot de première classe. Mais où donc étais-tu passé ?

— Tu sais comment ça se passe avec la police. J'ai emmené le professeur au commissariat. Il fallait que je témoigne. Puis je l'ai conduit chez lui et nous avons cherché d'autres documents. Nous avons trié les papiers qui se trouvaient dans la serviette et j'ai dû attendre qu'ils développent les photos de la rencontre.

— Elles sont bonnes ?

— Excellentes. Le professeur a été pris en train de remettre la serviette à Sholokov. »

Uzi eut un sourire de triomphe qui dévoila une dentition digne d'une réclame de dentifrice.

« Eh bien, je parie que demain matin il prendra le premier avion pour Moscou. C'est comme ça qu'ils procèdent, nos collègues... »

Nous nous installâmes confortablement, jambes étendues sur le bureau. Ma loyale secrétaire, Alona, servit le thé. Nous n'accordâmes aucune attention aux divers appels du prétentieux Télécom posé sur sa console.

« Comment s'est comporté le professeur ? questionna Uzi.

— Tu me connais. Unc fois qu'on l'avait amené au commissariat, je n'avais plus qu'une envie : le laisser aux enquêteurs et disparaître. Ce qui m'intéresse maintenant, c'est l'énigme Sholokov... »

Uzi me considéra avec incrédulité. « Qu'est-ce que tu racontes ! Tu sais quel mal cet homme aurait pu faire, ou a peut-être même déjà fait ? C'est un scientifique de haut niveau qui espionnait des secrets électroniques au ministère de la Défense ! C'est peut-être une perle rare pour les Russes. Pour nous, c'est un désastre ! Ils ont abusé de la naïveté du scientifique, et lui ont fait croire qu'il œuvrait pour la paix.

— J'étais persuadé que Sholokov était un agent du K.G.B., dis-je. Mais je n'aurais jamais imaginé qu'il parviendrait à recruter chez nous un homme comme celui-là, un espion aussi dangereux qu'un scientifique israélien. Et au ministère de la Défense, par-dessus le marché !

— C'est ça, les Russes. Le professeur n'est certainement pas le seul. Vu ses origines, la Pologne, l'idylle a dû commencer dans son pays natal. Il est arrivé ici comme nouvel immigrant en 1950.

— Dans ce cas, je suppose que les Russes l'ont chargé d'infiltrer le ministère de la Défense, dis-je, pensant à voix haute. Et voilà pourquoi Sholokov a été si longtemps en place en Israël. Les Russes savent finasser, on peut bien leur reconnaître ça. »

Uzi changea de sujet : « Peter, oublions le professeur. Laisse ça aux séances publiques des tribunaux. De toute manière, on ne nous décorera pas pour autant. Comme d'habitude, la police s'en attribuera tout le mérite et toute la gloire. »

Nous nous versâmes deux whiskies. Grand et athlétique, les cheveux châtain clair et les yeux brun foncé, Uzi, le chef du département des missions spéciales, avait un visage rond et sérieux. C'était mon supérieur et, plus important à mes yeux, mon ami.

J'étais le chef des opérations sur le terrain, mais nos relations n'avaient aucun caractère hiérarchique. Les décisions, prises à la suite d'âpres discussions qui nous menaient jusqu'au petit matin, avaient toujours été le fruit de la persuasion.

Uzi était plus âgé que moi. Nous nous étions tous deux enrôlés volontairement dans les services secrets peu de temps après la guerre d'indépendance. Notre commandant en chef était Isser Harel, directeur du département central du Renseignement et de la Sécurité, qui faisait aussi office de président des services de Surveillance israéliens. Isser se faisait un devoir de connaître chacun de nous personnellement, comme il connaissait la plupart des commandants en chef des services qu'il dirigeait.

Uzi prenait de petites gorgées de whisky, tout en continuant à boire son thé, comme à son habitude. Il se leva brusquement, la chemise froissée ballant hors du pantalon kaki, lequel, trop large de plusieurs tailles, flottait sur ses hanches et tombait sur ses chaussures. Tenant toujours d'une main son verre de whisky, il saisit de l'autre une baguette, et se dirigea vers une grande mappemonde fixée au mur.

« Tu as déjà été en Amérique du Sud ? »

J'étais encore plongé dans l'opération « Colonel », et je ne voyais pas très bien où il voulait en venir. « Tu plaisantes, Uzi. Qu'est-ce que j'irais faire en Amérique du Sud ? »

Uzi fit celui qui n'avait rien entendu : « Tu as été choisi pour une mission historique », jeta-t-il, presque joyeusement. Mais l'expression de son visage démentait entièrement le ton de sa voix.

« C'est une blague ? répliquai-je, ne sachant quelle contenance adopter. Vas-tu me dire enfin de quoi il s'agit ? »

Il me prit par l'épaule et me conduisit au spacieux

balcon attenant à mon bureau. Le beau, le pittoresque Tel-Aviv était assoupi sous la voûte du ciel cananéen, abritant sans distinction ses nombreux habitants juifs et ses quelques citadins arabes. La vieille tour d'horloge se dressait à proximité. Le silence était si total qu'on pouvait entendre les vagues se briser contre les pontons du vieux port.

Uzi ne me regardait pas. Nous avions tous deux les yeux fixés sur la nuit étoilée et brillante. Sa voix s'écoula calmement comme si ses paroles avaient été préparées de toute éternité :

« Peter, tu as été désigné comme membre d'une équipe qui doit participer à la capture de l'un des plus grands assassins de l'Histoire. *C'est à toi qu'est échue la tâche de capturer Adolf Eichmann !* »

J'entendis les mots très distinctement, ne parvenant toujours pas à comprendre. Complètement abasourdi, j'avais l'impression d'être spectateur de la scène sans y participer tout à fait. Soudain un frisson me parcourut l'échine. Je demandai, incrédule : « Tu veux dire que nous allons kidnapper l'Adolf Eichmann qui a été responsable du meurtre de six millions de juifs ?

— Six millions de juifs et autant de non-juifs — tous innocents, des femmes, des enfants et des vieillards. Nous allons le faire passer en jugement à Jérusalem. Isser Harel nous a donné le feu vert. Il supervisera lui-même l'opération. »

Uzi avait trente-trois ans, et, en dix années de travail, j'avais eu tout le temps de faire sa connaissance. Jamais je ne l'avais vu se mettre en colère. Ses traits semblaient presque moulés dans la patience. Son doux sourire était légendaire. Sa bienveillance était telle qu'il allait parfois jusqu'à rendre visite aux prisonniers dont il avait lui-même assuré l'arrestation. A la minute où un espion juif, par exemple, était reconnu coupable et condamné à de longues années d'emprisonnement, Uzi allait le voir, non pas pour l'interroger, mais pour lui rendre la vie un peu plus agréable en prison, et pour préparer sa réhabilitation. Il ne gardait rancune à personne. En tant qu'officier supérieur — c'était connu — il savait mettre de côté son propre prestige et son autorité afin d'établir des relations harmonieuses avec ses subordonnés.

Sur son bureau régnait en permanence un désordre extravagant. Il s'habillait sans soin. Ne le connaissant pas, on pouvait s'en faire une idée complètement fausse. Mais derrière l'apparence négligée se cachaient une brillante intelligence, douée pour l'analyse, une prescience extraordinaire, et une grande facilité à embrasser le large éventail des problèmes complexes qui peuvent se poser dans le travail de renseignement.

Contrairement à Isser Harel, Uzi était toujours prêt à changer d'avis à la dernière minute, s'il estimait qu'il était dans l'erreur. Il n'avait ni préjugés, ni lubies particulières.

Isser était un vieil ours. Uzi aimait à s'entourer d'amis. Lorsque nous mettions sur pied une opération, il voulait avant tout s'assurer que nous étions nous-mêmes convaincus que le procédé choisi était le meilleur. Il était prêt à discuter pendant des heures avec n'importe qui, même avec les plus inexpérimentés, pour leur inculquer cette certitude; et, si cela s'avérait nécessaire, il invitait l'homme chez lui pour poursuivre la discussion. Il n'avait jamais peur de perdre la partie ou de s'entourer de gens doués. Chaque fois qu'il entendait parler d'un garçon particulièrement brillant, il remuait ciel et terre pour le recruter dans nos services. Et, une fois qu'il l'avait engagé, il n'hésitait pas le moins du monde à le hisser au sommet de la hiérarchie, sans égards pour l'ancienneté. « Mieux vaut obtenir un gain de dix pour cent grâce à un homme intelligent, qu'un gain de cent pour cent par l'effort d'un imbécile », expliquait-il.

Natif d'Israël et père de famille, Uzi était venu au

Service secret par la Palmakh [1]. Il avait une réputation de courage qui lui avait valu de participer à des opérations contre l'armée britannique à l'époque du Mandat, avant la fondation de l'État d'Israël. Dans l'I.D.F. [2], il se révéla un brillant officier, et reçut par deux fois de graves blessures, dont il porte aujourd'hui encore les cicatrices. Malgré ses douleurs persistantes, il prit personnellement part à des opérations qui exigeaient à la fois une forme physique exceptionnelle et une détermination à toute épreuve.

La présence d'Uzi sur le théâtre des opérations me donnait toujours, quel que soit le danger, la sensation d'être non seulement accompagné par mon supérieur, mais aussi par un ami. Nous avions tous deux conscience de notre complémentarité, et savions que nous ne nous abaisserions jamais à nous disputer le mérite de telle ou telle action.

La réunion commença à huit heures tapantes. Uzi et Aharon étaient assis de chaque côté de mon bureau, et Meir en face de moi.

Aharon était le second d'Uzi ; doté d'un long visage pâle et ascétique, une frange tombant sur ses yeux, il affichait en permanence une expression de détachement distrait. Méticuleux en tout, il souriait rarement. De temps à autre, lorqu'il était bien disposé et passablement éméché, sa langue se déliait et il lâchait à intervalles réguliers une volée de plaisanteries mordantes.

Aharon, dont la famille avait été exterminée par les nazis, était d'origine suisse, et possédait une capacité d'attention exceptionnelle. Mais il ne supportait pas les imbéciles. Mieux valait ne pas éprouver sa patience

---

1. Unité de combat de l'organisation secrète de la communauté juive en Palestine, faisant partie de la Haganah.
2. Israel Defence Force.

avec des niaiseries si on ne voulait se retrouver à la porte de chez lui. « C'est plus que criminel. C'est idiot ! » était son mot favori.

Ses vêtements étaient toujours immaculés, mais portés avec négligence ; ses chaussures toujours impeccablement cirées.

Sa parfaite maîtrise de langues comme l'allemand et le français, indispensables à tout Suisse cultivé, se montrait extrêmement utile sur le terrain. Et, comme agent secret, c'était un professionnel accompli.

Uzi, Aharon et moi étions considérés comme les trois chefs de file des opérations de sécurité israéliennes. Nos adversaires dans le Service secret — et nous en avions — nous appelaient « la sale trinité ».

Uzi demanda à Aharon d'ouvrir la discussion.

« Nous tenons, d'une source sûre en Allemagne, qu'Eichmann, Mengele et Müller vivent en Amérique du Sud. Isser a envoyé des émissaires en Allemagne pour prendre contact avec l'informateur. Les parents de chacun de ces criminels ont été mis sous surveillance. »

Nous étions tendus, soucieux de ne pas perdre un seul mot de ce qu'il allait dire. Aharon parlait sèchement, sans émotion.

« Pour nous, l'essentiel est maintenant de nous assurer qu'Eichmann est vivant, et réside bien à San Fernando, un faubourg de Buenos Aires. Hans Kiryati est sur place en ce moment, pour vérifier une dernière fois l'exactitude de cette information. »

Aharon ouvrit alors l'une des chemises de carton bistre qui se trouvaient devant lui.

« Voici la copie du dossier personnel d'Eichmann, envoyée par le ministre allemand de la Justice. Fritz Bauer, le procureur de Francfort, un fanatique traqueur de nazis, nous aide parce qu'il est convaincu, en tant que juif, que seuls les Israéliens ont la volonté — et aussi les moyens — de traduire en justice les criminels nazis. »

Uzi l'interrompit : « Je propose que nous commencions par examiner toutes les photos d'Eichmann. »

Aharon se dirigea vers le projecteur que j'avais toujours dans mon bureau, pendant que je déroulais l'écran. Meir se leva et ferma les volets pour isoler la pièce de la claire lumière du matin. L'image d'Adolf Eichmann se dessina sur le rectangle blanc, au fil des clichés anthropométriques.

Je concentrais mon attention sur sa physionomie. Il y eut d'abord une série de clichés qui le montraient en uniforme S.S. Un homme du IIIe Reich dans toute la fleur de sa jeunesse. Je voulais être sûr de pouvoir l'identifier, le moment venu. J'analysai les lignes du visage : c'était le type même de l'officier allemand, résolu et hautain. Les pommettes proéminentes, le regard arrogant au-dessus de l'uniforme noir et clinquant. L'image était déjà bien gravée dans ma mémoire. Mais j'étais curieux de voir ce que ce visage était devenu, quinze ans après. De quoi il avait l'air, maintenant.

La porte s'ouvrit. Alona était là, en chemise blanche et en jupe bleue, un télégramme rose à la main. Elle s'immobilisa sur le seuil. Je lui dis d'entrer et de refermer la porte. Alona ne pouvait pas quitter l'écran des yeux. « Mais c'est Eichmann... » murmura-t-elle, comme pour elle seule. Elle paraissait assez bouleversée.

Je me levai et lui pris le câble des mains. « Tu as raison, lui dis-je, préférant régler la question avant de lire le câble. C'est Eichmann. Et maintenant tu es dans le secret. Et tu n'en souffles mot à quiconque, pas même aux gens qui travaillent dans cet immeuble. Tu devras nous aider pour les préparatifs. »

Alona acquiesça en silence.

J'allumai la lumière et parcourus le télégramme : « Sabotage à Nazareth, annonçai-je à Uzi. Des éléments arabes hostiles ont fait sauter la voiture de notre agent à Nazareth. Il a été blessé et transporté à l'hôpital d'Afula. On signale que d'autres attentats sont en préparation. »

Uzi répondit : « Nous devrons régler cette affaire avant de partir pour Buenos Aires. Ils font délibérément monter la tension à Nazareth, parce que c'est une zone sensible pour le monde chrétien. Il faudra ramener le calme. Continue, Aharon... »

Alona, partageant notre excitation, s'assit parmi nous.

A présent défilaient quelques clichés d'Eichmann, pris par un appareil photo dissimulé non loin de chez lui, à San Fernando. L'image qui nous regardait formait un contraste aigu avec les photographies précédentes. Le crâne était à moitié chauve, et les lunettes qui chevauchaient son nez lui donnaient l'air d'un hibou. Le visage émacié était envahi par une grosse moustache. J'avais l'impression qu'il portait de fausses dents. J'essayai de comparer les deux images. Difficile de croire que c'était un seul et même homme. Je demandai à Aharon de repasser les clichés du jeune Eichmann.

Nous comparâmes attentivement les différents traits : les oreilles, la forme des yeux, la ligne du nez, l'angle du menton — et, même alors, les photos ne semblaient pas représenter le même individu. Mis à part les oreilles, rien ne pouvait laisser soupçonner que le personnage de Buenos Aires, voûté et vieillissant, avait été autrefois un officier S.S., une bête venimeuse dont le seul nom avait terrorisé toute l'Europe.

Aharon se rendit compte que j'avais des doutes. « Nous avons montré ces photos à nos meilleurs experts, qui ont consulté des médecins de l'hôpital militaire de Tel Hashomer. Ils en ont conclu qu'en dépit de différences dues à l'âge et à l'artifice, il y a une très forte ressemblance. Nous ne serons fixés que lorsque nous aurons mis la main sur lui.

— Nous courons un gros risque, protesta Uzi. Kidnapper un homme sans être sûr à cent pour cent qu'il s'agit bien d'Eichmann !... »

Aharon eut encore réponse à cela : « C'est exact, il y a un risque. Mais les documents que nous avons reçus d'Allemagne comportent des informations qui nous permettront en fin de compte d'établir son identité — même s'il nie être Eichmann. Il devait avoir une cicatrice sur la poitrine, qui lui reste d'un accident de voiture survenu pendant la guerre. Sous son aisselle gauche devrait se trouver un tatouage indiquant son groupe sanguin ; tous les membres des S.S. Têtes de Mort en portaient un. Nous connaissons aussi ses mensurations : tête, pieds, taille. »

Aharon fit passer d'autres images qui avaient été prises par nos hommes à Buenos Aires : les clichés, en noir et blanc, n'étaient pas très nets.

Malgré toute mon application, il m'était difficile d'évaluer avec exactitude la carrure de l'homme. Mais je savais qu'au moment où je le verrais, je serais capable de combler toutes ces lacunes.

Une nouvelle série de diapos montraient à présent la maison d'Eichmann et ses entrées. Il s'avérait que le théâtre des opérations était une étendue désolée, à l'écart de toute vie, un misérable faubourg de Buenos Aires. J'étais surpris de voir qu'Eichmann habitait un bâtiment de piètre apparence : une maison basse assez laide, semblable à celles qui se trouvaient dans le voisinage. J'aurais plutôt pensé qu'un homme comme lui suivrait l'exemple de la plupart de ses semblables, et prendrait avantage de sa position pour s'approprier les biens de ses victimes. De fait, plus tard, la vérité transpira : comme on pouvait s'y attendre, il avait amassé un butin assez considérable, des tableaux de valeur, de l'or et des diamants. Mais au fil des ans, la situation avait évolué : le IIIe Reich était tombé dans l'oubli, puis une chasse à l'homme de grande envergure avait été organisée contre Eichmann ; et ses complices dans le crime, qui s'étaient eux aussi réfugiés en

Amérique du Sud, se mirent à le désavouer. Ils coupèrent tout contact avec lui de peur de se faire repérer. C'est ainsi que, dans l'impossibilité de profiter de ses biens mal acquis, il préféra se cacher et survivre comme simple ouvrier dans une usine d'Argentine.

L'appareil projetait maintenant l'image d'un autobus qui portait l'indication « San Fernando » ; à côté, on apercevait la silhouette d'Eichmann. Aharon expliqua laconiquement : « C'est le 203 qu'Eichmann prend pour aller à son travail. Là, vous le voyez au moment du retour, vers sept heures et demie, huit heures ; c'est de cet arrêt d'autobus qu'il marche jusque chez lui. »

Aharon sortit une carte du quartier de San Fernando. La maison d'Eichmann était marquée d'une croix, et son itinéraire jusqu'à l'arrêt d'autobus était tracé en rouge. Deux points rouges signalaient des postes d'observation avantageux, d'où l'on pouvait, de nuit, surveiller la maison d'Eichmann.

Le spectacle était terminé. L'atmosphère était électrique. Nous nous sentions déjà en plein cœur de la mission. Même s'il fallait pour cela nous transporter à l'autre bout du monde.

Alona se leva pour ouvrir les volets. Nous échangeâmes des regards. Meir était assis, ses énormes mains posées sur les genoux, comme s'il se préparait à bondir. Uzi allait et venait, perdu dans ses pensées, déjà entièrement absorbé par la préparation de l'opération.

« Il faut que ça marche, marmonna-t-il. Nous devons nous y mettre tout de suite. » Il s'immobilisa brusquement au milieu de la pièce, pivota sur ses talons et pointa son index vers moi. « Peter, tu agiras le premier. Tu seras le fer de lance. Je parie qu'il ne t'échappera pas. »

A cet instant, le silence s'abattit sur la pièce. Alona, adorable comme toujours avec ses longs cheveux noirs relevés, restait bouche ouverte, éperdue d'admiration. Elle finit par lâcher : « Je n'arrive pas à y croire... Vous allez vraiment capturer Eichmann en Argentine ? »

Uzi sourit avec bienveillance : « Serais-tu prête à partir avec nous ?

— J'ai peur... mais si vous y allez tous, je partirai avec vous... »

Uzi ajouta gentiment : « Qui sait ? En attendant, tu as pour tâche précise de t'occuper du côté administratif, avec beaucoup de soin et de discrétion. »

Il se rassit et dit : « Peter, je suggère, pour commencer, que tu dresses avec Meir une liste du matériel qui devra être envoyé sur le terrain. »

Et à Aharon : « Tu devras préparer tous les documents et papiers nécessaires pour l'opération, en coordination avec Dror Ladd... Occupe-toi des faux passeports et des billets d'avion. N'oublie pas que nous passerons quelques jours à Paris. »

Dror Ladd était à cette époque notre agent à Paris, et je savais qu'on pouvait lui faire une confiance aveugle.

La voix de Meir nous fit tous sursauter : « Et pourquoi faut-il ramener ce salaud ici ? On pourrait tout aussi bien l'étrangler et abandonner le corps. »

Aharon sourit : « Ça changerait tout le programme. Ça simplifierait beaucoup les choses. Seulement Ben Gourion a décidé qu'Eichmann serait amené à Jérusalem et passé en jugement. »

Meir s'enquit naïvement : « Comment va-t-on le transporter ? sur notre dos ? Quelqu'un s'est penché sur la question ? »

Uzi : « Tout cela se réglera en cours de route. Nous sommes en train d'étudier le problème, Isser Harel et moi. A vrai dire, nous ne l'avons pas encore résolu. Il a été question de bateau ou d'avion. On verra bien. De toute façon, c'est sans importance. Tout ce qu'on sait, c'est qu'il faut lui mettre la main dessus aussi vite que possible. Parce que s'il arrivait que, par suite de nos recherches, il ait le moindre soupçon, il s'évanouirait dans la nature, soyez tranquilles. Ce qui anéantirait quinze ans d'efforts ; et, par-dessus le marché, l'un des plus grands criminels nazis courrait toujours... »

Sur cette sombre prédiction, Uzi et Aharon s'en allèrent, et je m'assis pour dicter à Meir le premier ordre de la mission :

Commande de matériel

a) huit appareils radio de fabrication française, avec piles de rechange ;
b) quatre paires de jumelles britanniques ;
c) six petites lampes de poche ;
d) des plaques d'immatriculation de remplacement ;
e) deux trousses à outils ;
f) des menottes ;
g) une mallette technique comportant un laboratoire portatif de faussaire ;
h) du matériel de cambrioleur, comprenant des serrures de sûreté ;
i) une trousse de maquillage, comprenant perruques, fausses dents, barbes et moustaches.

J'avertis Meir que tous les colis devaient être envoyés dans des emballages molletonnés afin de protéger les outils. Ils devaient être d'un poids léger pour ne pas éveiller les soupçons. Ils ne devaient pas arriver tous en même temps, mais en trois expéditions séparées, pour ne pas attirer indûment l'attention des douaniers argentins. Meir devait aussi s'assurer que tous les colis soient acheminés par des lignes différentes, sur des vols divers.

Il prenait consciencieusement des notes.

« Prépare une liste d'outils et de fournitures à acheter en Argentine, comprenant marteaux, scies, clous et autres ; nous aurons besoin de tout cela pour installer notre cellule. Nous devrons peut-être y cacher Eichmann en cas d'urgence.

— Mais pourquoi donc ? Meir ne me suivait pas.

« Nous devrons aménager une pièce où Eichmann et son gardien pourront vivre pendant quelques jours, en cas de perquisition. Cette pièce devra ressembler à une chambre forte. Mais elle nécessitera des installations sanitaires et un système d'aération pouvant fonctionner pendant vingt-quatre heures. Il y aura un dispositif de verrouillage interne, afin que rien ne puisse apparaître à l'examen. Quand tu auras fini tes préparatifs, je vérifierai le matériel et les colis. »

Meir se leva. « Et toi, ça va ? demandai-je. Pas trop ankylosé ? »

Meir me fit un clin d'œil : « Et tes couilles, elles sont en bon état ? Tu vas en avoir besoin !... »

Meir était le plus âgé de l'équipe du commando. Pour lui la capture d'Eichmann représentait le couronnement d'une longue et glorieuse carrière vouée à la chasse aux nazis. Pendant la Seconde Guerre mondiale, Meir avait combattu sur le front italien. Quand les armes s'étaient tues, lui et quelques-uns de ses camarades juifs en uniforme avaient visité les camps de la mort. Ils s'étaient aussitôt engagés dans l'une des équipes de soldats et d'officiers juifs qui allaient dénicher les officiers S.S. dans leurs planques d'après-guerre, en Italie et en Allemagne, et les exécutaient.

Mais ce n'était pas pour cette raison que j'avais choisi ce Russe de quarante-trois ans pour nous accompagner à Buenos Aires. Diplômé d'une école professionnelle, Meir était capable de prendre en charge tout ce qui était d'ordre technique. Les innovations en matière de bricolage étaient sa distraction favorite, il s'y consacrait jour et nuit et leur trouvait une application quelconque pour les besoins de sécurité des services secrets.

Meir avait une femme et un enfant, et il était membre d'une coopérative agricole. Quand il était à la ferme, il passait son temps à réparer les machines de tous ses voisins. Il était aussi devenu expert en cachettes en tout genre. Si vous aviez à passer des documents secrets dans une valise, Meir était votre homme. Il savait ménager une planque dans un appartement sans en altérer la disposition. Il était capable de verrouiller une porte ou un coffre-fort avec des systèmes si ingénieusement dissimulés que même des experts auraient eu du mal à les détecter. Je savais que nous devrions cacher Eichmann dans un abri sûr en Argentine, aussi longtemps que durerait le battage autour de l'affaire, c'est-à-dire pour une période indéterminée.

Personne ne pouvait, mieux que Meir, s'occuper de cet aspect. Il savait encore, seul et sans aide, maquiller une voiture de façon à la rendre méconnaissable. Un petit laboratoire portatif de sa fabrication lui servait d'atelier.

J'avais en outre un respect considérable pour ses performances physiques — je savais de quoi je parlais. Étant donné que nous devions opérer sans armes, la présence d'un autre M. Muscle dans l'équipe était la bienvenue. Il y avait cependant une chose dont je pouvais être certain : Meir devrait recevoir des consignes très strictes quant à l'emploi de sa force ; livré à lui-même, il était capable de démolir une douzaine d'hommes et de les transformer en hamburgers avant de se rendre compte qu'il s'était mis en colère...

Une surprise pour Maman

Les ordres d'Isser Harel étaient formels : « Eichmann doit être capturé sans qu'on touche à un seul de ses cheveux. » J'avais déjà décidé que le meilleur moyen, pour un homme seul, de prendre Eichmann par surprise, c'était de le maîtriser grâce à une attaque foudroyante, et de transporter son corps jusqu'à la voiture.

Comment réduire les risques au minimum ? La question me harcelait jour et nuit. La responsabilité était écrasante. Je me rendais parfaitement compte que, si j'échouais, il n'y aurait pas d'autre occasion, et que cela pourrait tourner au désastre pour mes camarades. J'avais alors trente et un ans et, en tant que jeune juif ayant échappé de peu à l'holocauste, je n'aurais jamais pu me pardonner d'avoir laissé tomber les autres — les millions qui avaient été massacrés par Eichmann et par ses laquais, et les rescapés qui attendaient encore le jour du jugement. J'étais animé non pas par un désir de vengeance, mais par le sentiment d'accomplir une mission nationale, de celles qui ne se présentent à un homme qu'une fois dans sa vie. Je voulais m'acquitter de cette mission, loyalement et intégralement.

C'est à peine si ma femme de ménage, Leah, m'apercevait chez moi. Je rentrais prendre une douche et me changer, je m'occupais des factures qui arrivaient avec une régularité monotone, impôts, taxes, loyer, eau, électricité, blanchisserie et autres... Même en pleine nuit, je devais répondre à des coups de téléphone concernant les problèmes de routine qui avaient pu se poser.

Au-dehors, et pour le plus grand profit de mes collaborateurs du Service secret, je poursuivais mon activité habituelle, qui comprenait le contrôle et la surveillance de ceux qui étaient soupçonnés d'espionnage en Israël, et l'activité anti-subversive contre les Arabes. Je parvins ainsi à cacher mes préparatifs pour la mission « Top secret » en Amérique du Sud.

Je me souviens d'un type qui travaillait au Q.G., et qui pesait cent vingt kilos, ce qui lui avait valu le surnom de « Montagne ». Il n'arrivait pas à comprendre pourquoi je semblais tout d'un coup l'avoir pris en grippe. Chaque fois que je le rencontrais, que ce soit dans le parking, dans un couloir ou dans les escaliers, je bondissais sur lui, quelle que soit ma position, et je le hissais sur mon dos en étreignant son cou aussi fort que possible. Il constituait une cible d'entraînement parfaite. Je savais qu'Eichmann pesait entre soixante-dix et quatre-vingts kilos. Le fait que je puisse transporter sur mon dos un homme comme « Montagne », en le serrant à la gorge, me convainquit que je n'aurais aucune difficulté à enlever Eichmann.

Après avoir perfectionné ma technique par une douzaine d'attaques de ce genre, je fus peu à peu délivré d'une inquiétude : sur le plan purement physique, le succès ne faisait plus de doute. J'étais, en fait, sûr de pouvoir opérer contre n'importe qui. Mais Eichmann était un fugitif habité par la peur. Un homme bourrelé de craintes, sans cesse inquiet pour sa vie, dont je ne pouvais pas prévoir la réaction. J'avais maintenant la certitude que, quoi qu'il arrive, il ne m'échapperait pas.

Amos Manor, le chef de la Sécurité, ne mettait aucun empressement à me libérer de mes obligations pour une vague mission à Buenos Aires. J'avais une très lourde tâche. Nous savions tous que le Professeur n'était pas le seul espion israélien. Il y avait apparemment au moins un espion par officiel soviétique en Israël. Notre chef trouvait scandaleux que tout le trio, Uzi, Aharon et moi, soit envoyé à l'étranger immédiatement et pour une longue période.

Amos jouissait d'une immense popularité auprès de nous tous. Il fut en fin de compte bien obligé d'admettre que seuls des agents expérimentés étaient en mesure de mener à bien pareille mission. Lui et sa famille avaient affronté la mort à Auschwitz. Seuls, Amos et sa femme avaient pu miraculeusement s'échapper du plus atroce des camps de la mort. Un camp qui avait été le principal terrain d'opération d'Adolf Eichmann, du docteur Josef Mengele et de ses compères pour la promotion de la « solution finale ». C'est pourquoi il me semblait que si quelqu'un avait le droit de commander cette mission, c'était Amos Manor.

Il voulait y participer, ne serait-ce qu'en s'occupant de paperasserie, mais il n'y fut pas autorisé.

Alors qu'Isser Harel entourait les services secrets d'un gigantesque mur de silence, Amos Manor savait admirablement adapter les besoins de la sécurité aux réalités de la vie. Il avait compris que, comme tout le monde, le personnel du service secret avait de temps à autre besoin de quelques gratifications ; une reconnaissance particulière, par exemple ; enfin quelque chose de plus que les rapports joints aux dossiers individuels.

Quand j'avais commencé à travailler sous son commandement à Tel-Aviv, et que j'avais proposé de nouvelles méthodes de contre-espionnage — car certaines structures et certaines pratiques bien établies avaient besoin d'être modernisées —, Amos avait été le seul haut gradé à nous soutenir, Uzi et moi, sur toute la ligne. A cette époque où le jeune État d'Israël faisait ses premiers pas, tout était à construire.

Grâce à ses origines et à son éducation européenne, Amos Manor avait un flair particulier pour les méthodes d'espionnage soviétiques ; c'est une des raisons pour lesquelles le K.G.B. subit alors de sévères échecs, aussi bien en Israël que dans tout le Moyen-Orient. Le docteur Israël Ber, conseiller militaire de Ben Gourion, le professeur Kurt Sita, un scientifique de premier plan de la Haïfa Technion, et d'autres encore dont les Soviétiques ont certainement gardé le souvenir, furent arrêtés pendant cette période. C'était au moment où la guerre froide battait son plein, et le K.G.B. consacrait une énergie considérable au Moyen-Orient, qui constituait une zone stratégique vitale pour l'U.R.S.S.

Amos était un homme qui savait être à la hauteur des circonstances, et il n'hésitait pas à exprimer sa satisfaction devant nos exploits. Lorsque nous eûmes enfin mis la main sur Sholokov, Amos entra dans mon bureau, se mit à califourchon sur une chaise en face de moi, et me demanda : « Je voudrais que tu me montres précisément, sur le terrain, comment tu as exécuté cette magnifique opération. »

Il était si décidé que j'obtempérerais. Pendant que nous allions ensemble d'une position stratégique à l'autre, je lui expliquai comment nous avions dressé l'embuscade pour l'homme du K.G.B. « Même une souris n'aurait pas pu échapper à un pareil traquenard ! » applaudit-il.

J'étais célibataire et j'avais déménagé de Haïfa à Tel-Aviv. Il voulait me faire bénéficier de toutes sortes d'avantages afin d'améliorer mon train de vie. Il voulait notamment me consentir des facilités de paiement pour l'achat d'un appartement rue Arlozorof, à seule fin de me manifester son estime et son soutien. Je le remerciai et déclinai l'offre, bien qu'Uzi m'ait pressé d'accepter. C'était, disait-il, une offre que personne ne pouvait refuser ; mais j'étais fermement convaincu que quiconque s'engageait dans les services secrets israéliens ne devait chercher à en tirer aucun profit. Je n'étais heureusement pas le seul à penser ainsi. Tous, des grands chefs aux simples exécutants, se considéraient comme des volontaires qui ne faisaient que leur devoir. L'ère pionnière d'Israël était encore à son apogée.

Bien qu'Amos Manor ne se soit jamais plaint d'avoir été exclu de la mission « Eichmann », je suis sûr qu'il en souffrit. Mais c'était Isser Harel, chef du Mossad et des services de Sécurité, qui commandait, et qui supervisait les opérations clandestines hors d'Israël. C'était à lui de trancher.

Au fur et à mesure que nous avancions dans nos préparatifs, nous déléguions nos responsabilités dans les affaires courantes à nos remplaçants, avec l'autorisation et la coopération d'Amos Manor.

J'avais progressivement délégué toutes mes fonctions, mais restait encore le problème de ma mère. Cette responsabilité-là, je ne pouvais la confier à personne. Qui, ne cessais-je de me demander, s'occuperait d'elle pendant ma longue absence ? Ma mère était désormais seule, dans son appartement de la vieille ville d'Haïfa, sur les pentes du Carmel. Mon père était mort sept ans auparavant. Et, depuis, elle s'en remettait à moi. Chaque coup de téléphone, chacune de mes visites, semblait lui redonner vie. Ma mère était l'incarnation même de la *yiddishe mama.* Elle ne vivait que pour ses petits. Dans les moments difficiles, elle se privait littéralement de nourriture pour que nous puissions manger. Il n'y avait parfois pas un sou à la maison mais, le vendredi soir, la veille du sabbat, était sacré. Les plats traditionnels surgissaient mystérieusement ; le *gefilte fisch* [1], le *kreplach* [2], du pain torsadé, et le vin sacramentel.

Elle était si attentive à mon bien-être que, de temps à

1. Carpe farcie.
2. Boulettes.

autre, elle me faisait une surprise : une chemise blanche pour le sabbat, une paire de sandales, ou encore quelques pièces qu'elle fourrait dans mes poches.

Nous étions quatre. Mon frère Yaakov était mort dans un accident de la route à l'âge de dix-sept ans. Ma sœur Frouma et ses trois enfants, respectivement âgés d'un, trois et quatre ans, avaient été massacrés par les nazis. Mon frère aîné Yehiel, marié et père de deux enfants, devait subvenir aux besoins de sa propre famille. Il n'y avait donc plus que moi pour lui servir de bâton de vieillesse. Elle sentait que mon travail était un peu spécial. « C'est dangereux ? demandait-elle. Tu ne cours pas trop de risques ? — Et puis quoi encore ? la taquinais-je. Je suis un fonctionnaire. Tu n'as aucun souci à te faire. » Mais elle savait bien que je mentais. Une mère juive ne se laisse pas avoir comme ça. Après la perte tragique de ses deux autres enfants, elle semblait me remettre au monde chaque fois qu'elle me voyait.

Un vendredi, une quinzaine de jours avant mon départ pour l'Argentine, j'allai lui rendre visite à Haïfa. En fin d'après-midi, tandis que j'approchais de la maison, je l'aperçus, debout sur la véranda et, comme toujours, guettant mon arrivée avec impatience. Ce jour-là, j'avais décidé de lui jouer un tour afin de mettre à l'épreuve mes talents de maquilleur et de costumier. Je m'étais servi de mon matériel de laboratoire pour modifier mon apparence. Une perruque châtain foncé, avec moustache, pattes et sourcils assortis, dissimulait ma tignasse blonde. J'avais couronné d'or l'une de mes incisives. J'avais enfin revêtu un élégant costume d'été, et, dans cet appareil, j'avais l'air du parfait touriste américain ; je me flattais déjà du succès. Je me garai discrètement et sonnai à la porte. Ma mère m'appela, sans réfléchir, puisque j'étais le seul visiteur qu'elle attendait.

Elle se précipita pour embrasser son fils et son élan

fut brutalement coupé lorsqu'elle découvrit un étranger sur le seuil de sa porte.

« Que cherchez-vous, jeune homme ? » demanda-t-elle poliment mais non sans méfiance. Je répondis en yiddish que j'étais un touriste américain, que j'avais l'intention de m'inscrire à la Technion, et que je cherchais une chambre à louer.

« Comment savez-vous que j'ai une chambre à louer ? fit ma mère, tout étonnée.

— J'ai rencontré votre fils à Tel-Aviv et c'est lui qui m'en a parlé. »

Elle m'offrit à boire mais je refusai. Je demandai à voir la chambre tout de suite, parce que je voulais partir avant le sabbat. Ma mère me montra les chambres et la terrasse, d'où l'on avait une vue superbe sur Haïfa et sa baie.

« Si vous attendez un peu, vous verrez mon fils. Il devrait arriver d'une minute à l'autre. »

Elle me fit asseoir à un bout de la table et prit place en face de moi. Elle portait une belle robe noire à fleurs en l'honneur du sabbat. Sa chevelure blonde et lisse, qui commençait à s'argenter, était ramassée sur sa nuque et fixée par un peigne d'écaille. Ses yeux bleus étaient vifs et légèrement moqueurs. Une hôtesse charmante, ma mère, mais pas du genre à se laisser faire ; son apparence délicate dissimulait une volonté de fer. C'était incontestablement une femme de la trempe de Golda Meir. Elle vous inspectait des pieds à la tête, et vous posait des questions faussement naïves pour vous jauger.

Les bougies du sabbat dans leur chandelier d'argent brillaient déjà au milieu de la table. Les petits pains torsadés étaient couverts d'une serviette brodée. Ma mère me pressait d'accepter une tasse de thé, m'offrait de ses délicieux petits gâteaux, ceux dont je raffolais, enfant, et disait avec insistance : « Mon fils ne va pas tarder. Restez dîner avec nous. »

Comme le fils pouvait difficilement arriver tant que

le visiteur lanternait, je me levai pour partir. Ma mère, tout en s'excusant du retard de son fils, me raccompagna jusqu'à la porte. Je virevoltai alors, la pris dans mes bras et la ramenai dans la salle à manger. Elle était si ahurie qu'elle n'opposa pas la moindre résistance. Elle me jeta un regard affolé et c'est alors que, ne me contenant plus, j'éclatai de rire, ce qui me trahit complètement. Elle ne pouvait pas s'y tromper.

« *Oy veir is mir*[1], s'exclama-t-elle joyeusement. Grand imbécile, va ! Encore une de tes blagues idiotes ! Mais qu'est-ce que tu vas devenir ? Tu m'as fait une de ces peurs ! »

Elle recula de quelques pas pour me voir, incrédule, ôter ma perruque, puis les pattes et la dent en or, et enfin la veste. « Tu ne grandiras jamais, me dit-elle, faussement désespérée. Comme ton père. Toujours prêt à faire des bêtises. Va prendre une douche. Le poisson va être froid, et il y a aussi un peu de soupe.

Je me mis en position de pugiliste, c'était un de nos jeux favoris. « Lève tes pognes, maman. On va se battre. » Ma mère m'imita et commença à me chatouiller les côtes de ses coups de poing inoffensifs, jusqu'à ce que je me renverse sur le canapé, n'en pouvant plus de rire.

« Va te laver, *meshuggene*[2] ! ordonna ma mère. Mais quel oiseau j'ai pondu ! Quand finiras-tu par être adulte ?... »

Avant de passer à table, j'appelai mon amie Gila, qui habitait à Haïfa, pour lui dire que je viendrais la chercher à onze heures. Ma mère eut son mot à dire, comme toujours. « Eh bien, qu'est-ce qui va sortir de tout ça ? Pourquoi tu ne l'as pas amenée ici ce soir ? Pourquoi la faire marcher comme ça ? Epouse-la ou fiche-lui la paix !

— Maman, tout ira bien, ne t'en fais pas. »

---

1. Mon Dieu !
2. Farfelu, toqué.

Mais ma mère n'allait pas se laisser clouer le bec : « Tu te rangeras, tu changeras de métier, tu te marieras et tu auras des enfants. Tu seras un *mensch !* Un type comme tout le monde. Combien de temps vas-tu papillonner comme ça ? »

Je coupai court à tout cela d'un claquement de mains. « Maman, où est le poisson ? J'ai faim. »

La discussion s'arrêta là, et nos regards tombèrent sur les portraits de mon père et de mon frère, d'heureuse mémoire, puis sur celui de ma sœur et de ses trois enfants assassinés en Pologne.

Le violon de mon père occupait toujours sa place d'honneur sur l'étagère du haut. Cette soirée-là revêtait pour moi une signification particulière, qu'aucune autre n'avait jamais eue.

Je savais que j'allais m'embarquer dans la mission « Eichmann ». Naturellement, je ne pouvais rien dire, pas même à ma mère. En vérité, j'étais persuadé que mon secret serait mieux gardé par elle que par quiconque. Mais je ne voulais pas lui donner une raison de plus de s'inquiéter, pas plus que je n'étais prêt à enfreindre le secret professionnel. Je voulais surtout comprendre pourquoi ma sœur et ses trois enfants n'avaient jamais pu atteindre Israël. Je voulais tout savoir des parents dont j'avais oublié jusqu'au nom, et qui avaient été liquidés en Pologne par Eichmann et par sa clique. Bref, je voulais me pénétrer de toute cette horreur une fois de plus.

Six millions, c'est un chiffre si vaste qu'il finit par ne plus rien représenter. Un chiffre bien peu évocateur, en réalité, lorsqu'il n'est pas concrétisé par un souvenir bien précis.

Je dois avouer qu'autrefois, lorsque ma mère racontait encore et encore l'histoire de notre famille détruite en Pologne, avec des détails à vous faire dresser les cheveux sur la tête, je me bouchais les oreilles et je pensais à autre chose. Je changeais de sujet. C'était quelque chose que je ne pouvais pas supporter, et encore moins entendre.

A présent j'étais avide de savoir, de tout savoir. Je cherchais le moyen d'aiguiller la conversation là-dessus. J'étais obsédé par ma rencontre prochaine avec Eichmann en Argentine.

« Comment se fait-il que nous soyons arrivés en Israël et que Frouma soit restée en Pologne ? demandai-je.

— Je n'avais pas pu lui obtenir de certificat pour la Palestine. Les autorités britanniques ne délivraient plus de certificat. Elles disaient que la communauté juive allemande était prioritaire et, quand est venu le tour de la communauté polonaise, il était trop tard. Les nazis avaient envahi la Pologne.

— Est-ce que tu sais précisément ce qui est arrivé à Frouma ? poursuivis-je.

— Les Allemands l'ont expulsée de la commune. D'après des témoignages de rescapés, elle a été embarquée en train. Il semble qu'on l'ait vue dans un camp de concentration. Personne n'a jamais vu les enfants.

— Et son mari, qu'est-il devenu ?

— Il a réussi à s'enfuir, répondit ma mère, rouge d'une colère non dissimulée. Avant l'arrivée des Allemands. S'il avait été un homme, il ne l'aurait jamais laissée seule avec trois enfants — même pas une minute !

— Qu'est-il arrivé aux enfants ? Et à Frouma ? répétai-je avec douceur, bien que la suite me fût connue.

— D'après des témoins oculaires, les enfants avaient déjà été tués. Frouma a été envoyée dans un camp d'extermination près de Lublin et, depuis, tous mes efforts pour la retrouver ont été vains. Pendant des années j'ai espéré. Mais, aujourd'hui, je suis convaincue qu'elle a été massacrée comme des millions d'autres. A partir du moment où on lui a pris ses enfants, je suis sûre qu'elle a renoncé à vivre. »

Ma mère ne pouvait plus retenir ses larmes. Elle était

incapable d'avaler une bouchée de plus. J'essayai de réparer les dégâts. A ce moment-là, la tentation s'empara de moi, très forte, de lui dire que j'allais avoir l'occasion de nous venger ; je parvins à réprimer cette impulsion.

Je me rappelai comment, alors que j'étais encore un enfant, les premières nouvelles de Pologne avaient commencé à arriver. Ma mère pleurait sans interruption à la cuisine. Je n'étais qu'un petit garçon, impuissant à la consoler. Elle maudissait les responsables de l'Agence Juive, incapables de l'aider à tirer de là Frouma et ses trois enfants quand il était encore temps. Elle se mettait à recenser, d'un air lugubre, les atrocités nazies. Elle me parlait des camps de la mort, et je me souviens fort bien du jour où, plein de chagrin devant la souffrance de ma mère, et cherchant un moyen de l'apaiser, je la regardai solennellement et lui dis, en pesant chacun de mes mots : « Maman, quand je serai grand, je te promets que je tuerai trois nazis. Un pour chaque enfant de Frouma ! »

Elle avait soupiré et m'avait caressé les cheveux sans un mot. Je ne pouvais pas savoir qu'un jour viendrait où je me verrais confier la responsabilité d'amener devant un tribunal l'homme qui symbolisait l'essence même du nazisme.

Ce vendredi soir fut particulièrement triste. L'évocation des morts, le rappel de ces noms dont l'écho semblait nous parvenir de Krasnik, notre ville natale, répandaient une tristesse que les bougies du sabbat n'arrivaient pas à dissiper. La plupart des noms ne signifiait rien pour moi. Mais les descriptions de ma mère me rappelaient certaines images de ma petite enfance.

J'avais quitté la Pologne à l'âge de six ans, et j'avais gagné la Palestine par Trieste, après avoir transité par des endroits plus ou moins sinistres. Ma mère avait décidé d'émigrer en Palestine parce qu'elle ne pouvait plus supporter les sarcasmes antisémites des Polonais.

Une fois sa décision prise, elle était passée aux actes, sans tenir compte — heureusement pour nous tous — de l'avis du rabbin qui l'exhortait à rester, ni des hésitations de mon père, qui tenait un commerce de grains...

Le repas avançait, et mes plats favoris défilaient. Je revivais cette enfance si lointaine, repassant dans ma mémoire de vieux visages familiers, les quartiers et les environs de la petite ville qui avait été effacée de la surface de la terre. Pour faire plaisir à ma mère, je lui décrivis certains de ces visages et de ces images, ainsi que les détails qui étaient restés à jamais gravés dans mon esprit.

Particulièrement présent à ma mémoire était le *Heder*[1], la pièce où le rabbin nous avait appris à lire et à chanter les chansons d'Eretz Israël. J'avais trois ans à cette époque. Je me souvenais aussi de notre petite maison couverte de tuiles rouges, où nous vivions avec mon oncle Reuben et son fils Yitzschakele, un virtuose du violon.

Yitzschakele, qui avait quinze ans lorsque nous quittâmes la Pologne, était la fierté de la famille. Ses dons de violoniste lui valaient des invitations à toutes les fêtes de la communauté juive. Il passait des heures à tailler dans le bois des personnages bibliques, tels que le roi Saül et le roi David, les prophètes Isaïe et Jérémie. C'était de façon quelque peu arbitraire qu'il attribuait tel nom à telle figurine. Mais il était un artiste accompli, et lorsqu'on était en présence de sa dernière création au canif, on oubliait ses facéties pour admirer la finesse de son travail.

J'enviais son talent et lui demandais souvent de m'enseigner le travail du bois. Il ne m'autorisait cependant que rarement à jouer avec son canif. Mon frêle cousin Yitzschakele, avec ses cheveux noirs, ses yeux noirs, son visage pâle et triste, incarnait à la

1. École primaire religieuse.

perfection les languissantes complaintes juives. Lui aussi a été balayé par la guerre. De tout son travail ne subsiste pas la moindre trace.

Je me souvenais de la rivière qui coulait derrière notre maison, puis traversait la route et rejoignait les écuries et le moulin. Je me rappelais les nuits noires de notre petite ville, ses ruelles pavées et sombres où nous nous éclairions tant bien que mal à l'aide de bougies enfermées dans de petites boîtes de verre.

Je me souvenais de la synagogue qui se trouvait derrière la cour : mon père m'y emmenait pour le sabbat et les jours de fête. C'était une simple construction de bois. L'éclatante draperie brodée qui abritait les tables de la loi brille encore joyeusement dans mon souvenir. Comme le jour de Kippour, où l'on sortait les rouleaux de la Torah, richement parés d'argent et de clochettes ; grandes étaient alors les réjouissances. Nous, les enfants, agitions les traditionnels drapeaux décorés, et brandissions des bougies fichées dans des pommes...

Le repas prit fin, et nous nous rendîmes sur la terrasse ; les scènes nostalgiques de notre vie polonaise firent place au spectacle réconfortant de la baie du Carmel, éclairée çà et là dans la douceur de la nuit.

Le téléphone sonna. C'était Uzi. « Il faut que nous nous rencontrions ce soir à minuit à Nazareth. Le trésor a été découvert. Je t'attendrai au croisement près du bâtiment militaire. »

Je raccrochai et ma mère me demanda avec inquiétude : « Tu es obligé d'y aller ? Je pensais que tu passerais la soirée avec moi. » Je m'excusai auprès d'elle et restai sourd à ses prières. J'appelai Gila pour m'excuser encore : je ne pouvais pas sortir avec elle ce soir-là, comme je l'avais promis.

« Ça fait une éternité que je t'attends, répondit Gila, déçue. Que s'est-il passé ?

— Crois-moi, j'ai eu beaucoup à faire ces jours-ci, je n'ai même pas eu le temps de t'appeler.

— Quand aurai-je de tes nouvelles ? demanda-t-elle d'une voix cassée par la tristesse malgré ses efforts pour conserver un ton impassible.

— J'essaierai la semaine prochaine. »

Gila savait que je travaillais dans les services secrets. Le long silence qui suivit ne me disait rien qui vaille. J'imaginais sa mère, les poings sur les hanches, pointant un doigt menaçant : « Pourquoi continues-tu à le voir ? Ce n'est pas un type sérieux. On ne peut pas compter sur lui. Tout ce qu'il fait, c'est gâcher tes meilleures années. Et, au bout du compte, tu en seras pour tes frais. »

Gila était mon amie depuis trois ans. Ce n'était pas une vie facile pour elle. Elle passait son temps près du téléphone, et, bien souvent, à cause d'une mission de dernière minute, demeurait la nuit entière à m'attendre.

« J'essaierai la semaine prochaine ! » dis-je une seconde fois, sans parvenir à trouver la moindre conviction dans ma propre voix.

Pas plus à elle qu'à ma mère il ne m'était possible de révéler qu'un devoir impérieux allait bientôt m'éloigner des êtres qui m'étaient chers. Six millions de martyrs attendaient vengeance et m'exhortaient au silence !

Mascarades

Chacun avait passé une perruque, et s'efforçait avec le plus grand sérieux de la peigner afin de l'adapter à sa forme de visage. Ce qui leur donnait un air clownesque dont ils n'étaient pas les seuls à ressentir les effets : Alona et moi-même, qui jouions les aides-maquilleurs, avions du mal à garder notre sérieux.

Deux jours après l'épreuve de force avec le faux prêtre, dans l'affaire de la cache d'armes de Nazareth, les préparatifs pour la mission « Eichmann » s'accélérèrent. Les rapports de routine de Hans Kiryati, l'homme qu'Isser avait envoyé sur place, confirmaient qu'Eichmann, sa femme et ses quatre enfants devaient se trouver dans le quartier de San Fernando.

Il était clair que notre commando ne comprendrait pas plus de six personnes. Chacun d'entre nous aurait plusieurs rôles à jouer à Buenos Aires, ce qui pouvait nous amener à être identifiés avant même que l'action ait commencé. Si Eichmann et sa famille, ou ses voisins, ou bien la police argentine, trouvaient bizarres les apparitions répétées de certains individus dans certains secteurs, l'opération risquait d'être compromise dès le départ. La distance entre Tel-Aviv et Buenos Aires était telle que nous n'avions pas la possibilité d'utiliser des agents de remplacement. En outre, chacun de nous avait été trié sur le volet et s'était entraîné spécialement pour la mission. Il fallait donc éviter à tout prix que l'un de nous ne soit « brûlé », et c'est pourquoi j'entrepris de construire une identité de rechange pour chaque membre du commando « Eichmann ».

Et une nouvelle identité, ça ne se construit pas en un jour. Nous passions donc des heures à mettre au point notre maquillage et à promener nos alter ego dans le laboratoire ou dans les rues de Tel-Aviv.

La tête de Meir était tout à fait extraordinaire. Il avait, à n'en pas douter, les mensurations crâniennes les plus vastes qui soient. Je lui tendis fièrement une perruque faite sur mesure. La chevelure châtaine, aux tempes aristocratiquement grisonnantes, couvrait non seulement sa tête mais aussi une partie de son front. Celui-ci s'en trouvait rapetissé et sa physionomie en était transformée. Alona me passa une paire de ciseaux, et je coupai prudemment quelques mèches aux endroits stratégiques, afin de parfaire l'illusion : les redoutables traits de Meir, ses sourcils et ses pattes devaient être intégrés dans ce nouveau visage.

A ce stade de leur toilette, Uzi et Aharon étaient tout aussi ridicules. Et Meir, désormais resplendissant, s'était rassis et riait à gorge déployée.

Uzi tâta d'un air un peu dégoûté une moumoute noire et luisante, portant une raie sur le côté gauche. Elle lui donnait un air d'écolier qui contrastait absurdement avec ses traits d'adulte. Il semblait porter un toupet d'enfant sur un visage prématurément vieilli. Le spectacle parut si comique à Meir qu'il en cassa presque la chaise sur laquelle il était assis. Sa nouvelle chevelure était agitée de soubresauts convulsifs. Alona, qui ne voulait pas nous manquer de respect, cachait son visage hilare dans ses mains. Je remplaçai cet accessoire de cirque par une moumoute brune, légèrement bouclée, qui dégageait bien le front. Je complétai le tout par une paire de lunettes, et procédai aux dernières retouches à l'aide d'un peigne et de ciseaux :

Uzi avait tout à fait l'air d'un escroc prospère et arrogant.

Très satisfait de sa nouvelle apparence, il se pomponna soigneusement, et se mit à arpenter le grand hall d'un air important, tout en s'arrêtant de temps à autre pour admirer son reflet ou pour remettre en place une mèche vagabonde. « Tu crois que je peux rentrer comme ça sans me faire arrêter par les flics ? »

Pour la longue et pâle physionomie d'Aharon, j'avais déniché une perruque blond cendré qui retombait en frange sur le front, et qui lui donnait un air posé et sérieux.

Mes trois mousquetaires parcouraient maintenant la pièce avec affectation. Au début, les perruques pesaient lourd sur leur tête. Je voulais qu'ils s'y habituent, et je savais qu'il leur faudrait du temps pour devenir parfaitement naturels ; ils devraient s'exercer longuement dans les rues de Tel-Aviv. Ils finiraient par se rendre compte que personne ne leur prêtait attention et prendraient confiance en leur nouvelle apparence.

Les élégants costumes de mission de l'équipe se trouvaient au sous-sol, dans ma salle de maquillage. Alona alla chercher trois costumes avec cravates assorties. Lorsqu'ils eurent échangé leurs vêtements de sport sans prétention pour ces sapes de luxe, leur transformation fut complète. J'avais toujours insisté pour que mes officiers puissent coller à leur rôle. On ne peut pas filer un type au volant d'une superbe Oldsmobile quand on est habillé comme un kibboutznik. C'est pourquoi je réclamais régulièrement un budget spécial pour les vêtements.

Je demandai à Alona de faire venir un photographe du laboratoire. Il n'avait naturellement pas été mis dans le secret — pas plus que pour d'autres opérations. Il fit son travail sans poser de questions. Il prit des photos sous des angles variés, avec des poses différentes, et prépara quantité de photos d'identité. Ces dernières furent ensuite utilisées pour les faux passeports qu'on gardait en réserve, au cas où il faudrait effectuer une retraite rapide ou pénétrer dans un pays sous une nouvelle identité.

Lorsque je m'occupais de maquillage et de déguisement, je ne me fiais pas uniquement à mes propres sens ni à mon propre jugement. Je consacrais beaucoup de temps à étudier et à approfondir le sujet avec des experts, dont seul un nombre restreint avait connaissance de mes activités.

Un grand perruquier de mon choix, qui adaptait ses modèles aux types de visages, avait été mis à ma disposition. Un dentiste m'aidait à mettre en place des prothèses et des couronnes afin de modifier la structure d'une bouche ou le timbre d'une voix.

Contrairement à une costumière de théâtre, qui ne crée que pour deux heures de spectacle sous les feux de la rampe, je devais concevoir des déguisements capables de résister à des semaines entières de recherches et d'acharnement en plein jour.

Il n'est pas donné à tout le monde de rester naturel avec un déguisement sur le dos. Je m'étais donc efforcé de constituer une équipe choisie de volontaires. J'adorais me promener déguisé dans les rues, et changer de peau de temps en temps. Mon amie et, comme je l'ai déjà raconté, ma mère me permettaient de tester l'efficacité de mes trouvailles.

J'avais trouvé un bon moyen de convaincre mes « acteurs » que le maquillage était une arme redoutable : même les gardes du bâtiment des services secrets qui vérifiaient nos entrées et nos sorties ne réussissaient pas à nous identifier lorsque nous étions déguisés. Tout alla fort bien jusqu'au jour où un garde qui m'avait vu cent fois pointa son revolver sur moi, me prenant pour un étranger décidé à entrer de force dans son installation secrète.

Pour les besoins de nos opérations, nous revêtions mille et une apparences : de l'indigent au dignitaire, de l'homme d'affaires au camelot, en passant par les postiers, les rabbins, les prêtres et les touristes, la palette était large. Quelques mois plus tôt, au cours d'une opération dans un quartier à forte densité arabe de Saint-Jean-d'Acre, nous avions suivi une belle Arabe chrétienne qui travaillait sous les ordres du service égyptien. Les rencontres clandestines grâce auxquelles elle obtenait des informations secrètes sur l'I.D.F. avaient lieu sur la place du marché, où elle prenait contact avec son agent de liaison, un marchand en gros de cacahuètes et de graines de tournesol. Nous avions passé de longues heures mêlés à la foule arabe pour ne pas les perdre de vue.

Nous nous étions déguisés en colporteurs arabes pour nous faire une place sur le marché. Mais les vrais colporteurs nous chassèrent. Ils étaient fermement décidés à ne pas tolérer la moindre concurrence. L'un d'entre nous, qui se faisait passer pour un cireur de chaussures, la caméra habilement dissimulée dans sa boîte de cuivre, eut tout juste le temps de déguerpir avant que deux costauds du pays, qui s'étaient arrogé le monopole du cirage dans le quartier, ne lui administrent une mémorable raclée.

En pareille circonstance, nous aurions dû adopter une tactique différente. Un chauffeur de taxi qui conduisait la dame de Saint-Jean-d'Acre à Jaffa consentit à nous aider. Ce fut grâce à lui que nous réussîmes à mettre la main sur les documents qu'elle passait à un pêcheur arménien dans la baie de Jaffa. Il faisait régulièrement la navette en barque de pêche entre Jaffa et le Q.G. des services secrets égyptiens, établi dans « la bande de Gaza »...

Uzi, Aharon et Meir n'étaient donc pas tout à fait novices dans l'art du déguisement lorsque nous commençâmes à nous composer une nouvelle identité pour l'opération « Eichmann ». Ils prenaient la chose très au sérieux, et tout particulièrement ce jour-là, où nous nous étions proposé d'essayer nos costumes dans les rues de Jaffa et de Tel-Aviv. Pour ma part, je me retirai dans la salle de maquillage au sous-sol afin de me préparer une tenue adéquate.

C'était moi qui, avec l'aide de Meir, avais dessiné cette pièce. Les murs étaient garnis de placards, du sol au plafond, et les portes des placards étaient couvertes de miroirs, de sorte que, lorsqu'on entrait, on ne voyait que sa propre image, de pied en cap, et, où qu'on tourne les yeux, une longue et fuyante séric de reflets, eux-mêmes indéfiniment renvoyés par les miroirs. J'avais coutume de venir m'asseoir dans cette pièce, de m'y exercer au maquillage et d'y passer différents costumes pour essayer de nouvelles images.

Il y avait un mannequin dans un coin. Il me permettait de procéder à des assemblages successifs, jusqu'au moment où j'arrivais à composer l'image souhaitée. J'allais maintenant faire surgir une nouvelle apparence, celle que je revêtirais pour la mission « Eichmann ».

Je passai d'abord une perruque qui me donnait — du moins je l'espérais — un air à la Peter Sellers. La longue chevelure châtaine couvrait ma tête et une partie de mon front. Je mis des lunettes, nouai un foulard autour de mon cou pour en cacher la forme et la longueur. J'enfilai ensuite un léger costume d'été, me poudrai les sourcils et mis mes fausses dents. J'avais rajeuni de cinq ans. Un genre un peu bohème, un peu artiste. Avec le négligé savant qui est de mise...

Ma décision était prise : je rencontrerais Eichmann dans cet accoutrement. Une fois de plus, je tentai de me représenter le déroulement des opérations. Le mannequin attendait patiemment. Je l'habillai d'un long imperméable. J'éteignis les puissantes lampes du plafond et j'éclairai le visage du mannequin. Je voulais créer un personnage aussi ressemblant que possible. Je sortis de mon porte-documents une photo d'Eichmann en uniforme S.S. et la plaçai sur le miroir. Je me mis au travail : j'avais l'intention de reproduire le faciès d'Eichmann avec du plâtre de moulage, de la pâte à modeler et de la peinture.

Je travaillai avec acharnement pendant plus de trois heures dans le sous-sol mal aéré. Je dessinai d'abord les sourcils, puis les yeux. Vinrent ensuite le nez et les pommettes proéminentes. Puis la bouche et le menton. Lorsque j'eus correctement façonné tous les traits, j'essayai de donner à la figure du mannequin une pigmentation naturelle. Je lui passai une perruque légèrement dégarnie sur le front — comme la chevelure d'Eichmann — et me chargeai moi-même de la coupe militaire. Je coiffai le tout d'un képi à visière d'officier. Je relevai le col de l'imperméable pour cacher le cou du mannequin.

Je m'éloignai d'environ cinq mètres, et fixai à nouveau le mannequin. Pour la première fois, j'avais l'impression de regarder l'homme que j'allais capturer à San Fernando, en chair et en os, et à portée de main. J'étais absorbé par ce que je faisais, à l'exclusion de tout autre chose. C'était comme si je devais le rencontrer à cet instant même. J'examinai attentivement ses traits, relevant chaque protubérance, chaque veine, chaque muscle.

Je me repassai mentalement toutes les réactions qu'un Eichmann vivant pourrait avoir, s'il se trouvait pour de bon en face de moi dans cette pièce ; j'anticipai nos déplacements comme dans un jeu d'échecs.

Quand je rencontrerais cet homme, il aurait quinze ans de plus que mon effigie !

Le dossier « Attila »

La carte de Buenos Aires était étalée sur le bureau d'Uzi. Uzi, Aharon et moi-même essayions d'apprendre par cœur tous les détails qui pourraient nous être utiles pendant l'opération projetée dans le quartier de San Fernando. Nous devions être capables de dessiner cette carte de mémoire si cela s'avérait nécessaire.

Tandis que mes camarades s'intéressaient surtout aux voies d'accès au faubourg, je concentrais l'essentiel de mon attention sur San Fernando même, où se trouvait la maison d'Eichmann. Nous n'avions en effet pas la même approche des opérations : je me préoccupais toujours de la cible en premier lieu. Ce n'était que lorsque j'avais trouvé le moyen de l'atteindre que je réfléchissais au chemin de retraite. En d'autres termes, je partais du centre pour aller vers la périphérie, alors que les autres progressaient de l'extérieur vers le centre. Ils cherchaient des itinéraires de sortie, hors du quartier et hors d'Argentine.

Des lignes indiquaient sur la carte le trajet d'autobus qu'empruntait quotidiennement Eichmann dans les deux sens. Trois gros points noirs signalaient la résidence actuelle d'Eichmann, rue Garibaldi, ainsi que son précédent logement, rue Chakabuku, et le lieu de travail de son fils, Nikolaus. La carte montrait aussi trois postes d'observation : nos hommes y surveillaient depuis quelques semaines la maison d'Eichmann et sa famille. Le premier se trouvait sur le remblai surélevé d'une ligne de chemin de fer maintenant abandonnée, le second était placé près d'un kiosque sur la nationale 202. Le troisième était situé à quelque six kilomètres de là. Cela afin de suivre les mouvements du fils d'Eichmann, âgé de vingt-deux ans, sur son lieu de travail.

La surveillance matérielle d'Eichmann, de sa maison et de sa famille, était arrivée à son terme. Nous nous étions réunis dans le bureau d'Uzi pour faire le point sur les rapports qui nous étaient parvenus de Buenos Aires.

Le dossier « Eichmann », codé « Attila », épaississait de jour en jour avec les câbles, les lettres et les photos qui arrivaient d'Argentine et d'Allemagne.

Uzi nous exposa différents plans pour l'enlèvement d'Eichmann, dont il avait lui-même défini les grandes lignes avec Isser Harel lors d'une précédente entrevue.

« Il y a plusieurs possibilités, commenca Uzi. On peut l'enlever à l'intérieur même de sa maison, ou bien le cueillir près de son lieu de travail, ou encore le kidnapper quand il rentre chez lui à pied. »

Je rejetai sans la moindre hésitation la première proposition. « Enlever Eichmann chez lui, c'est prendre un risque inutile. On ne le trouvera jamais seul. Sa femme et son fils de six ans sont tout le temps là. Et, s'il y avait le moindre ennui, les voisins interviendraient sûrement. »

Aharon était aussi de cet avis : « C'est vraiment risqué. Ça nous obligerait à combattre tout le quartier. »

Je passai à la seconde proposition : « Ce serait faisable à condition d'avoir des informations sur son lieu de travail. Celles dont nous disposons actuellement sont négligeables. Il est inutile d'investir dans de nouvelles recherches sur son lieu de travail alors que nous possédons déjà des informations suffisantes sur sa maison et sur le trajet qu'il fait à pied.

— Alors pourquoi ne pas l'attendre près de l'arrêt

d'autobus, quand il revient du travail ? suggéra Uzi. Le bus repart, nous avançons vers lui, l'arrêtons et l'embarquons dans une de nos voitures. »

Aharon et moi nous opposâmes tous deux à cette idée.

« Le succès d'un plan de ce genre, expliquai-je, dépendrait de deux facteurs que nous ne pourrions pas maîtriser : primo, nous ne pouvons absolument pas savoir combien de temps l'autobus restera à l'arrêt ; secundo, d'autres passagers pourraient descendre en même temps et nous gêner. »

Compte tenu de toutes ces objections, il me semblait que la meilleure solution était de capturer Eichmann lorsqu'il serait seul, à pied, sur le chemin du retour. J'en fis part aux deux autres et nous eûmes une longue discussion sur la définition de la zone d'opération, sans entrer dans les détails concrets du plan.

Uzi prit un crayon rouge et traça une ligne sur la carte, de l'arrêt d'autobus jusqu'à la maison d'Eichmann, rue Garibaldi.

« O.K. ! conclut Uzi. Je propose que toi, Peter, tu t'occupes de l'aspect proprement technique. Tu élaboreras plusieurs stratégies pour la capture d'Eichmann. Tu détermineras la position des forces de soutien ainsi que ton poste d'attaque. Toi, Aharon, tu seras responsable des postes d'observation, des voies d'accès et de la route du retour, pour être en mesure de conduire le commando. Quand nous serons à Buenos Aires, nous examinerons les caractéristiques du terrain par nous-mêmes. Ensuite nous coordonnerons toutes les données avec Isser, avant de fixer définitivement les consignes. »

C'était très étrange de se trouver là, en Israël, à quinze mille kilomètres de la cible, en train de tendre le filet dans lequel Eichmann allait se prendre. Mais après avoir épluché le dossier « Attila », je me rendis compte que le filet était encore trop lâche. Les mailles devraient être plus serrées si, cette fois-ci, on ne voulait pas laisser échapper le requin.

Le téléphone sonna. C'était Isser. Une voix sèche et péremptoire : « Qui est avec toi dans le bureau ? » La question que posait toujours Isser avant d'en venir aux faits. Il était très strict sur l'étanchéité des services. Uzi nous nomma. Isser lui parla pendant dix minutes et raccrocha. Uzi nous fit un compte rendu : « Isser croit que nous pouvons faire d'une pierre deux coups. Il y a une quantité de rapports faisant état de la présence en Amérique du Sud de nazis importants, comme Müller, Martin Borman et Mengele, mais nous venons de recevoir des informations toutes fraîches sur la femme de Mengele, le médecin nazi d'Auschwitz. »

J'intervins : « Si nous voulons réussir, nous devons nous concentrer sur un seul objectif : Eichmann ! Sinon, on risque de perdre sur les deux tableaux. »

Uzi balaya d'un revers de main cette objection intempestive. « On ne nous demande pas notre avis. On nous donne des ordres. Isser veut aussi Mengele. La femme de Mengele est actuellement au Tyrol, semble-t-il, et se rendra sous peu en Allemagne. Isser pense qu'elle peut nous mener à son mari en Amérique du Sud. Il veut que nous travaillions à cela, parallèlement à l'opération Attila. »

Aharon soupira : « Je nous vois déjà en Allemagne...

— Chaque chose en son temps », répondit Uzi d'un ton conciliant.

Il se tourna vers moi : « Je t'ai demandé de préparer un bilan des informations dont nous disposons sur Eichmann. L'as-tu fait ? »

Je me dirigeai vers le tableau et y accrochai le graphique qu'Alona m'avait aidé à faire. « Avant toute explication, commençai-je, je tiens à vous dire que chaque jour qui passe rend notre mission plus aléatoire : Eichmann risque de s'envoler à notre barbe, avant même que nous ne soyons arrivés à Buenos Aires ! »

Uzi manifesta sa surprise : « Que veux-tu dire ?

— C'est très simple. Trop d'amateurs rôdent autour d'Eichmann et de sa maison depuis trop longtemps. J'espère simplement qu'il ne va pas se décider à prendre la poudre d'escampette avant notre arrivée. »

Je me tournai alors vers le tableau, et j'analysai les différentes enquêtes faites sur Eichmann, selon la date, le lieu et la source d'information.

« Le rapport le plus substantiel concernant la présence d'Eichmann en Argentine n'est arrivé que le 20 septembre 1957, alors qu'il avait disparu en mai 1945. Ce rapport a été le point de départ de toutes les recherches qui ont été faites dans les trente derniers mois, et qui sont répertoriées sur ce tableau.

— Je n'avais pas remarqué, dit Uzi avec stupéfaction, que deux ans et demi se sont écoulés depuis que Fritz Bauer nous a donné le premier fil conducteur. »

Fritz Bauer n'était autre que le procureur général de l'État de Hesse, en Allemagne de l'Ouest. Un juif chaleureux qui avait lui-même échappé par miracle aux nazis. Il avait été amèrement déçu par le gouvernement fédéral de la R.F.A., qui s'était donné bien peu de mal pour dénicher les criminels nazis encore en vie.

Je continuai : « Sept semaines entières se sont passées avant que notre agent ne prenne contact avec lui, le 6 novembre 1957, pour rassembler toutes les informations. C'est précisément à ce moment-là que nous avons reçu l'adresse exacte d'Eichmann, rue Chakabuku, dans le faubourg d'Olivos à Buenos Aires. Il nous a également remis tous les documents relatifs à Eichmann et à sa famille, provenant de son dossier personnel au Q.G. de la S.S., ainsi que des photos de lui datant de cette époque. »

Je jetai un coup d'œil sur le tableau et poursuivis mon analyse : « Deux autres mois se sont écoulés avant que notre agent, Yosef Oren, ne soit envoyé à Buenos Aires pour localiser la maison d'Eichmann. Il s'est rendu à l'adresse indiquée, a vu la femme d'Eichmann,

Vera, mais n'est pas arrivé à croire qu'Eichmann vivait dans un quartier si misérable. Et pourtant, Eichmann habitait bel et bien là, à cette époque. »

Un énorme éclat de rire monta, qui semblait provenir du ventre d'Uzi : « J'espère que le docteur Fritz Bauer ne s'est pas vexé lorsque nous avons mis en doute sa source d'information.

— Non seulement il ne s'est pas vexé, continuai-je calmement, mais, le 24 janvier 1958, il a divulgué l'identité de son informateur. Un certain Luther Hermann, qui habitait la ville de Coronel Suarez, à quatre cents kilomètres de Buenos Aires. Il voulait que nous vérifiions par nous-mêmes que ses informations étaient sûres.

« Nous avons envoyé un autre agent en Argentine. Cette fois un officier supérieur de police, qui s'est présenté comme un représentant des autorités allemandes, et qui était porteur d'une authentique lettre d'introduction du docteur Fritz Bauer. Il s'avéra que Luther Hermann était à moitié juif, aveugle, et qu'il avait failli être pris par les nazis. Notre officier l'a interrogé ; c'est une drôle d'histoire. C'est par pure coïncidence que l'aveugle a découvert que le locataire de cette maison, rue Chakabuku, était Adolf Eichmann. Sa fille s'était liée avec un jeune homme du nom de Nik Eichmann, qui n'était autre que le fils du nazi. A l'instigation de son père, la jeune fille est allée rue Chakabuku, où elle a trouvé un homme à lunettes d'un certain âge qui s'est présenté comme M. Eichmann, père de son ami Nikolaus. Il y avait d'autres indications qui confirmaient qu'il s'agissait bien d'Eichmann. »

J'interrompis un instant ma conférence pour regarder les visages souriants de mes deux amis :

« C'est un fait qu'on en est encore là aujourd'hui, plus de deux ans après avoir reçu le renseignement, et que nous n'avons toujours pas attrapé Eichmann. »

Uzi répondit avec indulgence : « Le problème avec

Isser, c'est qu'il a une telle passion du secret qu'il garde pour lui toutes les informations, et qu'il en fait ce que bon lui semble, au lieu de laisser faire les professionnels. »

Je m'apprêtai alors à commenter les points marqués sur le tableau.

« Ce point indique le début du petit jeu avec Luther Hermann, un petit jeu qui a duré toute une année. Il avait remarqué que nous n'avions pas fait usage de l'excellente information que sa fille et lui-même nous avaient fournie, et il a commencé à s'amuser de la situation. Nous nous sommes mis à le payer, et il s'est lancé dans une chasse à l'homme toute personnelle à travers l'Argentine. Nous l'avons laissé nous mener par le bout du nez. Notre dernier paiement a été effectué en janvier 1955, date à laquelle nous avons compris que, pour Luther, c'était le jeu qui comptait. Tandis que nous n'avions pas progressé d'un iota... »

Aharon sourit : « Bien au contraire. Non seulement toutes ces recherches n'ont pas permis d'avancer, mais en plus elles ont compromis le secret de l'opération.

— Un mois avant de couper tout contact avec Luther Hermann, poursuivis-je, nous avons eu la chance de voir le docteur Fritz Bauer en personne, pendant qu'il visitait Israël. Il nous a confié qu'il possédait une autre source d'information, confirmant qu'Eichmann était bien en Argentine, et qu'il n'avait pas quitté le pays depuis son arrivée en 1950 ; il y était entré avec un passeport international de la Croix-Rouge, sous le nom de Ricardo Klement. C'était un nom que nous connaissions.

— Heureusement que Fritz Bauer n'a pas cessé de nous harceler, fit remarquer Uzi d'un air sombre, et qu'il n'a pas abandonné avant que nous n'ayons décidé de mettre sur pied une nouvelle opération Eichmann. »

Aharon lança d'un air admiratif : « On peut lui tirer son chapeau. Il a risqué sa position et son travail pour nous donner cette information secrète. Il savait que, l'opinion étant ce qu'elle était en Allemagne et en Argentine, nous serions les seuls à nous occuper d'Eichmann.

— Je ne sais pas ce que Fritz Bauer pense de nous, au fond de lui-même, ajoutai-je ; mais il a une patience d'ange et un cœur d'or. Bien que nous ayons persisté à douter de ses sources, il n'a jamais changé d'avis, jamais cessé de nous fournir tous les renseignements, tous les documents qu'il avait en sa possession — il a fait tout son possible pour nous prouver que Ricardo Klement était bien Eichmann ! Ce n'est qu'à la fin du mois de février 1960 que Hans Kiryati a enfin été envoyé à Buenos Aires pour suivre une fois de plus des sentiers battus qui nous étaient familiers depuis deux ans et demi déjà... »

Hans Kiryati était un enquêteur professionnel. Un homme expérimenté, énergique, qui ne faisait vraiment confiance à personne, même pas à lui-même. Il était soupçonneux, appliqué, trop rigide pour le travail en équipe, mais efficace.

Hans était resté un mois en Argentine. Il avait découvert qu'Eichmann, qui se faisait effectivement appeler Klement, avait déménagé de la rue Chakabuku. Hans avait engagé trois Israéliens qui habitaient alors à Buenos Aires pour l'aider dans son travail de surveillance. Ensemble, ils avaient réussi à garder l'œil sur un autre fils d'Eichmann, Dieter, qui, à son insu, les avait menés au nouveau domicile de son père : une misérable maison basse, rue Garibaldi.

Uzi intervint : « Je crois qu'il a inutilement prolongé son séjour sur le terrain. Mais, tout compte fait, il a bien travaillé. Ce sont ses rapports qui ont enfin persuadé Isser Harel de donner l'ordre de préparer l'enlèvement d'Eichmann. »

Je hochai la tête : « C'est pour ça qu'il faut agir vite. Il n'y a pas une minute à perdre. Il faut travailler en professionnels, et éviter à tout prix tout contact avec la cible ou son entourage. Tu dois être formel sur ce point avec Isser, Uzi, sinon Eichmann décampera à nouveau et tout sera à refaire. »

Uzi se leva d'un pas décidé, alla à son bureau et ouvrit un tiroir dans lequel il prit une bouteille de scotch qu'il dépoussiéra consciencieusement, puis il sortit trois verres.

« A l'opération " Attila " ! lança-t-il avec enthousiasme. Puissions-nous remporter un succès éclatant ! »

Nous trinquâmes.

L'enlèvement est-il un crime ?

Je n'ai pas un instant mis en question le droit moral que nous avions, nous, les Israéliens, de kidnapper Adolf Eichmann. J'étais tout à fait prêt à laisser le souci des problèmes juridiques et politiques à Isser Harel et au gouvernement israélien.

Quiconque a pris conscience de l'horreur des meurtres perpétrés en masse par les nazis sous l'égide d'Eichmann ne peut que nous reconnaître le droit d'avoir agi comme nous l'avons fait. D'autant plus que, nous en avions fait l'amère expérience, les autorités ouest-allemandes et celles de certains États sud-américains évitaient délibérément de traduire en justice les criminels nazis qui avaient échappé à un châtiment légitime après la guerre.

Les enlèvements, et c'est maintenant devenu un phénomène universel, ont généralement pour but le chantage politique et l'extorsion. Ils sont souvent menés avec une grande ostentation, et une violence qui n'est pas moindre. Les menaces, l'utilisation effective d'armes à feu, les mauvais traitements sont les inévitables symptômes de l'épidémie.

Je me creusai la cervelle, pendant ces derniers jours de préparation fiévreuse, pour trouver le moyen de réaliser l'opération avec toute l'élégance requise. Pour arriver à déposer Eichmann, proprement et posément, sur le banc des accusés, là où était sa place. Si nous avions décidé de l'exécuter sans jugement, comme il avait lui-même liquidé des millions de gens sans le moindre remords, notre travail aurait été beaucoup plus simple.

Un tireur d'élite posté sur le remblai qui surmontait la maison de San Fernando, une seule balle, et Eichmann disparaissait sans témoin ; l'affaire aurait été close. Le gouvernement israélien aurait pu décider plus tard si oui ou non il endossait la responsabilité de l'exécution. On aurait pu nier toute participation à cette affaire, en laissant les journalistes « deviner » qu'Eichmann avait en fait été exécuté par un « commando israélien ». Les frictions diplomatiques qui se produisirent entre Buenos Aires et Jérusalem, lorsque cette dernière annonça officiellement qu'Eichmann était entre les mains d'Israël, auraient ainsi été évitées. Sans parler des risques que nous-mêmes, les hommes du commando, avons courus en Argentine.

Mais nous avons choisi la difficulté. Nous nous sommes aventurés dans les sables mouvants d'une opération clandestine compliquée, en territoire étranger, pour que justice soit non seulement faite, mais faite publiquement. Eichmann était non seulement un monstre, mais le symbole même d'une abominable monstruosité. Nous l'avons cependant traité en prisonnier de guerre. Peu de services secrets, j'en suis sûr, auraient pris pareilles précautions dans un cas similaire.

Il y a des lois d'airain qui président au succès d'un enlèvement. On peut baser son plan sur la régularité des habitudes de la victime. On peut aussi l'attirer hors de son orbite sans qu'elle soupçonne quoi que ce soit, et l'amener, sous des prétextes fallacieux, à l'endroit qu'on a choisi. Dans le cas d'Eichmann, si nous voulions éviter d'éveiller ses soupçons, seule la première méthode était valable.

Chaque individu effectue des déplacements et des activités qu'il répète régulièrement. Son trajet vers son lieu de travail, ses heures de bureau, ses lieux de distraction favoris, etc. On suit ses mouvements et on choisit le moment le plus propice. Quel est le meilleur endroit pour le surprendre ? Peu importe, pourvu que le sujet soit seul, et que la probabilité d'une rencontre avec un passant soit proche de zéro. Pour réduire les risques, on peut poster des éclaireurs en divers points, avec l'ordre de signaler toute approche d'étranger près du champ d'action. En particulier, toute présence policière.

L'itinéraire qui mène du lieu de l'enlèvement à la cachette où l'on va garder la victime doit être bien connu des kidnappeurs, et aussi bien protégé. Il y a des précautions à prendre pour s'assurer que les voisins ne remarquent rien autour de la cachette. Le danger augmente lorsque les parents ou les relations de la victime s'aperçoivent de sa disparition.

Les forces de sécurité ont les moyens de fermer les frontières, et d'entreprendre des recherches importantes. D'une façon générale, les kidnappeurs peuvent difficilement obtenir des informations sur les dispositions prises contre eux, même lorsque les médias couvrent largement l'événement. Ils sont constamment en danger d'être découverts, et ils ont beaucoup de mal à échapper aux recherches. C'est pour cette raison que, ces derniers temps, les kidnappeurs ont pris l'habitude de faire de leurs otages une sorte d'assurance vie. Les otages sont ainsi devenus une arme contre les forces de l'ordre.

Les terroristes qui procèdent à des enlèvements ont coutume d'exécuter leur victime quand ils sont menacés, ou bien de s'enfuir. Mais notre petite escouade, lorsqu'elle eut enfin mis la main sur Eichmann, et qu'elle le tint prisonnier loin de sa base en Israël, ne songea pas un instant à l'achever ou à le relâcher pour s'en débarrasser et se mettre hors de danger. Si les forces de sécurité nous avaient découverts, nous nous serions simplement rendus avec Eichmann. Même si cela signifiait que nous nous exposions à une lourde peine de prison pour avoir perpétré un enlèvement en Argentine.

La vie d'Adolf Eichmann ne fut probablement jamais aussi bien protégée que durant les onze jours qu'il passa sous notre garde à Buenos Aires !

Isser

Nous reçûmes nos dernières instructions dans l'après-midi du 27 avril. Nous devions partir pour l'Argentine dans moins d'une semaine et, en passant, rassembler autant d'informations que possible sur les allées et venues du docteur Josef Mengele, criminel de guerre.

Isser nous réunit dans son bureau pour une ultime séance de récapitulation, avant la prochaine rencontre qui devait avoir lieu à Buenos Aires. L'antre de ce grand manitou des services secrets israéliens était très simplement meublé. A l'une des extrémités de la longue et étroite pièce se trouvait le lourd bureau d'acajou d'Isser, qui cachait presque la courte taille du patron. Dévorah, sa loyale secrétaire, qui me faisait toujours penser à une combattante yougoslave de l'armée de Tito, était assise à ses côtés. Dévorah avait un faible pour les cigarillos, et fumait comme une cheminée d'usine par une froide matinée d'hiver. Un brouillard bleuâtre obscurcissait déjà les piles de dossiers et de documents qui submergeaient le bureau d'Isser. Isser se leva et vint à nous d'un pas rapide, en nous souhaitant chaleureusement la bienvenue. Avec sa sobriété coutumière, il portait une chemise blanche à col ouvert et un pantalon de flanelle.

Il nous désigna aimablement les fauteuils qui entouraient la table basse près de la fenêtre, et prit place dans l'un d'entre eux. Même Uzi et Aharon, je l'avais remarqué, étaient soigneusement habillés et rasés de près pour l'occasion. Meir portait un uniforme kaki parfaitement amidonné et une sangle — peut-être un souvenir du front italien ? Ses cheveux, qu'il venait apparemment de laver, n'étaient pas encore secs.

La brune Dévorah vint se joindre à nous ; elle portait une tunique russe brodée et une longue jupe de soirée. Tirant sur son inévitable cigarillo, elle tenait son bloc-notes, prête à sténographier. C'était une fille travailleuse, d'une loyauté à toute épreuve, et Isser l'aimait bien. Aucune information n'était trop secrète pour Dévorah.

Ce genre de réunion ressemblait généralement à un briefing de militaires. Les dernières consignes d'Isser étaient toujours concises et pertinentes. Ce jour-là, une sorte d'excitation indéfinissable s'était emparée de lui. Jamais je ne l'avais vu ainsi, tendu comme un arc. Il y avait de la jubilation dans son regard pénétrant, celle d'un homme impatient d'aller au combat, mais il la réprima sur-le-champ et adopta un masque imposant de solennité.

Isser, comme nous l'appelions en sa présence sans faire de cérémonies, était le bienveillant despote qui régnait sur les services secrets israéliens à ce moment-là. Dans la communauté israélienne du Renseignement, il avait la réputation d'un homme hardi, qui savait assumer les responsabilités, et qui était capable de prendre des décisions rapides. Aucun chef du Mossad n'a jamais occupé une position aussi puissante et aussi influente que celle dont jouissait Isser Harel auprès du Premier ministre Ben Gourion.

Nos services de renseignement étaient par définition enveloppés de mystère. Pour ceux qui y travaillaient, Isser Harel était lui-même une sorte d'énigme. Seul un cercle de gens très restreint, dont je faisais partie, était en contact avec lui et avait le privilège d'avoir un aperçu direct de son caractère. Plus que tout autre chose au monde, il aimait la clandestinité, le mystère. Même son nom était un secret jalousement gardé en Israël à cette époque. Pendant les nombreuses années où il commanda les services de sécurité — 1948-1965 —, ni son nom ni sa photo n'apparurent une seule fois dans la presse.

Quand il décidait d'ordonner une opération, il négligeait allégrement les structures existantes, et constituait à la place l'équipe de combat qui lui convenait, sans tenir compte du fait que cela pouvait nuire aux autres unités et à leur travail de routine. Lorsque Isser se fixait un objectif, il ne connaissait aucun obstacle, ne se laissait arrêter par rien, et renvoyait purement et simplement ceux qui avaient l'audace de le contredire. Il appelait cela « le relais de la poste ». Il avait maintenant près de cinquante ans, et déployait l'infatigable énergie d'un jeune homme.

Quiconque gagnait l'estime d'Isser par son talent et son professionnalisme pouvait être assuré d'en recevoir les marques.

J'étais en excellents termes avec lui. Après tout ce que nous avions fait ensemble, les dissensions s'étaient aplanies. Ce petit homme au regard sombre et perçant savait communiquer l'enthousiasme et insuffler la confiance. C'était un plaisir de le rencontrer après une opération réussie. Il s'enquérait de vos problèmes personnels, cherchant à améliorer vos conditions de vie et celles de votre famille.

Son principal critère lorsqu'il s'agissait de lancer une opération exceptionnelle, exigeant une grande audace, était l'intérêt d'Israël. Si l'opération pouvait servir cet intérêt, cela constituait une justification suffisante à ses yeux, et il prenait toutes les initiatives nécessaires à son accomplissement. Même si cela mettait en danger des vies humaines, bouleversait les relations diplomatiques ou lui attirait le mécontentement d'autres organisations de renseignement en Israël. Dans l'administration des services secrets, les lois de la démocratie n'ont pas cours. C'est le chef qui décide, et il n'est pas question de le contredire. Cependant, à cette époque, Isser ouvrait sa porte à tout agent désireux de lui parler.

Malheur à celui dont Isser mettait en cause l'intégrité personnelle. S'il tombait sur des rapports falsifiés ou s'il était témoin d'un comportement inconvenant, il n'hésitait pas une seconde à virer le coupable ; il assurait d'ailleurs son avenir, mais loin, très loin de toute activité de renseignement. Il s'expliquait ainsi : « Le renseignement est un travail trop sale et trop embrouillé pour être confié à des gens malhonnêtes. » Dans la communauté du Renseignement, il était réputé pour sa rigueur et son inflexibilité, tout comme pour son zèle et son talent. J'ai le souvenir d'un homme avec qui j'aimais travailler, quels que soient ses vices et ses vertus.

Isser Harel était très fort pour présenter ses projets favoris de façon à obtenir la bénédiction du Premier ministre. A ce moment-là, il n'y avait pas un homme dans l'administration israélienne qui puisse se permettre d'émettre un avis, fût-il favorable, sur Isser Harel. Quand, plus tard, en 1963, des critiques commencèrent à s'élever sur ses exploits, il alla présenter sa démission à David Ben Gourion.

Parfois, au cœur d'une opération, notre équipe était troublée par une interrogation insistante, qui surgissait malgré nous : pourquoi le chef du Mossad abandonne-t-il son Q.G. pour être ici, en territoire étranger, où nous exécutons les ordres ? Était-ce justifié ? Mon opinion de professionnel était que non. Parce que en cas d'échec il aurait été ridicule, voire dangereux, pour le chef du Mossad d'être pris en flagrant délit. Est-ce qu'on imagine le chef de la C.I.A., ou le dirigeant du K.G.B., se rendant dans un pays étranger pour être présent pendant l'opération — même une opération tout à fait légitime, comme la mission « Attila » ?

L'État d'Israël était encore tout jeune. De même que

les forces armées, les services secrets étaient encore dans leur processus de formation. Nous n'avions aucune tradition sur laquelle nous appuyer, aucune habitude consacrée, et aucune expérience. La population entière d'Israël atteignait à peine la barre des deux millions.

La présence d'Isser sur le terrain des opérations présentait au moins un intérêt : le matériel et les moyens que nous demandions nous étaient immédiatement fournis. Les problèmes qui pouvaient se poser étaient résolus sur place, l'attribution d'effectifs supplémentaires ou de crédits se faisait promptement. Parce que l'autorité suprême était parmi nous. Personnellement, j'étais content qu'il soit dans les parages. Mais, professionnellement, c'était une erreur.

Et pourtant, c'est à Isser qu'on doit l'immense considération dont jouissent les services secrets israéliens dans le monde — ils figurent parmi les meilleurs, et surpassent même dans certains domaines ceux des superpuissances.

Je peux affirmer avec certitude que, sans Isser Harel, avec ses bizarreries et ses lubies, l'opération Eichmann n'aurait tout simplement jamais eu lieu, et un criminel de plus aurait pu poursuivre le cours tranquille de sa vie dans un petit coin perdu d'Amérique latine — comme d'autres nazis l'ont d'ailleurs fait.

Ce fut grâce à la ténacité d'Isser, à son autorité, à son courage, à sa pénétration et à sa propre perception historique du problème, en tant que juif, que toute cette lourde machine fut mise en marche vers l'Amérique du Sud.

Réunis dans le bureau d'Isser, nous attendions impatiemment ses directives.

« Ceci, commença-t-il, en s'efforçant de ne pas élever la voix, est une réunion historique. Le privilège vous a été accordé d'accomplir ce long voyage pour capturer l'homme qui a fait verser le sang de six millions de nos frères. Ce n'est pas l'esprit de vengeance qui nous anime — comme l'a dit notre poète lauréat Bialik : " Nul ne peut venger la mort d'un enfant ; le diable lui-même n'y parviendrait pas. " — mais le sens, profondément enraciné en nous, de la justice dans l'Histoire. L'État d'Israël est le représentant du peuple juif, et n'a pas seulement le droit, mais le devoir de traduire en justice l'homme qui a mis à exécution la " solution finale " la plus sinistre de toute l'Histoire. Vous êtes les émissaires anonymes du peuple juif. »

Isser avait un sens de l'Histoire hautement développé. Il était généralement peu enclin à faire des discours, et je le voyais disserter, pour la première fois, comme s'il se faisait l'avocat des millions de juifs massacrés, plaidant avec ferveur leur cause devant le tribunal suprême : « Pendant des générations entières, des millions de juifs ont rêvé de retourner à Jérusalem. Hitler et Eichmann, son complice, ont taillé en pièces ce rêve, avec leurs baïonnettes, dans les camps de la mort. A Nüremberg, les Alliés ont fait passer en jugement les criminels de guerre nazis, mais un homme manquait sur le banc des accusés : le bourreau en chef du peuple juif. Vous l'amènerez à Jérusalem pour que le monde entier sache que nous sommes un peuple qui n'oublie pas. Notre mémoire remonte à la nuit des temps. Et nous continuerons à tenir le grand livre des comptes. J'ai décidé que vous alliez amener Eichmann devant la justice. »

Par ce petit préambule, Isser essayait de nous transmettre ce qu'il éprouvait, et formulait aussi à coup sûr les sentiments profonds du Premier ministre et des rares membres du gouvernement à être dans le secret.

Pour nous, qui prenions nos aises ce jour-là dans le bureau d'Isser, les leçons d'histoire n'étaient plus tout à fait d'actualité : Isser parlait et nous étions impressionnés, mais une partie de nos pensées était ailleurs. Dans un autre pays du monde où, dans quelques jours, il n'y aurait plus de place pour les beaux discours. Dès que nous aurions quitté Tel-Aviv et foulé le sol européen, l'action commencerait. J'avais sans cesse en tête l'inquiétude que tout ne soit pas prêt à temps, mais je savais que tant que nous resterions en Israël, les préparatifs n'en finiraient pas.

Uzi était assis, les bras croisés, et laissait errer son regard sur les visages assemblés. Aharon écoutait avec attention, mais commençait à montrer des signes d'impatience, et à manifester qu'il voulait en venir aux détails pratiques. Meir, dont la masse volumineuse débordait du fauteuil, se tenait droit et raide, les poings serrés sur les genoux. Mais il avait une réelle admiration pour Isser, et buvait chacune de ses paroles. Il était considérablement gêné par la spirale de fumée que dégageaient les cigarillos de Dévorah. De temps à autre, il levait son énorme patte, tentant sans succès de se protéger de « Billy le Sapeur ».

Toujours porté par les grands mouvements de l'Histoire, Isser poursuivit sa péroraison. Je traduisais mentalement les grandes fresques qu'il peignait en déplacements précis : Eichmann se dirigeant vers sa maison, Eichmann se débattant entre mes mains, Eichmann réduit à l'obéissance, se laissant conduire à une cachette bien préparée...

Sans un changement de ton, Isser remit brutalement les pieds sur terre et se tourna vers Uzi : « Êtes-vous prêts ? » Uzi fut pris au dépourvu par ce soudain revirement. Il lui fallut quelques secondes pour murmurer, d'une voix rauque : « Tout à fait prêts à partir. »

Aharon prit la parole : « Je crois que nous devrions disposer d'au moins un appartement sûr, pour pouvoir nous organiser à l'arrivée et pour déballer le matériel. »

— Hoffman en a loué un il y a cinq jours, le rassura Isser, et nous en cherchons d'autres. Lorsque vous arriverez là-bas il y en aura au moins trois autres. On en utilisera un pour cacher Attila. Sans oublier au minimum une planque de rechange. Et nous disposerons certainement de deux appartements pour nous loger et pour effectuer divers travaux techniques. »

Isser s'arrêta un instant et reprit : « Je crois que Hans Kiryati a fait du bon travail : il a tout préparé. Je l'ai renvoyé sur le terrain. Il est arrivé en *Tierra del Fuego* (Isser, avec son amour des noms de code, avait choisi cette désignation pour l'Argentine), il y a trois jours, pour vous guider sur le théâtre des opérations.

— Il faut encore — j'y allai de ma chanson — que je vérifie moi-même les itinéraires de Ricardo Klement. Je veux aussi voir comment il se comporte. Ceci doit être fait par notre propre équipe. Je déconseille de renvoyer Kiryati sur le terrain, cela pourrait éveiller les soupçons.

— Ne t'en fais pas, tu auras tout le temps pour ça, me dit Isser en me caressant les cheveux et les joues, comme un maître qui encouragerait gentiment un bon élève. Je te préviens, Peter, pas de dommages corporels et pas de commotions. Je veux qu'Attila soit en pleine forme pour répondre aux nombreuses questions qui lui seront posées. » Isser parlait de son ton le plus doux. « Quant à l'itinéraire, on s'en occupera quand vous serez sûrs de connaître le terrain. C'est pour ça que vous partez tôt. En attendant, je peux vous assurer qu'on l'a vu arriver chez lui vers huit heures du soir, cinq jours d'affilée. Il descend du bus et rentre directement chez lui à pied. »

Meir, qui n'avait pas encore ouvert la bouche, intervint : « Je crois que l'appartement qui servira de cachette doit être fait de façon qu'on puisse y construire une pièce camouflée, invisible de l'extérieur. L'idéal serait une maison avec une cave. Au pire, nous nous contenterions d'un grenier. »

Dévorah prenait des notes. « Télégraphie à Hoffman pour qu'il en tienne compte quand il louera les autres maisons », ordonna Isser.

Le téléphone sonna et Dévorah répondit. Isser lui fit signe qu'il n'y était pour personne. Couvrant le récepteur de sa paume, Dévorah annonça : « C'est le directeur d'El Al... »

Isser bondit : « Ah, il est enfin de retour. Il faut que je lui dise un mot. »

Il décrocha son appareil et nous fûmes obligés d'écouter : « Cet avion doit faire le moins d'escales possible, dit Isser au directeur, et surtout au retour. As-tu obtenu les droits d'atterrissage ? »

La réponse dut être négative, du moins à ce moment-là, car Isser prit un air anxieux et serra plus fort le récepteur : « Essaie, n'abandonne pas. Il y a les cérémonies du cent cinquantième anniversaire de l'indépendance argentine — je suis sûr qu'ils accepteront une délégation israélienne arrivant par El Al... O.K... Merci. A bientôt. »

Isser se tourna vers nous d'un air pensif. « Nous n'avons toujours pas réglé le problème du transport d'Attila en Israël. Nous essaierons de le faire par avion, mais il se peut que nous soyons contraints de le faire par mer. Un bateau ou peut-être un sous-marin... » Il ajouta à l'intention de Dévorah : « Je veux un rendez-vous avec le C.G.S. [1], avec l'inspecteur en chef et avec le Premier ministre. Il faut que je les voie avant mon départ. »

Après ce compte rendu des problèmes de transport, Meir me fit observer, de son ton de voix habituel : « Gaspillage. On devrait abandonner la carcasse là-bas, même les vautours n'en voudraient pas. »

Comme on pouvait s'y attendre, cette belle pensée n'échappa pas aux sensibles organes auditifs d'Isser. Il répondit immédiatement : « Je te comprends, Meir... » Mcir remua sur son siège, mal à l'aise, et prêt à se rétracter, mais la banque de données Harel avait enregistré ce détail : « Je suis content que tu aies

1. Chef d'état-major.

exprimé tes sentiments. Il semble que tu n'aies pas compris la signification historique... Si nous exécutons Attila en *Tierra del Fuego,* ce ne sera qu'un criminel allemand mort de plus. Nous le voulons vivant ! Nous voulons qu'il parle, qu'il récapitule, qu'il décrive toutes les atrocités nazies dont il a été responsable — pour que le monde entier écoute. En particulier les juifs et les non-juifs de la jeune génération. Les gens ont la mémoire courte. Il y a en ce moment même des mouvements néo-nazis qui se réorganisent, en Allemagne, en Afrique du Sud — et même dans les pays éclairés comme l'Angleterre ou les U.S.A. — et qui le font au nom de la démocratie. »

Isser cessa d'arpenter la pièce pour s'en prendre à Meir : « Tu comprends, Moshe ? Tuer Attila, ce serait comme si on supprimait le dernier témoin à charge contre les crimes du IIIe Reich. Le tuer ? N'y songe même pas ! Je sais qu'on peut se laisser envahir par des sentiments de vengeance. Je sais qu'il va rester en votre présence pendant des nuits et des jours entiers, dans le même appartement, dans la même pièce. Je vous tiens tous, individuellement et collectivement, pour responsables de l'intégrité physique d'Eichmann ! »

L'avertissement fut parfaitement compris. Autant qu'Isser, nous étions impatients de voir la une des journaux annoncer en gros titres : EICHMANN A JÉRUSALEM !

Aharon avait encore une question : « Je suis moi-même persuadé que nous avons trouvé Eichmann mais, tout de même, il y a un certain doute sur son identité. Comment pouvons-nous être absolument sûrs que c'est bien lui que nous allons enlever ? »

On frappa à la porte, et un garçon posa sur la table un plateau de boissons fraîches. Tout le monde resta silencieux jusqu'à son départ.

« C'est un risque calculé que nous avons pris, dit Isser avec fermeté.

— Et s'il se trouvait que nous nous étions trompés ? demandai-je.

— Dans ce cas nous le relâcherions en lui offrant une compensation pour les souffrances que nous lui aurions causées, répondit Isser. Dans l'état actuel des choses, l'identification définitive ne sera possible que lorsqu'il sera entre nos mains. »

La réunion semblait toucher à sa fin. Isser marcha jusqu'au centre de la pièce, s'arrêta, se retourna brusquement et me mit sur la sellette : « Peter, que se passera-t-il si, tout à coup, juste après la capture quelqu'un — les voisins, les flics ou les fils aînés d'Attila — te bloque au moment de la fuite ? »

Tous les regards étaient sur moi, et j'avais intérêt à avoir ma réponse toute prête : « Ce serait un problème. Mais je suis sûr que les autres viendraient immédiatement à mon secours pour m'aider à tenir Eichmann. »

Uzi prit la relève : « Une situation de ce genre provoquerait un scandale dans le monde entier. Le gouvernement ouest-allemand devrait intervenir et demander l'extradition d'Eichmann. Le blâme le plus sévère s'attacherait à l'individu, quel qu'il soit, qui aurait arrêté les hommes ayant retrouvé Eichmann. »

Isser parut satisfait de ce qu'il entendait. Mais il était soucieux quand même. « Je ne voudrais pas que cela se produise. Je vous ai choisis parce que je crois en vous. Je ne veux aucun accident. » Puis, avec résolution : « Je pars dans un jour ou deux. Nous nous reverrons en *Tierra del Fuego*. »

Un séjour à Paris

Nous étions au bois de Boulogne, et humions avec reconnaissance le parfum du printemps parisien. Uzi tenait un chronomètre. La Citroën noire de chez Hertz, que nous avions louée à Orly, était garée à quelques pas de là. Uzi surveillait attentivement les alentours, et tout particulièrement les deux sentiers qui menaient à la petite clairière où nous nous trouvions. Nous faisions attention à ne pas marcher sur les parterres de roses qui embellissaient encore ce lieu enchanteur, en plein cœur de Paris.

Une trentaine de mètres plus loin, sur l'une des routes qui traversaient le Bois, la circulation était dense. Derrière nous se faisaient entendre les claquements d'un groupe d'élégants cavaliers. Dès qu'ils eurent disparu dans la forêt, Uzi fit un signal de la main. Je marchai nonchalamment vers Meir, qui venait dans ma direction. Je bondis sur lui, lui fis une clef du cou, le chargeai sur mon dos et le traînai vers la Citroën. Aharon prit les jambes de Meir et nous le déposâmes sur le siège arrière.

Uzi vint nous rejoindre en secouant la tête, l'air préoccupé : « Ça a pris presque une minute. C'est trop long.

— Meir est aussi inerte qu'une bûche. Il pèse deux fois plus lourd qu'Eichmann, et comme il rentre la tête dans les épaules, je ne peux pas avoir une bonne prise sur son cou », expliquai-je.

Meir sortit de la voiture en se frottant le cou. « J'en ai marre de ce petit jeu. N'importe quoi, plutôt que d'être livré aux pattes d'étrangleur de Peter. »

Uzi nous pressa de recommencer immédiatement l'exercice. « Il faut aller plus vite.

— Je suggère l'exercice numéro deux, qui prend moins de temps », dis-je.

Nous étions sur le point de recommencer quand un gros berger allemand apparut au petit trot, et se mit à nous renifler avec attention. Nous étions curieux d'apercevoir son propriétaire. Une femme blonde en pantalon noir, portant un épais pull-over bleu nacré, suivait le chien sans se presser, à travers les arbres, pour la promenade du matin. Nous attendîmes qu'ils soient passés.

Six Français firent leur apparition à une soixantaine de mètres, et commencèrent une partie de pétanque. Absorbés par le jeu, ils ne prêtèrent aucune attention à nos cabrioles.

Cette fois, c'était Aharon qui venait vers moi. J'étais décidé à être très économe de mes mouvements pour aller plus vite. Je sautai sur lui, le jetai sur mon dos et courus à la voiture. Meir attrapa ses jambes et nous nous glissâmes tous trois sur le siège arrière de la Citroën pendant qu'Uzi plongeait derrière le volant et actionnait le démarreur. Aharon poussa un grognement de soulagement lorsque nous lâchâmes prise. Uzi consulta le chronomètre : « Trente-cinq secondes, dit-il pensivement. Nettement mieux, mais pas encore assez rapide. »

Nous fîmes une pause pour le déjeuner. Nous prîmes place à l'ombre et Meir alla chercher dans le coffre deux baguettes de pain dont l'odeur fraîche et croustillante nous mit littéralement l'eau à la bouche, et, tant pis pour le doux parfum des roses, un beau morceau de saucisson, qui sentait bon l'ail, une douzaine d'œufs durs et un assortiment de fromages. L'herbe était encore humide de la rosée du matin, et nous étions affamés. Nous le regardâmes avec admiration dévorer une longue baguette à lui tout seul, et se réserver pour le dessert la motié du saucisson qu'il expédia en trois bouchées. J'aimais voir Meir savourer sa nourriture. Je crois que l'un de ses grands plaisirs dans l'existence, c'était de manger bien et beaucoup, en particulier quand il s'agissait de pain et de fromage français.

Dans notre petite clairière, en ce jour férié, nous pouvions passer pour des Français parmi d'autres, dans la foule de ceux qui étaient venus au Bois pour célébrer la fête du Travail.

C'était le 1er Mai 1960.

Nous avions atterri à l'aéroport d'Orly quelque dix-huit heures auparavant, le soir du 30 avril. La nuit du 29, la veille de notre départ, nous nous étions tous les quatre réunis au Q.G. pour un briefing de dernière minute. Nous avions parcouru les divers télégrammes qui étaient arrivés de Buenos Aires et d'Europe et griffonné quelques notes codées sur nos contacts, les heures et les lieux de nos rencontres en Europe et en Argentine, y compris les solutions de rechange au cas où quelque chose irait mal.

Nous avions passé au peigne fin nos poches et nos porte-documents, à la recherche du moindre bout de papier ayant un rapport avec notre travail et notre véritable identité. Nous avions vérifié chacun des effets personnels que nous emportions en Argentine, y compris les valises et les vêtements, en éliminant toute marque israélienne. Nous travaillions sans émotion, mais avec un soin minutieux. Comme un pilote qui vérifie son tableau de bord avant le décollage. Surtout quand le vol promet d'être long.

Nous inspectâmes soigneusement tous les outils, les appareils radio et les boîtes de lampes, pour nous assurer qu'ils ne portaient pas de label israélien, que ce soit à l'extérieur ou sur leurs composantes.

J'accomplissais toutes les démarches nécessaires avec application mais, malheureusement, je n'avais pas le temps de faire de véritables adieux à ma mère ni à Gila. Je retournai chez moi à deux heures du matin et j'appelai Gila pour lui dire « *shalom* », sachant que nous ne nous verrions pas avant deux bons mois. Je me sentais légèrement coupable de la laisser en plan comme ça, sans la moindre promesse. Elle n'en souffla pas mot au téléphone, mais je sentis qu'elle était triste. Comme je ne pouvais rien y faire, j'écourtai les adieux.

« Amuse-toi bien à Paris, me dit-elle, je suis sûre que tu apprendras des tas de choses intéressantes... »

Je ris. Je demandai à Gila où nous nous retrouverions à mon retour.

« Au même endroit, et au même numéro de téléphone. Je ne ferai aucun changement.

— Je suis fou de tes belles jambes. Prends-en bien soin pour moi. »

En raccrochant, je me sentis fatigué et déprimé.

Le 30 avril à six heures du matin, j'attendais sur le trottoir devant chez moi, rue Ben Yehuda. Le bureau avait envoyé une Chevrolet grise avec chauffeur pour me prendre. Uzi, très fringant en costume, cravate et chemise blanche, se prélassait à l'arrière de la voiture. A l'avant du *Britannia* d'El Al qui devait nous amener à Paris, nous trouvâmes Meir et Aharon, eux aussi habillés en dandys. Rien ne nous distinguait des autres passagers.

La binette souriante de Dani Shalom au bas de la passerelle d'Orly était un spectacle réconfortant. Nous nous serrâmes chaleureusement la main.

« Tout le monde est là ? s'enquit-il.

— A cent pour cent. Tout va bien, on est tous là. On va prendre nos bagages et on arrive. Uzi et moi, nous partirons avec toi. Aharon et Meir vont louer une voiture et nous rejoindront plus tard. Pas de changement pour les lieux de rencontre et les numéros de téléphone ? ajoutai-je.

— *Il n'y a pas de problème*[1] », répondit Dani Shalom, avec son meilleur accent parisien. La Peugeot 403 de Dani, immatriculée à Paris, nous emmenait vers la Ville lumière. Uzi avait pris place près du conducteur et moi à l'arrière. Tout comme moi, Uzi adore Paris. Pendant un instant, il eut l'air d'un cheval qui sent l'écurie après un long parcours.

« Alors, quoi de neuf, Dani ? Et les femmes ? Tu nous as préparé une petite fête pour ce soir ? J'adore les Françaises... »

Tout le monde souriait. « Avec le costume de zazou que tu as sur le dos, dis-je à Uzi, tu vas faire saliver tous les Champs-Élysées. »

Dani répondit d'un air désolé : « Vous avez un emploi du temps très serré, Uzi, et, si vous arrivez à voir la Tour Eiffel, vous aurez de la chance.

— Eh bien, qu'y a-t-il de nouveau ? » Uzi était déçu. « Des télégrammes ?

— Isser arrivera en *Tierra del Fuego* demain ou après-demain. Il vous y attend illico.

— Et alors ? Je veux une fête. Ce soir, messieurs, on fait la bringue à Paris, et que les télégrammes et le boulot aillent au diable. » Uzi ne plaisantait qu'à moitié.

Dani avançait avec précaution dans les embouteillages de la rive gauche, et traversa la Seine au niveau du Louvre. La fin d'après-midi baignait dans une lumière dorée. Les voitures, en longue file, qui roulaient au pas, cornaient, klaxonnaient et beuglaient.

Ignorant le *cri du cœur*[1] d'Uzi, Dani, imperturbable, continuait sa route. L'homme, âgé d'environ trente-cinq ans, bien bâti, avec des cheveux châtain foncé, un

1. En français dans le texte.

teint pâle et des traits d'intellectuel finement ciselés, semblait n'avoir rien entendu.

« J'ai enfin réussi à vous trouver un vol pour Buenos Aires le 5 mai, via Londres. La terre entière se rend en Argentine pour la commémoration du cent cinquantième anniversaire. J'ai frappé à toutes les portes pour obtenir ces places. Vous avez intérêt à revenir d'Allemagne à temps, sinon il y aura du grabuge. »

Nous laissâmes nos valises dans un appartement du cinquième étage, en haut d'un immeuble de la place des Ternes, où Dani nous avait conduits. Aharon et Meir nous rejoignirent rapidement. De la grande fenêtre du confortable salon, on voyait l'Arc de triomphe, qui se dressait au bout de l'avenue de Wagram, entouré d'effets de lumière dans l'obscurité de la nuit.

C'était un spacieux trois pièces. Le réfrigérateur était bien approvisionné, grâce aux soins de Dani. Cela nous permettait d'éviter le tracas et le risque d'avoir à remplir des fiches d'hôtel.

Il va de soi que nous n'avions aucune activité hostile à effectuer sur le sol français. La France était juste une étape amicale. Et, surtout à ce moment-là, quatre ans après l'opération conjointe des forces israéliennes, françaises et britanniques contre le canal de Suez, où l'amitié franco-israélienne était à son apogée. Si nous avions eu besoin de l'aide française pour l'enlèvement d'Eichmann, nous aurions, j'en suis sûr, trouvé des quantités de volontaires. Parce que les Français avaient eux aussi été écrasés sous la botte nazie qui martelait les rues de Paris. Mais nous n'avions pas besoin d'aide, et nous devions garder notre secret jusqu'au bout.

Paris n'était donc qu'une petite halte où nous n'avions pas besoin de nous protéger de la police. Et quelle meilleure étape que Paris ? Après de longues journées de tension, nous avions une impression de vacances. Dani rentra chez lui et nous laissa ; nous sortîmes par groupes de deux pour nous rencontrer à l'Étoile. Pendant quelques heures, nous pûmes chasser de notre esprit l'opération « Attila ». Nous étions tout à fait détendus, lorsque nous descendîmes en flânant les Champs-Élysées illuminés. Nous prîmes plaisir à regarder ses splendides vitrines. Les foules de promeneurs parisiens qui arboraient une élégance bien française formaient un spectacle coloré, en comparaison du kaki et de la grosse toile qui dominaient alors en Israël. L'atmosphère était celle d'une perpétuelle fiesta, tandis que Tel-Aviv peinait dans la contrainte et dans l'effort. Paris semblait baigner dans le romanesque.

Meir, qui depuis l'arrivée réclamait un dîner au restaurant, finit par l'emporter. Uzi dit au chauffeur de taxi de nous emmener au *Pied de Cochon,* la brasserie qui se trouve au cœur des Halles. Le restaurant était plein à craquer. Des bouchers aux tabliers maculés de sang, des conducteurs de gigantesques poids lourds et quelques jeunes prostituées étaient au comptoir. Le garçon nous trouva une table au premier étage, près de la fenêtre d'où l'on avait vue sur la rue.

Après la sempiternelle carte israélienne, composée d'*hoummous*, de *felafel* et de *shish-kebab*, c'était un délice de se voir présenter un menu qui commençait comme un roman de Balzac. Il y avait de tout, du pied de cochon (la spécialité qui avait donné son nom à la brasserie) aux cervelles d'agneau au beurre noir.

Meir dit d'un ton maussade : « Comment se fait-il que vous ayez choisi un restaurant avec un nom pareil ? Pied de cochon, mon œil !

— Les Français pensent que ça porte bonheur. » Uzi jouait les connaisseurs.

Je tranquillisai Meir : « T'en fais pas, ça n'est qu'un tout petit cochon, qui a plus d'un jour, et qui n'a jamais fait de mal à personne. Dès que la truie met bas, on vient lui trancher ses petites pattes et on les apporte ici.

— C'est pas drôle, boudait Meir. Si on doit tuer un cochon, j'aime autant avoir du veau dans mon assiette. C'est pas que ça me dérange de pas manger kascher, mais ce soir je prendrai de la soupe à l'oignon et un bon steak au poivre... »

Dans un élan de solidarité, nous commandâmes tous de la soupe à l'oignon, qui arriva toute fumante de la marmite, et sur laquelle flottait du fromage gratiné. Nous prîmes ensuite des truites. Pour des raisons évidentes, nous parlions anglais entre nous. Ce ne fut que lorsque nous trinquâmes, avec un excellent vin du Rhin, que Meir s'oublia et s'écria en hébreu : « *Lehayim !* »

Les autres dîneurs, absorbés par leurs pieds de cochon et leurs soupes à l'oignon, ne nous prêtèrent aucune attention, mais Uzi jeta à Meir un coup d'œil sévère. Il ne prononça pas un mot mais le message fut reçu.

Je me levai pour payer l'addition du dîner, dont nous avions été fort satisfaits. Je laissai un pourboire de vingt francs, ce qui était très généreux à l'époque. C'était une de mes superstitions que de laisser, avant une opération, de bons pourboires aux serveurs, ou de glisser un important bakchich à quelque misérable mendiant. Comme d'habitude, je ne demandai pas la note. Les gens qui tenaient la comptabilité faisaient entièrement confiance aux officiers de terrain et personne n'essayait d'en tirer profit. La raison en était purement technique : il fallait détruire toute trace de passage, pour éviter les complications en cas d'anicroche. Jamais nous ne prenions ni ne conservions les factures de restaurants, de taxis, d'hôtels ou autres, qui auraient pu nous compromettre. Le Service secret a la chance d'avoir des agents plus efficaces que les bureaucrates collectionneurs de factures. Je connais des gens qui en sont arrivés à un tel point qu'ils passent la majeure partie de leur temps à accumuler des reçus, plutôt que des renseignements.

De toute façon, dans une profession comme la mienne, les collectionneurs sont à bannir. Les amateurs de poupées, de clefs, de boîtes d'allumettes et autres. Ceux qui transportent avec eux les cachets de tous les pays qu'ils ont parcourus pendant leur mission. Je connais un agent secret qui s'est trahi à cause de boîtes d'allumettes ; alors qu'il était en route pour une opération, il collectionnait — c'était un vrai mordu — quantité de pochettes, provenant de chaque restaurant, chaque hôtel, chaque ville qu'il avait fréquentés. Il fut arrêté pour un interrogatoire, et l'enquêteur n'eut qu'à aligner toutes les boîtes d'allumettes qu'on avait trouvées dans sa valise pour démolir l'histoire de couverture qu'il avait longuement préparée.

En sortant du restaurant, nous nous promenâmes rue Saint-Denis. Il était plus de minuit, et aux coins des rues, plongés dans l'obscurité, derrière les portes cochères des vieux immeubles délabrés, les *filles de joie*[1] appelaient et invitaient les clients potentiels, avec leurs voix chantantes et leurs sourires enjôleurs. Des soldats en uniforme, des marins, des conducteurs de camion et autres robustes citoyens rôdaient sur les trottoirs et les ruelles adjacentes, à la recherche d'un moment de plaisir pour quelques francs. D'autres venaient là en simples badauds, pour respirer l'inimitable atmosphère de la rue Saint-Denis la nuit. De temps à autre, des voitures de police sillonnaient le quartier, et les femmes — jeunes et moins jeunes — se glissaient dans l'ombre d'un escalier, dans quelque petit hôtel minable, jusqu'à ce que le danger soit passé.

Meir était le seul du groupe à visiter la rue Saint-Denis pour la première fois. Il marchait prudemment au milieu de la chaussée, pour se tenir aussi loin que possible des prostituées. « Si Isser nous voyait, dit Meir avec le plus grand sérieux, il n'en croirait pas ses yeux. »

Uzi rejeta la tête en arrière et éclata de rire : « Meir, mon chéri, ne va pas t'imaginer qu'Isser ne sait pas qu'il y a des poules rue Saint-Denis ! »

---

1. En français dans le texte.

Meir n'en démordit pas, et se dégagea, avec un grand embarras, d'une fille qui s'accrochait à son bras : « Les gars, il faut rentrer à la maison. Avant qu'on ne nous viole. De toute façon, je n'ai pas mes papiers sur moi, et il y a trop de flics ici à mon goût. »

Le 4 mai 1960

Le 4 mai, en début d'après-midi, nous atterrîmes à l'aéroport de Buenos Aires.

C'est un sentiment très particulier qu'éprouve l'agent lorsqu'il arrive à destination, dans l'État même où il lui a été assigné d'effectuer une mission clandestine en contravention avec la loi du pays. L'Argentine et Israël entretenaient certes des relations très cordiales mais, à partir du moment où nous mettions le pied sur le sol argentin en tant que membres du Service secret, il fallait observer la plus grande prudence.

Chaque contact avec les représentants de la loi, si bref fût-il, comme le fait de franchir la douane ou de tomber sur un agent de la circulation, devait se dérouler sans anicroche. Il fallait éviter le moindre accrochage avec les autorités locales, y compris l'infraction la plus bénigne, le plus petit P.-V.

J'avais la sensation enivrante que nous approchions enfin du but, que le gant était jeté; j'étais prêt et je piaffais d'impatience.

Une fois en bas de la passerelle, nous marchâmes séparément vers l'aérogare, comme si nous ne nous connaissions pas. Cette aérogare me rappelait celle qui se trouvait sur le plus grand terrain d'aviation d'Israël : un morne bâtiment sans étage. Mais le toit, l'entrée des passagers et le grand hall grouillaient de militaires et de policiers armés : impossible d'oublier que l'Argentine était en état d'alerte. Les uniformes impeccables, plus visibles que d'habitude, distinguaient nettement l'armée de la foule. Des avions, qui étaient arrivés à quelques minutes du nôtre, déversaient des hordes de passagers venus célébrer le cent cinquantième anniversaire de l'indépendance argentine.

Les premiers obstacles à surmonter étaient le passage à la douane et la vérification des passeports. Nos papiers, nous le savions, avaient été fabriqués par des experts, mais, comme toujours, il subsistait un léger doute : et si la police des frontières leur trouvait quelque chose de louche...

Nous portions tous trois des passeports européens. Le règlement voulait que nous nous soyons munis à l'avance de visas pour Buenos Aires. Dani, qui s'occupait des papiers, et qui était très pointilleux, avait envoyé les passeports avec les demandes de visas au consulat général de l'Argentine à Londres, au 53, Hans Place, SW 1. Ils avaient été tamponnés là-bas avec un visa de touriste pour trois mois, afin que le premier obstacle soit levé.

Comme nous en étions convenus, chacun se dirigea vers un poste de contrôle différent. Le premier à franchir le tourniquet fut Uzi. C'est avec soulagement que je le vis passer, cordialement salué comme un honorable touriste. Meir faisait la queue à ma gauche. Mon tour arriva et je tendis mon passeport, avec le billet de retour collé sur la page qui portait le visa argentin. Un jeune policier moustachu examina brièvement le visa, feuilleta rapidement les premières pages du passeport, jeta un coup d'œil sur la photo, la compara avec mon éblouissante physionomie, et appliqua fermement son coup de tampon. « Amusez-vous bien à Buenos Aires... » Il me rendit mon passeport en souriant et ce fut tout.

« Je ferai certainement de mon mieux », pensai-je, soulagé que mon premier contact avec les forces locales de la sécurité se soit passé sans incident. Du coin de l'œil, je vis que Meir introduisait avec succès son énorme masse dans le tourniquet.

Chacun de nous prit alors sa valise et s'avança vers le contrôle des douanes. La dernière barrière légale à notre entrée en Argentine. Comme tout le monde, nous fûmes priés, l'un après l'autre, d'ouvrir nos valises. Celle d'Uzi fut marquée à la craie sans commentaire ; il sortit rapidement et sans encombre de l'aérogare.

Ce fut le tour de Meir. Au milieu des vêtements soigneusement pliés, l'officier montra précautionneusement du doigt un paquet enveloppé de papier marron. Les gestes de l'officier étaient aussi éloquents que son espagnol. Je dus blêmir en voyant le paquet. Les ordres étaient pourtant clairs : nous ne devions rien emporter qui puisse attirer l'attention des douaniers. Meir ne jeta pas un coup d'œil dans ma direction, alors que je le surveillais attentivement.

Il obéit, plein de dignité, défit la ficelle et ouvrit d'une main ferme le papier d'emballage, qu'il lissa de ses paumes charnues. Se déversèrent alors dans la valise six belles pommes rouges, trois tablettes de chocolat Suchard et un long saucisson bien épais. J'en gloussai intérieurement. L'inspecteur en uniforme se permit un sourire indulgent : « Nous avons de la viande en abondance en Argentine. *Bon appetite !* » Meir parut interloqué, mais l'inspecteur donna son coup de craie avec entrain. Ma décision d'envoyer séparément le matériel avait été sage. Quant aux pommes, je n'y voyais pas d'inconvénient.

Uzi et Meir m'attendaient à la station de taxi. Une voiture jaune et violette s'arrêta à notre hauteur. « Encore heureux, murmurai-je à l'oreille de Meir d'un ton aigre, que ton saucisson ne fût pas estampillé : Kascher, made in Israël. » Meir était encore visiblement embarrassé : « Je l'ai acheté à Genève, avant l'embarquement. On a toujours besoin d'un petit quelque chose à grignoter... »

Le chauffeur de taxi ôta sa casquette à visière, nous ouvrit la portière et rangea nos bagages dans son coffre avec dextérité. Uzi lui montra un morceau de papier portant une adresse en ville. J'étais content de voir disparaître derrière nous l'aéroport d'Ezeiza. Nous dépassâmes un bel immeuble neuf — l'hôtel *International* — et nous nous engageâmes sur la grande autoroute qui menait à Buenos Aires.

L'autoroute à voies multiples était flanquée d'une rangée d'arbres des deux côtés, mais ce qui me plut, ce fut la vue des pâturages verts et plats, qui s'étendaient sans fin jusqu'à l'horizon. Un crachin monotone tombait du ciel gris et morose. Partout, ce n'étaient que troupeaux broutant imperturbablement, ou bestiaux allongés fixant paisiblement la route. Nous respirions l'odeur âcre et piquante de la terre détrempée par la pluie.

On avait oublié de nous communiquer l'intéressante information qu'à cette époque de l'année l'Argentine était en plein hiver. Sans manteau, et avec nos élégants costumes d'été, nous avions dû paraître passablement ridicules au chauffeur de taxi. « Il fait froid en Argentine, hein, messieurs ? » Nous parvînmes à faire un sourire quelque peu forcé, et restâmes silencieux. Qu'y avait-il à dire ?

Le chauffeur tenta une autre approche : « Belle *autostrada,* non ? Le *Generalissimo* Peron, il l'a construite. Un jour il donne ordre détruire toutes les maisons sur la route de Buenos Aires. Maintenant belle route. Peron parti, dommage. Faisait choses bien. » Il était du genre jovial, notre chauffeur. Comme le destin de l'ex-président Peron n'était pas arrivé à nous sortir de notre mutisme, que les merveilles de l'*autostrada* ne suscitaient aucune réaction, il poursuivit, sans se démonter, sur les sensationnels night-clubs de Buenos Aires, les belles danseuses et, bien sûr, les restaurants. Il pouvait nous recommander un hôtel, nous servir de guide pour la soirée : « *Las noches* de Buenos Aires, nous assurait-il, sont les plus délicieuses du monde. » Il tourna la tête pour nous gratifier d'un clin d'œil suggestif.

A l'aide de quantité de mimiques, de gesticulations et d'onomatopées, nous essayâmes de lui faire comprendre, avec beaucoup de courtoisie, que nous étions fatigués de notre voyage, et plutôt réfrigérés. Nous devrions peut-être emprunter cette autoroute pour ramener Eichmann en Israël, et nous voulions observer la route. Uzi avait sorti une carte de Buenos Aires et de ses environs, et de temps à autre, nous y relevions des points de repère.

Il nous fallut trois quarts d'heure pour arriver dans la banlieue. Des constructions basses, des garages, de petites usines, étaient régulièrement espacés le long de la route. A tous les carrefours se trouvaient des véhicules de l'armée et de la police, des jeeps et des voitures de commandement, des hommes en uniforme bleu et kaki, armés de mitraillettes, de fusils, de pistolets et de matraques. Plus on approchait du centre, plus on voyait d'uniformes. Le régime militaire était devenu instable en Argentine, depuis la destitution du président Peron. L'atmosphère semblait lourde et chargée d'électricité...

A la vue des détachements armés qui défilaient à travers la vitre, Uzi et moi-même échangeâmes un regard. Chacun savait à quoi pensait l'autre. Toute cette agitation fiévreuse n'allait pas faciliter la livraison de la marchandise.

La circulation était à présent pratiquement arrêtée. Autant profiter du spectacle. Buenos Aires a une beauté bien à elle. Par leur architecture variée, les maisons témoignaient des origines des colons qui, à la fin du XIXe et au début du XXe siècle, étaient venus de Londres, Rome, Madrid et Paris, pour s'installer dans cette contrée éloignée. Les rues, qui n'en finissaient pas, étaient bordées d'énormes immeubles attenant les uns aux autres. L'ensemble formait une série de gros blocs carrés de plus de cent cinquante mètres de façade. Une sorte de motif à damier comme à Manhattan, mais sans les gratte-ciel.

Les klaxons qui cornaient et beuglaient faisaient un vacarme assourdissant, auquel notre chauffeur se joignit avec enthousiasme, et avec un grand talent. Les voitures étaient vieilles et délabrées, mais les avertisseurs ne manquaient pas de vigueur. Sans respecter la moindre apparence de règlement, chaque conducteur s'enfonçait gaiement dans l'embouteillage. L'inextricable enchevêtrement, semblaient-ils croire, était un décret de la providence. Celui qui parvenait à dépasser légèrement les autres affichait un petit sourire triomphant. On aurait pu croire que nous étions tous des concurrents dans une course d'obstacles nationale.

« Ici, dans centre-ville, toutes les rues à sens unique. » Notre homme avait habilement manœuvré et nous avait tirés d'un carrefour complètement bouché ; son visage tanné et mal rasé en était illuminé d'une joie naïve.

Çà et là, un agent de la circulation tentait vainement de mettre un peu d'ordre dans cette pagaille. Dans tout Buenos Aires, qui comptait plus de quatre millions d'habitants, il n'y avait pas un seul feu.

Les étroits trottoirs grouillaient de monde, essentiellement des hommes fort élégamment habillés, bien qu'on fût en plein après-midi. Malgré leurs vêtements classiques, à la mode européenne, leur diversité ethnique apparaissait : les visages méditerranéens, où l'on pouvait déceler une origine italienne ou espagnole, côtoyaient les physionomies nordiques des Allemands, et le maintien des Anglais contrastait avec celui des Indiens. Le taxi se frayait peu à peu son chemin, et je dévorais du regard tous les passants.

Le taxi s'arrêta enfin, après soixante-quinze minutes de trajet, devant la maison de la rue Sarmiento, à l'adresse exacte indiquée sur le papier d'Uzi. Notre chauffeur, très content de lui, attendait sa juste récompense. Je sortis, raide et froid, et allai rapidement chercher le concierge, un petit homme à cheveux blancs vêtu d'un uniforme bleu marine à boutons d'argent étincelants, qui gardait l'entrée principale de l'immeuble. L'édifice était un bel échantillon d'architecture, avec sa façade décorée de chérubins et de guirlandes à l'italienne.

« Mr Fritz Hoffman ? demandai-je avec brusquerie.

— Deuxième étage », répondit-il aimablement, et il se précipita vers le taxi pour prendre nos bagages, tandis qu'Uzi sortait l'indispensable pourboire, destiné à entretenir la belle humeur du chauffeur.

Il n'y avait pas d'ascenseur, mais un large escalier de marbre italien. Le concierge porta les sacs ; je sonnai quatre coups brefs, comme nous en étions convenus.

La porte, munie de sa chaîne de sécurité, s'entrebâilla légèrement et révéla le visage poupin et souriant de Fritz. Uzi glissa un billet d'un dollar au concierge qui marcha à reculons jusqu'à l'escalier, puis redescendit, pleinement satisfait. La porte s'ouvrit alors complètement, et nous pénétrâmes dans un spacieux salon. Le parquet ciré était couvert de luxueux tapis persans, et les murs ornés de tableaux bucoliques, à encadrements dorés. Un imposant lustre de cristal répandait une douce lumière.

Aharon surgit d'une embrasure et nous donna rapidement l'accolade. Fritz nous tapa joyeusement sur l'épaule. Notre Fritz Hoffman, citoyen germanique, n'était autre que David Ungermann, natif de Tchécoslovaquie, qui avait une parfaite maîtrise de l'allemand. Le Vieux l'avait envoyé en éclaireur, pour qu'il recherche l'appartement qui devrait nous servir de base à Buenos Aires.

Petit, corpulent et élégant, Hoffman passait aux yeux de tous pour un banquier prospère, que personne n'aurait songé à soupçonner d'activités clandestines. Sa chevelure blanche et lisse, soigneusement peignée, paraissait toujours légèrement humide, comme s'il venait de prendre sa douche. Ses yeux noisette étaient pleins de candeur. Avec son élégant chapeau fourré, son pardessus foncé en mohair, il avait l'allure d'un homme bien nourri, pourvu d'une belle fortune et dont l'avenir était assuré.

« C'est une bonne chose que vous soyez arrivés, les gars. Le Vieux vous attend au café. » Hoffman-Ungermann s'affairait joyeusement, déposant nos valises dans les diverses pièces de l'appartement.

Aharon ajouta : « Nous resterons ici quelque temps, en attendant de trouver un logement.

— Et le concierge ? demandai-je.

— C'est toujours le problème, dit Hoffman. Je devais trouver un appartement immédiatement. Il y a plein d'étrangers dans cet immeuble, personne ne fera attention à nous. Donnez-moi encore deux jours, et j'espère vous dégoter deux ou trois villas isolées. »

Aharon l'interrompit : « Chacun d'entre nous, si possible, devrait entrer ou sortir de la maison soit très tôt dans la matinée, avant huit heures trente, soit à partir de six heures du soir, lorsque le concierge n'est plus dans l'entrée principale. C'est comme ça qu'on a introduit les colis et les sacs dans l'immeuble, ce matin. »

Soucieux de ses devoirs d'hôte, Hoffman apparut avec un grand plateau de boissons gazeuses. Nous les avalâmes d'un trait, debout, parce qu'Uzi craignait de ne pas être à l'heure au rendez-vous du Vieux. Je demandai à Meir de vérifier si tout le matériel était arrivé intact, et de se renseigner sur les endroits où l'on pourrait se procurer de quoi construire la cachette d'Eichmann.

Meir avait d'autres préoccupations. « Avant tout, murmura-t-il sur un ton de reproche, il faut que je bouffe. » Un infaillible sens de l'orientation l'avait conduit au réfrigérateur.

« N'oublie pas le saucisson », le taquinai-je.

Sans prendre le temps de nous reposer, même quelques minutes, Uzi, Aharon et moi nous dirigeâmes vers la voiture de location, qui était garée trois rues plus loin. Aharon prit le volant et je m'assis à côté de lui, tandis qu'Uzi s'affalait à l'arrière, où il pouvait déplier la carte.

« Où as-tu déniché cette pièce de musée ? demandai-je sans acrimonie.

— Tu peux remercier le ciel que j'en aie trouvé une avec quatre roues » dit Aharon, tout en se démenant avec la clef de contact.

Le tacot en question, une Ford 1952, n'était pas différent de la plupart des voitures qu'on voyait à Buenos Aires. Les chromes étaient admirablement astiqués, mais le moteur toussotant et crachotant trahissait son âge.

Le crépuscule commençait à descendre sur la capitale argentine. Aharon engagea la Ford sur une vaste avenue. L'avenue la plus large que, pour ma part, j'aie jamais vue. Des panneaux gigantesques et d'énormes néons faisaient la réclame des cinémas et des grands magasins. Les gens étaient entassés derrière les vitres, à la terrasse des cafés, ou arpentaient bruyamment les trottoirs.

Uzi leva la tête de sa carte et annonça : « C'est l'avenue du 9-Juillet. Sur la carte, il y a marqué *avenida 9 de Julio* », expliqua-t-il.

Je ne pouvais la comparer qu'avec les Champs-Elysées où nous nous étions promenés trois jours auparavant.

« On a encore un quart d'heure avant le rendez-vous à l'*Opéra,* dit Aharon. Sinon il faudra attendre le prochain rendez-vous avec le Vieux, dans un autre café ou encore ailleurs. »

Aharon nous décrivit alors brièvement sa rencontre, la veille, avec Hans Kiryati ; il raconta leur première reconnaissance de nuit sur le terrain des opérations à San Fernando. « C'est un quartier très tranquille la nuit, me dit-il, on pourrait y faire un saut après le rendez-vous pour le revoir. »

Aharon s'arrêta au milieu de la chaussée. Sur notre droite se trouvait la vitrine agréablement éclairée du café *Opéra*. Nous acceptâmes la proposition d'Aharon, et nous allâmes au rendez-vous, lui laissant le soin de garer la voiture. A l'intérieur du café, l'activité était débordante. Des garçons transportaient à toute allure des plateaux lourdement chargés. Tout le monde, à l'exception d'Uzi et de moi-même, portait des vêtements d'hiver. Nous pénétrâmes dans une vaste salle toute brillante de dorures et de lustres, qui était meublée de sièges de cuir noir. Tout à coup je vis surgir le Vieux qui nous faisait signe, un large sourire aux lèvres. Il resta debout jusqu'à ce que nous l'ayons rejoint à sa table, jonchée de verres et de bouteilles vides, vestiges probables de ses précédentes rencontres. Le whisky avait été généreusement servi à l'appel des visiteurs clandestins du Vieux, afin de donner à toutes ces entrevues un caractère anodin.

Vêtu d'un costume de laine gris bien ajusté à sa petite taille, il nous embrassa avec une réelle émotion, comme si nous étions ses enfants perdus.

« Bonjour, soyez les bienvenus ! » s'exclama-t-il en anglais, avec son accent russe qui donnait l'impression qu'il avait une pomme de terre chaude dans la bouche. Pendant que nous prenions place, le Vieux fit signe à l'un des serveurs qui attendaient en rang. Il aperçut Aharon qui s'approchait et commanda immédiatement trois autres whiskies, et un café pour lui.

Toute la conversation se fit en anglais. Après quelques questions brèves, mais polies, sur notre voyage en avion, il entra dans le vif du sujet. On se chargerait du docteur Mengele à Buenos Aires, annonça-t-il. « Mais le plus important, bien sûr, c'est l'opération « Attila ». Je sais que vous êtes fatigués, mais je veux que vous alliez voir le terrain ce soir. Le temps est un facteur essentiel. Les préparatifs devront être achevés demain et le plan définitivement arrêté dans quelques jours. Il faut que toi, Peter, tu ailles te faire une idée des lieux, et que tu observes Attila quand il rentre chez lui. Hans a déjà proposé un plan, mais c'est vous qui allez l'exécuter. »

Autour de notre table, au café *Opéra,* régnait un silence attentif et respectueux. Le Vieux jeta un coup d'œil à sa montre. « Il faut que je parte, j'ai un autre rendez-vous. On est en train de s'occuper des locations d'appartements et de voitures. Dani a télégraphié, il est en route et il arrivera demain. Tout se passe comme prévu. »

Il tourna tout à coup vers moi son regard perçant : « Tu vas t'acheter un manteau, immédiatement, à mes frais. Ce serait trop con que tu attrapes la fièvre... »

Nous dégustâmes avec plaisir l'excellent whisky. Le rendez-vous n'avait pas duré plus de vingt minutes. Le Vieux revêtit son manteau et enfonça un chapeau d'astrakan gris sur la masse blanche et cotonneuse de ses cheveux. « Notre prochaine rencontre aura lieu bientôt, comme prévu dans l'emploi du temps. » Nous regardâmes l'énergique petite silhouette disparaître dans la foule joyeuse. Pour nous, la phase finale de l'opération « Attila » commençait ce soir-là.

Quelques minutes plus tard, nous étions tous trois à nouveau dehors, dans la nuit glaciale ; le triste crachin avait repris. Malgré le whisky, nous fûmes rapidement transis jusqu'à la moelle. Une fois sortis du centre-ville, nous prîmes la nationale qui menait à San Fernando.

Aharon appuya à fond sur l'accélérateur, mais la vieille guimbarde ne voulait pas dépasser le soixante-quinze. Malgré l'obscurité, je pouvais me rendre compte que le paysage changeait. Les rues de Buenos Aires bordées d'immeubles faisaient place à des terrains vagues. On voyait défiler çà et là, le long de l'autoroute, des groupes de somptueuses résidences, chaudement éclairées et richement ornées, dans le style espagnol. Toutes ces villas étaient entourées de murs de pierre ou de haies élevées.

« Je vais dans la direction de la nationale 202, expliqua Aharon. La route qui mène à la maison d'Eichmann. Tant qu'on reste sur la grand-routc, il y a de la circulation, comme vous voyez, mais dès qu'on prend les rues transversales de San Fernando, il n'y a presque plus personne. Ce machin se verra comme le nez au milieu de la figure. Je vais le garer à quelques rues du poste d'observation.

— Il est encore assez tôt, pourtant, protesta Uzi. Il n'y a pas un endroit suffisamment fréquenté pour qu'on puisse se garer sans attirer l'attention ?

— C'est une espèce de cité-dortoir. Quand les ouvriers sont rentrés chez eux, il n'y a plus de passage. Même sur la 202, la circulation se réduit considérablement. L'essentiel du trafic de nuit, poursuivit Aharon, consiste en transports routiers, qui acheminent les produits agricoles vers la capitale. »

Dans la lumière des phares apparut un panneau portant les chiffres 202. Uzi, assis à côté d'Aharon, commença à se redresser et à observer. Pour la première fois, les photos et les schémas qu'on nous avait donnés en Israël devenaient réels. De longues rangées de petites maisons étaient dispersées çà et là ; c'était manifestement un quartier pauvre. Certaines de ces maisons avaient l'électricité, tandis que d'autres étaient faiblement éclairées par des lampes à pétrole et des lanternes Lux.

Nous roulions depuis près de trois quarts d'heure lorsque Aharon s'engagea sur une étroite piste, autour de laquelle se trouvaient quelques habitations ; il évita soigneusement les flaques d'eau qui s'étaient formées, et prit garde à ne pas glisser dans l'un des fossés du bas-côté.

« Cette rue est parallèle à la rue Garibaldi, expliqua Aharon. Je fais exprès de dépasser la rue Haman, pour arriver derrière le poste d'observation. »

Alors que nous étions sur le point de sortir de la piste, et de prendre la route de droite, parallèle à la nationale

202, nous remarquâmes deux policiers debout près d'une barrière. Celle-ci consistait en un triangle de bois surmonté d'une lampe rouge. La barrière nous surprit tous. « Ça, c'est nouveau, marmonna Aharon. C'était pas là hier. » Il arrêta précautionneusement la voiture. Les deux policiers en uniforme sombre étaient armés de pistolets et de matraques. Ils s'approchèrent sans se presser, l'un d'eux éclairant le visage d'Aharon avec sa torche, tandis que l'autre examinait les plaques d'immatriculation. Nous n'avions aucune idée de ce que présageait cette barrière, et nous attendions que les policiers nous demandent nos papiers. Aharon parlait un peu l'espagnol, mais nous avions décidé auparavant qu'en cas de rencontre avec la police, nous parlerions anglais ou allemand ; et le porte-parole serait Aharon, qui conduisait. Mais aucune parole ne fut nécessaire. Le policier fit un salut et indiqua que nous pouvions avancer. Son camarade ouvrit la barrière.

Bien que rien ne se soit effectivement produit, nous ne tenions pas à rencontrer ces deux-là une fois de plus. Il fallait absolument éviter qu'ils ne nous voient nous diriger vers le poste d'observation.

« C'est vraiment un sale endroit pour se balader », dis-je à Aharon lorsque nous repartîmes. La barrière était un signe de plus de la tension grandissante dans le pays, et de la façon dont elle pouvait contrecarrer nos plans.

« Si on nous demande ce que nous faisons ici, ajouta Uzi, nous dirons que nous allons à Buenos Aires et que nous cherchons un motel. »

Il fut décidé que si nous tombions à nouveau sur des uniformes, nous déclarerions forfait pour ce soir-là. L'histoire d'Uzi était bien jolie, mais nous n'avions pas de bagages, pas même un sac ; nous fûmes cependant incapables de trouver quelque chose de plus convaincant.

Lorsque nous fûmes hors de vue de la flicaille, nous empruntâmes une autre voie, qui était aussi parallèle à la rue Garibaldi. Aharon s'arrêta sur un parking abandonné où étaient déjà garés deux vieux tacots. Le moteur expira avec soulagement, et nous restâmes assis dans le noir à l'intérieur de la voiture pendant quelques minutes. Il n'y avait pas âme qui vive ; quelques lueurs apparaissaient dans les cabanes et les petites maisons environnantes.

Nous sortîmes de la voiture, et une boue épaisse et lourde s'attacha à nos semelles. Le ciel plombé continuait à déverser une pluie maussade. Nous nous sentions très étrangers, et quiconque nous aurait vus à ce moment-là aurait immédiatement compris que nous n'étions pas du pays ; c'est pourquoi nous nous hâtâmes vers le remblai de chemin de fer, parallèle à la rue Garibaldi, et qui en était tout proche. Nous traversâmes un terrain vague. Nos chaussures étaient imbibées d'eau et nos vêtements trempés. Nous grimpâmes sur le remblai, accroupis, pour que les voisins ou les passants ne remarquent pas notre inexplicable présence. La pluie avait quand même ceci de bon, qu'elle effaçait nos empreintes dans la boue. Le remblai était heureusement en pierre et en béton. Nous descendîmes sur les traverses de bois mouillées de l'ancienne voie, en prenant appui sur les rails d'acier avec nos coudes. Le froid nous transperçait jusqu'aux os. Nos vêtements trempés nous collaient au corps.

De la poche de son lourd pardessus, Uzi tira deux paires de jumelles de nuit. Aharon, qui était allongé entre nous, m'en passa une. Même à l'œil nu, le paysage était clairement visible. Sur la gauche, on voyait le cortège des phares sur la nationale 202 ; à droite de la route, et juste en face de nous, il y avait un petit tas de maisons basses et de huttes. Plus loin, sur la droite, on apercevait la barrière de chemin de fer qui était levée, juste avant le passage à niveau où la voie rejoignait la rue Garibaldi.

« La première maison en face de nous est celle de

Ricardo Klement-Eichmann », murmura Aharon, et je sentis un frisson me parcourir l'épine dorsale.

Nous avions réglé nos jumelles, et la maison nous semblait à portée de main. En fait, elle était à cinquante mètres. Une petite maison individuelle, la première de la rangée. Je repérai une fenêtre aux volets ouverts, garnie d'un rideau blanc. Dans la faible lumière qui émanait d'une autre pièce de la maison, je discernai avec netteté la porte de derrière, menant au jardin, et les fenêtres nues, dépourvues de volets, qui se trouvaient du même côté. A travers le rideau, je vis une silhouette de femme, mais, en dépit de tous mes efforts, je ne pus distinguer ses traits.

Aharon poursuivit ses explications en chuchotant : « La rue qui est en face de toi est la rue Garibaldi. Si tu te déplaces de quelques mètres, sur la gauche, tu verras la façade.

— Vachement bien situé, ce poste d'observation... marmonna Uzi.

— Mais si quelqu'un nous voit allongés sur les rails sous cette pluie battante, il faudra être drôlement convaincants pour lui faire croire que nous sommes des gars du chemin de fer... »

Tandis que j'exprimais cette belle pensée, je vis Uzi ramper et onduler vers la gauche, sur les rails, dédaignant superbement les flaques d'eau qui remplissaient les intervalles entre les traverses. J'en fis autant, avec l'impression de me transformer en vieille serpillière hors d'usage. Quand je le rattrapai, je murmurai : « Heureusement que ma mère ne me voit pas en ce moment. »

Uzi me répondit dans un sifflement : « Pneumonie double pour chacun de nous à coup sûr. Ce qu'on ignore encore, c'est si on l'attrapera avant ou après... »

Nous braquâmes nos jumelles sur la petite maison minable. Elle était entourée d'une clôture basse. Une petite cour menait à la porte d'entrée, qui était fermée. Dans un coin de la cour, on apercevait une sorte de cabane à outils. C'est là, pensais-je sans pouvoir y croire, qu'habite Eichmann, le pire des assassins. J'avais du mal à m'en convaincre.

La cour était vide. Des gens entraient et sortaient des maisons avoisinantes. On donnait de la lumière, on fermait des portes. Un cycliste isolé passa dans la rue Garibaldi ; il venait de la nationale 202. La distance était courte de la route à la maison d'Eichmann. Aharon nous rejoignit à plat ventre. « Il est maintenant exactement dix-neuf heures quinze. Le bus d'Attila devrait arriver d'une minute à l'autre. D'ici, vous voyez une partie de la route parallèle à la rue Garibaldi, qui rejoint elle aussi la 202. Au carrefour il y a un kiosque où les conducteurs prennent un Coca et mangent un sandwich. Juste en face du kiosque, c'est l'arrêt de bus du 203. »

Une camionnette emprunta la rue Garibaldi et continua vers la barrière de chemin de fer. Un vent violent s'était levé et la pluie tombait plus dru. Je m'étais piqué les poignets sur des orties, un caillou pointu s'était logé sous ma cuisse droite, et mes chaussures semblaient remplies de gravillons. Et dire qu'à la maison c'était l'été ! Des visions traîtresses me passèrent par la tête, comme un bon bain chaud, ou un petit plat de chez moi...

Je me ressaisis rapidement, et me sentis à nouveau impatient de voir le bus arriver.

D'après les rapports, Eichmann avait l'habitude de prendre la rue Garibaldi, mais ne pouvait-il pas tout à coup changer d'avis et couper à travers champs ? Dans ce cas, tout le plan s'écroulait. Il semblait cependant peu probable qu'on puisse préférer, en plein hiver, un champ boueux à du bon macadam. Un ancien officier allemand, soigné et pointilleux comme Eichmann, ne voudrait pas salir ses belles bottes dans la gadoue de San Fernando.

Un léger brouillard commença à tomber. En proie à une sorte de transe muette, nous gardions les yeux fixés sur l'arrêt d'autobus. Personne ne disait mot. Chacun était seul avec ses pensées. Soudain, un autobus se détacha du flot de la circulation, et s'arrêta à la station. C'était un lourd véhicule rectangulaire, entièrement éclairé. Nous entendîmes les freins grincer.

« C'est celui-là ! » chuchota Aharon avec excitation. Les aiguilles phosphorescentes de ma montre marquaient sept heures trente-cinq. Mes jumelles me permettaient d'apercevoir le conducteur et quelques passagers fatigués, serrés les uns contre les autres. Le bus reprit son parcours et s'éloigna. On pouvait discerner deux silhouettes près de l'arrêt d'autobus. Celle d'une femme, bien emmitouflée dans son manteau, et celle d'un homme portant un léger imperméable de couleur. La femme traversa la route vers le kiosque ; l'homme, à son tour, se mit aussi à traverser la route, en marchant à pas mesurés vers la rue Garibaldi.

Tout cela était bien réel, et j'en fus comme secoué par une décharge électrique. La forme immatérielle avec laquelle j'avais boxé à vide avait pris corps. Même si je ne pouvais pas distinguer son visage à cause de l'obscurité et des phares qui m'éblouissaient à intervalles réguliers. Je braquai mes jumelles sur la silhouette qui s'avançait. Les mains étaient si engourdies que j'arrivais à peine à les tenir, mais je voulais observer la façon dont il marchait. L'homme à l'imperméable prit la rue Garibaldi.

« C'est lui ! marmonna Aharon entre ses dents. Tu vois, il porte des lunettes.

— Peter, regarde bien, chuchota Uzi. Il faut que tu le connaisses comme ta poche. Il ne doit y avoir aucune erreur.

— T'inquiète pas, lui dis-je, je ne suis pas près de l'oublier. »

La silhouette d'Eichmann, bien qu'enveloppée dans son imperméable, se grava dans ma mémoire de façon indélébile. Maintenant encore, je peux évoquer à volonté ses mouvements et son trajet. Pas une seconde, je n'avais détaché mes yeux de lui. Il me tournait à présent le dos et s'approchait de chez lui. Il alluma une lampe de poche pour éclairer les derniers mètres. Il resta un instant debout devant la porte, à réfléchir. Puis la porte s'ouvrit et la silhouette d'Eichmann s'évanouit dans la maison.

« Les gars, dis-je d'un ton encourageant, si ça se passe comme ça le jour J, on aura la chance pour nous. Mais si quelqu'un d'autre descend du bus avec Eichmann, et prend la rue Garibaldi avec lui, les choses pourraient être très, très délicates. Ce soir, c'était idéal, absolument idéal. »

Un long soupir m'apprit que, tout autant que moi, mes hommes regrettaient de n'avoir pu passer à l'action immédiatement. Quelque chose d'indéfinissable, sans doute mon sixième sens, particulièrement aiguisé, venait de me fournir une information capitale : pour moi, il n'y avait plus de doute. L'homme que nous venions d'apercevoir, cette silhouette fragile et incertaine, n'était autre qu'Eichmann. Le bourreau de six millions de juifs !

Le 5 mai

Nous nous réveillâmes tard le lendemain matin. Il était plus de dix heures lorsque je me levai, mais nous avions tous bien dormi cette nuit-là ; c'était un repos largement mérité.

Lorsque je me rendis à la cuisine pour faire le petit déjeuner, je trouvai Meir en train de liquider le reste du saucisson. Je fis des omelettes et une grosse salade. Hoffman avait fait un bon stock de provisions. Il avait pris son petit déjeuner depuis longtemps, et il était sorti pour rechercher des appartements. Tout ce qu'il proposait comme location devait d'abord être approuvé par le Vieux.

Le petit déjeuner, accompagné d'un pot de café brûlant, fut rapidement expédié. Nous décidâmes, entre chaque bouchée, du programme de la journée. Nous fîmes part à Meir de ce que nous avions vu du remblai. La barrière de police nous préoccupait.

Comme convenu, nous attendîmes le retour d'Hoffman à onze heures quarante-cinq. Notre cachette ne pouvait pas être abandonnée sans surveillance. Quand il arriva, il avait de bonnes nouvelles pour nous. Nous pourrions d'ici peu louer deux villas. Le problème, expliqua-t-il, c'était la garantie bancaire ; l'un des propriétaires voulait une année de loyer à l'avance, et la somme s'élevait à dix mille dollars ; l'autre ne voulait pas louer sa villa pour une courte période, mais avait proposé de nous la laisser pour un montant double du loyer habituel — ce qui faisait à peu près deux mille cinq cents dollars par mois — à condition dc recevoir trois mois de loyer d'avance. En espèces, bien sûr.

Le salon, avec son air d'opulence, semblait être le décor idéal pour Hoffman, homme d'affaires chevronné, étalant ces chiffres avec une insouciance que sa valise pleine de billets contribuait largement à justifier. Cependant le risque que comportait une telle dépense n'était pas mince : pourquoi un homme d'affaires avisé comme M. Hoffman se permettait-il de dilapider de telles quantités d'argent liquide ? Les Argentins se douteraient sûrement qu'il y avait anguille sous roche...

De plus, le Vieux avait donné l'ordre de louer huit appartements et huit voitures. Les dépôts de garantie et les frais subsidiaires s'élevaient à des milliers de dollars en Argentine, à ce moment-là. Le Vieux avait décidé à juste titre que l'argent ne devait pas être un obstacle à l'opération. Mais convertissez les dollars en pesos, et vous obtenez des chiffres qui, à l'échelle argentine, sont assez vertigineux. Des étrangers qui dépensent autant d'argent en si peu de temps ont intérêt à avoir de bonnes raisons à fournir ; sans quoi ils risquent de se retrouver rapidement en fâcheuse posture.

Il fallait que nous analysions nos actes du point de vue des Argentins. Comment se comporteraient-ils ? La règle d'or de l'agent secret, c'est de prévoir et d'anticiper les réactions de l'adversaire. Ne pas le faire équivaudrait à se couper l'herbe sous le pied.

Hoffman nous annonça qu'il avait au moins réussi à louer une voiture, pour laquelle il avait dû débourser deux mille dollars en liquide. L'exorbitante taxe sur les voitures importées en Argentine rendait leur prix d'achat extravagant. Les agences de location avaient peur que leurs véhicules d'occasion ne soient volés pour être vendus à la casse, ou qu'ils s'évanouissent à tout jamais dans les limbes de la pampa.

Hoffman poursuivit, décrivant ses activités d'homme d'affaires avec un enthousiasme si authentique que nous commençâmes à échanger des regards soucieux. Il semblait complètement emporté par son nouveau rôle de riche négociant choyé par les Sud-Américains, venu d'Allemagne pour investir unc partie de sa fortune en Argentine.

Uzi le mit en garde gentiment : « Tu dois veiller à ce que, en cas de problème dans une transaction, les autres n'en soient pas affectées. Quand tu loues une voiture, par exemple, sépare cette affaire de la location de l'appartement où nous nous installerons. En particulier pour la cachette d'Eichmann. Sinon tout le dispositif pourrait s'effondrer comme un château de cartes. »

Il y avait toutefois un point positif pour nous : les gens qui recevraient cet argent, en espèces, à l'abri des regards indiscrets des agents du fisc, nous aideraient indirectement à garder notre secret.

Hoffman resta dans l'appartement pour accueillir Dani, qui devait arriver par l'avion de Genève. Nous sortîmes par groupes de deux, à un quart d'heure d'intervalle, pour ne pas attirer l'attention du concierge.

Meir et moi-même rejoignîmes Aharon et Uzi, qui étaient déjà dans la voiture, moteur en marche. Nous suivîmes la rue Sarmiento, prîmes la rue Maipu sur notre droite, et traversâmes l'*avenida de Maio,* boulevard historique de Buenos Aires. Nous arrivâmes ensuite rue Chakabuku, dont le nom nous était familier grâce aux rapports de Kiryati. Nous passâmes devant le numéro 4261, où avait habité Eichmann avant de déménager à San Fernando.

La circulation s'écoulait lentement. « Nous avons de la chance, dis-je; imaginez un enlèvement au beau milieu d'une ville comme Buenos Aires, peuplée comme elle est, avec des immeubles partout. Très obligeant de la part d'Eichmann d'avoir déménagé dans un quartier calme et isolé. On a mis du temps à le retrouver, mais ça été une heureuse initiative de sa part. »

Nous trouvâmes une place. Fidèles à la règle du groupe de deux, nous sortîmes les premiers, Aharon et moi, pour flâner le long de la rue Chakabuku. Uzi et Meir suivaient à cinquante mètres de distance. Nous avions auparavant étudié une carte du quartier, et nous nous dirigions vers la rue Parara. A quelque cinquante mètres de là, on apercevait le garage que les rapports avaient signalé comme étant le lieu de travail du fils d'Eichmann, Dieter.

C'était une construction basse située dans une cour ouverte où une demi-douzaine de mécaniciens en combinaison blanche travaillaient tranquillement. Quelques carcasses de voitures, prêtes pour la ferraille, et diverses pièces encombraient la cour jusqu'à la rue, qui était d'aspect assez misérable.

Nous continuâmes à marcher d'un pas égal, de simples passants parmi d'autres. Mais je repérai au passage un mécanicien blond, âgé d'environ dix-neuf ans, qui s'essuyait les mains sur un chiffon crasseux. Le dossier de Tel-Aviv me permit de l'identifier : c'était bien Dieter Eichmann. Il tenait plutôt du côté maternel. L'aîné, Nikolaus, ressemblait à son père. Aharon avait lui aussi remarqué le mécanicien, et murmura : « Le blond. Et sa moto, là-bas... » La machine en question était à quelques mètres du garage. Une Lambretta italienne couverte de boue, très sale.

Pour ne pas revenir sur nos pas, nous empruntâmes une voie parallèle. Nous montâmes dans la voiture et quittâmes le quartier. « Je suis d'accord avec Peter, dit Uzi. Ça nous arrange bien d'opérer à Garibaldi et pas à Chakabuku. Et c'est aussi une bonne chose d'avoir une piste. Si Eichmann décampait de San Fernando sans crier gare, on pourrait toujours surveiller Dieter. »

Ceci nous amena à la phase numéro deux de la reconnaissance de jour. Nous allâmes à la nationale 202. Aharon s'arrêta près de la station du 203. Meir et moi, nous sortîmes pour attendre l'autobus, qu'on appelait là-bas le *collectivo*. Uzi et Aharon repartirent ; ils devaient nous reprendre deux heures plus tard, à la station d'en face, où nous descendrions du bus qui faisait le trajet San Fernando-Buenos Aires. Nous nous étions accordé une demi-heure de battement en cas de retard.

Au bout d'une quinzaine de minutes, le bus arriva. « Bunkerley », annonçai-je au conducteur. Je me fiais à ma mémoire pour retrouver l'arrêt de San Fernando : celui qui était juste en face du kiosque. Je pouvais me le représenter d'après ce que j'avais vu la veille au soir sur le remblai.

L'autobus était à moitié vide. Pour Eichmann, qui fuyait la justice, il y avait loin, de la somptueuse limousine Mercedes avec chauffeur du IIIe Reich, à cette guimbarde crasseuse, et à cette vieille ligne d'autobus qui desservait des faubourgs désolés. Le commandant suprême des transports de la mort était maintenant bien content d'avoir un abonnement pour le *collectivo*. En tout cas, il était vivant, et cela valait mieux que les fourgons à bestiaux sans air, dans lesquels des centaines et des milliers de réfugiés entassés avaient péri, avant même que les chambres à gaz et les fours crématoires n'aient pu se charger de leur élimination.

« C'est peut-être une vie de chien, mais il a survécu, chuchota Meir, comme s'il avait lu dans mes pensées. Eh bien, ce *collectivo* aura bientôt un client régulier en moins. »

Les nuages étaient bas, mais la pluie avait cessé. Je n'avais toujours pas eu le temps de m'acheter un manteau. J'étais le seul à ne pas en avoir et je me sentais stupide dans mon costume d'été qui, bien que sombre, me paraissait trop voyant.

Les villas grandioses, que j'avais vues la veille, et qui ressemblaient à des palais dans leur cadre de verdure, apparaissaient au loin. Des demeures éclatantes de blancheur, aux pelouses bien entretenues, avec de jolies haies et des parterres de roses.

Et de nouveau défilaient les mornes rangées de maisons basses qui annonçaient les abords de la rue Garibaldi. Meir pouvait à peine se contenir : « Alors, disait-il en me poussant du coude, c'est là ? On y est ? »

Après cinquante-cinq longues minutes d'arrêts, de départs, de grincements et de cahotements, je reconnus, comme un visage familier, la masse indistincte du kiosque, sur notre gauche. L'autobus s'arrêta exactement en face. Nous descendîmes enfin, soulagés, et traversâmes la rue. L'autobus repartit immédiatement en bringuebalant.

Meir voulait aller au kiosque pour prendre un sandwich, mais je m'y opposai fermement. Pourquoi donner à ce péquenot un portrait de sa physionomie, certes admirable, mais indéniablement étrangère ?

Nous fîmes à pied le trajet de la rue Garibaldi à la nationale 202. Sur notre droite se trouvait le remblai de chemin de fer, où nous nous étions livrés la veille à nos mouvements reptiliens, et auquel la lumière du jour donnait une apparence champêtre presque accueillante. Il avait enfin cessé de pleuvoir. Nous nous dirigeâmes vers la maison d'Eichmann. Elle était là, avec son toit plat, ses bardeaux sans peinture, isolée et nue. Un couple passa, bras dessus, bras dessous, et nous détournâmes la tête : inutile de nous faire remarquer.

Nous continuâmes vers la maison. J'expliquai à Meir comment se présentait le terrain. La maison semblait vide, mais, quand nous approchâmes, une femme sortit dans la cour avec un petit garçon. C'était une femme épaisse, de taille moyenne, à la mise négligée. L'enfant blond paraissait avoir cinq ou six ans. La femme prit un grand baquet et le rentra dans la maison, en tirant le petit garçon par la main.

Meir murmura, brûlant d'impatience : « On rentre ? On maîtrise la femme et l'enfant, on le cueille quand il arrive et on en finit ? »

Cela ne semblait guère appeler de réponse, sinon un regard d'avertissement. Plus bas, dans la rue Garibaldi, pendant que nous longions la misérable arrière-cour d'Eichmann, j'eus une sensation d'oppression. Le gosse aux cheveux clairs, l'enfant tardif d'Eichmann, m'avait, sans que je sache trop comment, rappelé les enfants de ma sœur Frouma. Ils avaient été exterminés sur l'ordre d'Eichmann. Je ne ressentais aucune haine pour cet enfant qui jouait en toute sécurité dans ce trou perdu, mais une colère sourde, profonde et âpre qui me prenait aux tripes. Le sinistre, l'arrogant *Obersturmbannführer* pouvait retrouver sa famille le soir en rentrant. Honnête citoyen, bon père et bon mari ; et où étaient les corps mutilés des enfants blonds de Frouma ? Ah, si ma mère avait été là pour voir le joli petit garçon de l'homme qui avait assassiné sa fille et ses petits-enfants... Comme Meir, j'eus envie de le capturer tout de suite. Qu'est-ce que c'était que cette foutaise d'enlèvement ? Une main ferme pouvait se refermer sur un cou décharné et...

Je me repris. Nous marchâmes vers la rue parallèle à la 202. Nous dépassâmes l'embranchement des voies de chemin de fer. La barrière de police avait disparu. Je décidai d'éviter cette partie de la route, au cas où il y aurait un commissariat de quartier près de la barrière. Ils étaient souvent situés à cet endroit dans les faubourgs de Buenos Aires.

Nous étions sur la 202, et attendions l'autobus. Je présentai rapidement mon plan à Meir : « Nous nous mettrons en embuscade rue Garibaldi, toi et moi. C'est le meilleur endroit.

— Je suis un soldat. Tu commandes et j'obéis », répondit simplement Meir.

Je pensai à nouveau : « Liquide ce salaud... Il n'y a qu'à en finir. Pourquoi le traduire en justice ? Pour les six millions de juifs ? Pourquoi trimbaler cette carcasse puante à Jérusalem ? »

Nous revînmes silencieusement à l'endroit où Uzi et Aharon devaient nous rejoindre. J'avais suffisamment vu le terrain pour être capable de mettre au point le plan définitif, que j'avais commencé à élaborer la veille. Cette promenade en plein jour, qui n'avait pas duré plus de vingt minutes, avait complété le tableau.

Nous arrivâmes à l'arrêt d'autobus où nous avions rendez-vous, mais il n'y avait personne. Il pleuvait à nouveau et nous étions tête nue et sans manteau ; nous n'osions pas nous mettre à l'abri de peur de rater la voiture d'Aharon. Une demi-heure passa ; toujours pas de voiture. Nous commençâmes à rentrer à pied, en espérant les rencontrer en chemin. Ils pouvaient avoir eu une panne, ou un accident. Ils avaient pu se faire arrêter par des flics.

Nous étions dégoulinants de pluie ; il valait mieux regagner au plus vite la rue Sarmiento, en autobus ou en taxi. Les deux autres arriveraient bien. Nous étions contents de rentrer. Nous sonnâmes, la porte s'ouvrit ; cette fois c'était Dani qui nous accueillait. C'était réconfortant de le voir. Nous nous embrassâmes, tels que nous étions, avec nos vêtements ruisselants de pluie. Il fut étonné de voir à quel point nous étions trempés. Nous fûmes consternés d'apprendre qu'Aharon et Uzi n'étaient pas encore là.

Nous expliquâmes notre inquiétude à Dani. Il n'était arrivé que depuis une heure, directement de l'aéroport. Hoffman était sorti pour affaires. Il n'avait eu aucune nouvelle d'Uzi et d'Aharon. L'appartement avait le téléphone, mais nous avions l'ordre de n'appeler qu'en cas d'urgence, en donnant des messages brefs, et sans allusions transparentes. Une ligne téléphonique peut toujours être sur écoute. Nous avions une faim de loup mais même Meir, qui tournait autour comme un lion en cage, se retenait d'ouvrir le réfrigérateur. Il était soucieux, et attendait avec impatience le retour des autres.

Une heure et demie passa, avant que les quatre coups brefs ne retentissent à la porte. Je m'y précipitai. Nos deux complices s'écroulèrent presque dans l'entrée, trempés comme des soupes, une épaisse croûte de boue accrochée à leurs semelles. Uzi se traîna sans un mot à la salle de bains, répandant des éclaboussures de boue sur son passage. Le spectacle de cette débâcle déclencha, chez Meir et moi-même, une véritable crise de fou rire qui dissipa toute notre tension et notre inquiétude.

« Ce putain de temps et ces saloperies de bagnoles auront ma peau », grommela Uzi, tout en laissant des traces de pas un peu partout sur les tapis du salon.

« Alors, accouche, dis-je, où étiez-vous passés ? »

Pendant qu'ils enlevaient leurs vêtements, ils nous racontèrent. Après avoir fait un tour au port et à l'aéroport, où ils étaient allés se renseigner sur les dispositifs de contrôle afin de voir comment on pouvait sortir Eichmann d'Argentine, ils s'étaient mis en route pour nous rejoindre à l'arrêt d'autobus ; c'est alors que les freins avaient lâché. La chaussée était glissante de pluie, mais ils s'étaient miraculeusement arrêtés en dérapant dans un fossé au bord de la route. Ils étaient ressortis indemnes mais il leur avait été impossible de déplacer la voiture d'un centimètre. N'osant pas appeler la police, ils avaient perdu beaucoup de temps à chercher une cabine ; ils avaient fini par obtenir l'agence de location, qui leur avait répondu qu'elle enverrait une remorque, mais qu'ils devraient faire tout le chemin à pied jusqu'à Buenos Aires pour avoir une autre voiture.

« Ce n'est pas plus mal, dis-je, sans manifester la moindre compassion, il aurait fallu changer de voiture de toute façon, à cause de la barrière de police d'hier.

— Je pensais déjà, avoua Meir, aux sandwichs qu'on devrait vous apporter en prison.

— Je vais dormir, annonça Uzi. C'est la seule chose

qui m'intéresse pour le moment. Réveillez-moi ce soir à neuf heures. » Il referma la porte de la chambre derrière lui.

J'aidai Dani à défaire sa valise d'aluminium. C'était le petit laboratoire portatif dont il ne se séparait jamais. Cette boîte de magicien, si grande et si lourde, allait nous rendre de grands services pendant l'opération, en produisant tous les papiers dont nous aurions besoin en Argentine.

Nous commençâmes par les pinceaux, les crayons de diverses sortes et de diverses couleurs, les sceaux, les petits brûleurs à mèche qui servaient à faire fondre la cire, les rames de papier, de texture et de couleurs variées. Nous les rangeâmes sur la table, et replongeâmes dans la valise, d'où nous sortîmes des caméras, des films, un mini-laboratoire de photo, et des boîtes de verres grossissants.

La pièce fut transformée en laboratoire. Dani rangea méticuleusement chaque article à sa place. Il plaça au milieu de la table une large feuille de papier buvard, pour la protéger des taches d'encre pendant qu'il essayait de tracer quelques lignes au Rapidographe.

Dani n'avait besoin d'aucune aide pour contrefaire un document ou une signature, quels que soient leur apparence ou leurs caractères, dans n'importe quelle langue. C'était un artiste complet. Il avait un sens hautement développé de la forme et de la couleur. Ses contrefaçons étaient si exactes qu'on ne pouvait pas distinguer l'original de la copie. Il reproduisait avec précision jusqu'à la nuance de l'encre ou la moindre fioriture. Ses mains étaient assez habiles pour effectuer le travail de plusieurs experts.

Nous avions admiré ses précieuses contrefaçons pendant des années. J'étais allé le voir chez lui, en Europe, à plusieurs reprises. Je le trouvais fréquemment, lorsqu'il avait du temps libre, en train de donner des leçons de peinture à une amie commune, Eva. C'était un homme bon et un ami sur lequel on pouvait compter.

Tout en parlant avec compétence des nouvelles techniques, Dani s'assit à la table pour travailler sur une série de papiers officiels, à partir de quelques échantillons et de quelques photocopies qu'il avait sélectionnés. C'était toujours fascinant de le voir travailler, méthodique et appliqué, en dépit de sa fatigue.

Je pouvais à peine en croire mes yeux. Les différents caractères qu'il avait triés étaient devenus, sous ses habiles coups de pinceau et de plume, des mots et des phrases. Il avait sorti, sans la moindre hésitation, le type de papier qui, grâce à son aspect usé, donnerait aux documents leur air d'authenticité. De temps à autre, il examinait à la loupe sa feuille de papier. Il faisait l'usage le plus parcimonieux de sa gomme et de son grattoir.

Tout en travaillant prestement à la lumière de sa lampe de dessinateur, Dani me posait des questions sur les préparatifs de la mission « Attila ». « Alors, dis-moi, tu l'as vu ? Il est toujours au même endroit ? » Comme si ses lèvres ne pouvaient pas se résoudre à prononcer le nom d'Eichmann.

Dani continuait à parler, sans lever la tête, comme s'il s'adressait au document qui était sur la table : « J'ai participé à des quantités d'opérations. Mais ce voyage-là, c'est l'aventure de ma vie. Je ne sais pas ce que tu ressens mais, personnellement, j'ai de vieux comptes à régler avec ce salaud. Je n'aurais jamais imaginé que mes crayons pourraient contribuer à venger la mort de mon père. De Hongrie, il a été envoyé à Bergen-Belsen. Et puis il y a tout ce que ma famille a vécu dans le ghetto. Je regrette de ne pas pouvoir faire plus. J'aimerais être là pour le tenir entre mes mains. »

J'écoutais attentivement ce monologue étonnamment âpre. Dani n'était qu'un enfant lorsque Eichmann était arrivé en Hongrie.

« Chacun de nous, lui dis-je avec douceur, a sa propre histoire à raconter. Chaque membre de l'équipe a un travail capital à accomplir. Toi, avec tes caractères, tu es en train d'écrire à cette table les premières lignes de la sentence de mort d'Eichmann. »

Dani se leva brutalement et détourna la tête.

« Fais gaffe, lui dis-je, à ne pas mélanger tes larmes avec l'encre ; ça pourrait tacher le document. »

Il parvint à sourire. « Entendu. Ces papiers doivent être parfaits. »

Et il se frotta les yeux.

Le 6 mai

Hoffman gara la voiture devant un magasin de quincaillerie. Meir et moi-même, nous entrâmes avec lui dans le grand magasin qui était rempli jusqu'au plafond de matériaux de construction et d'outils. Nous avions repéré ce magasin de la rue Canello, qui avait tout ce qu'il nous fallait pour construire la cachette d'Eichmann.

L'étau se resserrait. Hoffman nous avait informés que, la veille, il avait finalement loué une magnifique villa dans une riche banlieue de Buenos Aires, à environ une heure et quart de San Fernando. Il nous avait tirés du lit tôt ce matin-là pour acheter le nécessaire, avant que le concierge ne prenne son poste.

Dans le magasin, nous désignâmes à Hoffman les articles que nous voulions. C'était lui qui, grâce à sa connaissance de l'allemand, nous servait d'interprète. Nous achetâmes des mètres d'Isorel, de tissu et de papiers peints mats de différentes couleurs, de la colle à bois, des clous, du papier de verre, une petite perceuse électrique, des planches de bois et des tiges de fer, une scie et un rabot.

Tous les outils devraient bien sûr être détruits ; on s'en débarrasserait après l'opération. Les vendeurs enveloppèrent le tout bien soigneusement et nous aidèrent à le charger dans l'antique mais étincelante Oldsmobile d'Hoffman.

Environ quarante minutes plus tard, nous nous arrêtâmes dans un quartier apparemment très sélect, délimité par trois avenues bordées d'arbres ; des murs de pierre isolaient les villas les unes des autres. Hoffman ouvrit un portail de fer forgé et mit la voiture dans le garage, qui se trouvait à droite de la villa.

Cette villa avait un jardin de rêve. Une large pelouse, bien entretenue, et au milieu, quelques rochers, une piscine et une fontaine qui gargouillait doucement. Toute la façade était en arcs mauresques, importés de la lointaine Espagne. Les chemins qui menaient à la porte d'entrée et ceux qui traversaient la pelouse étaient pavés de marbre, et entourés de gravier ocre rouge.

« On peut dire que tu travailles bien ton rôle d'homme d'affaires. Tu vas vider les caisses. Où as-tu trouvé ce palais ? Ça doit coûter au moins cinq mille dollars par mois, dis-je à Hoffman.

— Je t'en prie... Ne pose pas de questions. Tu peux multiplier ça par deux, et on ne te rendra toujours pas la monnaie », dit Hoffman, qui guettait ma réaction.

Meir et moi déchargeâmes le matériel, pendant qu'Hoffman se dépêchait d'ouvrir la lourde porte sculptée de la villa. Nous déposâmes les paquets dans la spacieuse entrée lambrissée d'acajou, au riche et sombre mobilier espagnol. Des lustres imposants étaient suspendus à de hauts plafonds. De luxueux et épais tapis chinois étouffaient chacun de nos pas. De l'autre côté du salon se trouvait une vaste cheminée de cuivre poli. Des dessins de couleur, représentant des animaux sauvages et des oiseaux, composaient de jolis panneaux de part et d'autre de la cheminée.

Nous inspectâmes toute la maison pour trouver une pièce où l'on pourrait détenir Eichmann, et le cacher en cas d'urgence. Nous prîmes, Meir et moi, le grand escalier ciré, recouvert de moquette, qui menait au premier étage. Nous y fûmes accueillis par une odeur de vieux tapis et de vieux meubles, qui chatouillait agréablement les narines. Hoffman attendait en bas, pour nous protéger au cas où des visiteurs inattendus se présenteraient. Le premier étage avait deux ailes — l'une d'entre elles contenait à elle seule trois chambres d'hôtes ou d'enfants, une chambre principale, une salle d'études, un boudoir et un cabinet. Nous y jetâmes un rapide coup d'œil ; c'était le grenier qui nous intéressait.

Notre commando disposait d'un atout important : nous étions capables d'exécuter seuls tous les travaux techniques, sans avoir recours à des ouvriers étrangers à l'équipe. Nous étions, Meir et moi, experts en travaux de construction comme la menuiserie, la serrurerie et la peinture. Et dans l'art du camouflage.

Il y avait une petite porte de bois devant le grenier. Des solives en croisillon supportaient le toit de tuiles. Un fouillis de meubles brisés était négligemment éparpillé. Une bicyclette rouillée, sans chaîne, un tapis roulé qui exhalait une senteur lourde et âcre de naphtaline, quelques rideaux déchirés dans des boîtes de carton et une grande pile de tuiles rouges.

Nos regards furent attirés par des planches de contreplaqué, qui servaient de murs, et qui étaient clouées à une paire de solives. Meir poussa un grognement de satisfaction. Pas besoin de discours. Cela ferait l'affaire. Nous nous mîmes au travail. Nous desserrâmes une solive de près de trois mètres, pour l'avancer de cinquante centimètres : cela dégageait assez d'espace pour un homme assis ou allongé. La planche pouvait être déplacée de façon que le changement soit imperceptible à toute personne pénétrant dans le grenier.

Dans sa nouvelle position, le mur pivoterait vers l'intérieur. Il serait également verrouillé de l'intérieur. Seul le garde qui serait là-dedans avec Eichmann pourrait ouvrir ou fermer le mur, selon qu'il recevrait le signal « fin d'alerte » ou « danger ». Tandis que nous discutions de la façon dont la planche devrait être encastrée, nous entendîmes une sonnerie qui venait d'en bas.

Nous cessâmes de parler et tendîmes l'oreille. Entendant une porte s'ouvrir et Hoffman qui conversait en espagnol, nous restâmes cloués sur place. Qui était l'intrus ?

Au bout d'une dizaine de minutes, la porte se referma. Nous descendîmes prudemment ; Hoffman montait à notre rencontre, l'air soucieux. « Surprise, surprise, dit-il avec humeur. Il y a un jardinier-gardien. Le propriétaire n'en avait rien dit.

— On ne peut pas s'en débarrasser ? demandai-je.

— Écoute, dit Hoffman, tout d'un coup ce vieux bonhomme se manifeste, dit qu'il vit dans une cabane derrière la villa, et qu'il a reçu du propriétaire l'ordre de se rendre utile. Pour bricoler dans la maison et s'occuper du jardin. Les sept plaies d'Égypte réunies. J'ai essayé de le convaincre qu'on n'avait pas besoin de lui, et je lui ai dit qu'il pouvait prendre au moins un mois de vacances, mais il n'arrivait pas à comprendre pourquoi je ne voulais pas de lui.

— Où est-il maintenant ? demandai-je.

— Il habite une cabane dans le taillis qui est en face de la villa. Si on le renvoie, ce sera pire. Il passera son temps à épier nos allées et venues. »

Hoffman avait l'air inquiet. « Je suggère que vous continuiez vos préparatifs pour l'installation de la cachette. C'est la seule maison que nous ayons pour le moment. Il semble qu'il n'y ait rien d'autre à faire que de louer l'autre villa. Le prix est bien entendu exorbitant. En tout cas, il faudra que je vérifie tout d'abord. »

Nous décidâmes que Meir resterait pour faire le plan de la cachette. Mais il ne commencerait pas les travaux avant que nous n'ayons pris une décision définitive. Hoffman et moi, nous le laissâmes en train de mesurer le grenier avec ardeur, et nous retournâmes en ville pour nous rendre aux rendez-vous séparés que le Vieux nous avait fixés. Nous sortîmes les petites notes qui précisaient les lieux de rencontre... Tous les matins, de sa petite écriture soignée, Aharon préparait une série de fiches pour chacun d'entre nous, indiquant les noms des cafés, hôtels et restaurants, avec une référence codée pour les heures et les endroits où on pouvait trouver le Vieux en cas de besoin. Quant aux rencontres entre membres de l'équipe, nous les fixions nous-mêmes, selon les circonstances.

Nous nous rendîmes tout d'abord au rendez-vous de onze heures trente. Il devait avoir lieu dans un restaurant, au 877, *calle* Florida. Nous entrâmes dans le restaurant à l'heure exacte. Nous y restâmes un quart d'heure, en dégustant un café plein d'arôme, mais le Vieux ne se montra pas. Hoffman était préoccupé. Il proposa de poursuivre ses négociations pour la location de la deuxième villa. Je devais aller à la recherche du Vieux et lui faire part des derniers développements.

Armé de ma liste et d'une petite carte de Buenos Aires, je commençai à parcourir la ville. Heureusement, le lieu de rencontre suivant sur la liste était aussi *calle* Florida, pas très loin de là où nous étions. Le code indiquait douze heures au *Richmond Bar*, au numéro 468.

Il y avait au *Richmond* une foule d'habitués et de clients occasionnels qui prenaient un dernier apéritif avant le déjeuner. Mais toujours pas de Vieux. Dans des moments comme celui-là, on se sent désemparé. On imagine toutes sortes de désastres. Parce que la communication est le ressort principal des activités clandestines, et que le succès des opérations en dépend, l'agent qui perd contact avec son équipe doit avancer à l'aveuglette. Tout à coup les véhicules de l'armée et de la police, qui étaient devenus un simple élément du décor, reprenaient un air menaçant. De plus, mon ignorance de la langue restreignait ma liberté de mouvement ; je regrettais de m'être séparé d'Hoffman, qui aurait pu me servir de guide.

Je continuai donc, jusqu'au lieu de rendez-vous de

treize heures. A une heure moins le quart, j'entrai au *Shorthorn Grill.* J'avais au moins fait une agréable promenade jusque-là, dans la rue Corrientes. C'est unc rue élégante, bordée de somptueux restaurants et de théâtres, de cafés et de night-clubs. J'appris plus tard dans la nuit, quand j'eus l'occasion d'y retourner, que la *calle* Corrientes était sans doute l'endroit le plus à la mode de Buenos Aires.

Je m'assis à une table près de la grande vitre brillante qui donnait sur la rue. Même si le Vieux ne venait pas, j'espérais au moins rencontrer l'un de mes camarades, qui étaient aussi à sa recherche. Je me mis à nous comparer à des planètes tournant autour d'un soleil.

Une odeur de viande grillée, provenant d'une assiette voisine, me mit l'eau à la bouche. Que le Vieux arrive ou non, je n'allais pas partir sans avoir pris un bon repas !

Avec un élégant geste du bras, un serveur me présenta un superbe menu relié de cuir. Malheureusement, je n'y comprenais goutte. Sans plus de cérémonies, je désignai simplement un énorme plateau destiné à apaiser la faim du type chauve et rougeaud qui était assis à la table d'à côté. Je commandai aussi une bouteille de rosé. Autant bien faire les choses.

Pour la première fois, je commençai à me détendre et à apprécier l'atmosphère de Buenos Aires. Oubliés, le Vieux, le jardinier, Eichmann, les travaux de menuiserie dans le grenier et le temps pourri. Je respirai à pleins poumons des odeurs d'épices, et je regrettai l'absence de Meir. La présence d'un convive enthousiaste comme lui aurait encore ajouté à mon plaisir.

Le temps semblait suspendu. Je ne remarquais pas qu'une heure avait passé, et que le Vieux n'était toujours pas apparu.

Le plateau fut enfin posé devant moi. J'avalai tout avec une égale avidité, le foie, la rate, les rognons et les poumons. J'arrosai ces hors-d'œuvre d'une demi-bouteille de vin, puis j'attaquai le plat principal avec le même appétit. Je choisis la plus grosse tranche et mordis à belles dents dans la viande tendre et juteuse, bien assaisonnée. Il semblait que ce ravissement gastronomique ne prendrait jamais fin. Pour la qualité et la quantité, il n'y avait guère que les repas de ma mère qui puissent rivaliser avec celui-là.

J'en étais à ce point de mes réflexions culinaires quand je fus brutalement ramené sur terre par l'apparition du Vieux dans le restaurant. Il était emmitouflé dans un lourd pardessus noir et son chapeau de fourrure était baissé sur ses yeux. Seules ses oreilles dépassaient sur les côtés, comme des radars sensibles au moindre son. Derrière lui, grand et mince, son visage habituellement pâle rougi par le froid, venait Hans Kiryati. Sa figure tout en longueur semblait respirer le sérieux et l'importance. Un foulard de soie brun à fleurs artistement noué dépassait du col relevé de son manteau.

Après mon accès de gloutonnerie, ces deux visages familiers semblaient irréels, comme s'ils avaient surgi d'un autre monde, le monde du silence. Le Vieux salua ma présence d'un signe de tête bref mais courtois, et garda ses distances, comme pour dire : rejoins-nous quand tu voudras !

Les deux hommes choisirent une table isolée dans un recoin éloigné du restaurant. Je payai l'addition ; le Vieux m'offrirait certainement un dessert et un « digestif » pour achever ce royal festin.

« Tu ne t'es pas encore acheté un manteau ? » Ce fut la première question qu'il me posa quand je vins m'asseoir à leur table. « Assieds-toi... assieds-toi. » Je tendis la main à Hans. Je ne l'avais pas encore rencontré à Buenos Aires, depuis son arrivée, le 25 avril. Le Vieux me serra lui aussi la main, comme à une vieille connaissance qu'on a perdue de vue depuis des années, et qu'on croiserait par hasard au *Grill*. De ses petits yeux brillants et fureteurs, il scruta le restaurant sans en avoir l'air, pour s'assurer qu'aucun personnage suspect n'écoutait la conversation.

Pour la première fois, je remarquai quelques fils gris dans la chevelure noire de Hans. Il n'avait pas quarante ans, et prenait toujours des airs comiques de conspirateur ; il murmura, remuant à peine ses lèvres minces : « Je ne crois pas qu'il y ait un quelconque problème au contrôle des frontières à l'aéroport. J'y suis allé ce matin avec Aharon et Uzi. »

Il s'animait peu à peu : « Les équipages des différentes lignes aériennes ont leurs propres voies d'accès au terrain d'aviation. Quand ils sont en uniforme, ils n'ont aucun mal à rejoindre l'avion. Ils accèdent à la piste dans un véhicule de la compagnie, par une porte séparée. »

Le Vieux écoutait d'une oreille attentive, en approuvant d'un hochement de tête. « Nous devrons tout de même envisager le trajet par bateau. Le mieux, ce serait de faire atterrir ici un avion d'El Al ; ça devrait être possible, étant donné les célébrations nationales. Il faut cependant avoir une solution de rechange toute prête. »

Un serveur présenta le menu. Comme d'habitude, la conversation s'interrompit. Les deux hommes commandèrent quelque chose à manger. Le Vieux prit un apéritif, comme prévu, et je choisis mon digestif préféré, un armagnac.

« C'est un restaurant de première classe, je le connais bien. » Le sourire de Hans était plein de la condescendante supériorité du connaisseur s'efforçant d'instruire le blanc-bec que j'étais. De fait, je me rendais compte que le savoir de Hans en la matière était infaillible.

Il poursuivit son rapport : « En ce qui concerne Attila — pour résumer les dernières observations, celles de l'équipe et les miennes — je suis en mesure d'affirmer qu'entre le 26 avril et aujourd'hui, Attila a été vu huit fois, à son retour du *collectivo*, vers dix-neuf heures trente. Chaque fois, il a fait le même trajet à pied, depuis l'arrêt d'autobus. J'ai conçu un excellent plan, mais ce sera à Uzi et à Peter d'agir. » J'eus une fois de plus droit au sourire protecteur.

Je bouillais intérieurement mais je ne bronchai pas. Ce n'était pas le moment de discuter le plan de l'opération. Pas devant le Vieux.

Avant de se consacrer à sa salade de légumes et à son jus d'orange, Hans demanda : « Tu as visité la villa ? Comment se présente la cachette ?

— C'est pour en parler que je suis venu », répondis-je, en faisant un compte rendu détaillé de ce qui s'était passé.

« Où est Hoffman ? s'enquit sèchement Kiryati.

— Parti louer l'autre villa. »

Le Vieux posa son couteau et sa fourchette avec décision : « Il est hors de question d'amener Attila là-bas. Je pensais louer un immeuble vide dans le centre. Avec plusieurs étages. Si nécessaire, je n'hésiterais pas à acheter une villa. Quand il s'agit de la sécurité, le moindre grain de sable compte. Il ne faut pas laisser passer ça. »

Il s'adressa à Hans : « Il faut trouver l'adresse de Mengele. On a peu de temps. Si possible, on l'emmènera en Israël avec Attila. Ce sera un événement d'importance historique pour le peuple juif.

— Nous avons vérifié un bon nombre d'adresses à Buenos Aires, répondit Hans, celles qui sont indiquées dans les documents venus d'Allemagne. Ce n'est pas facile de découvrir qui habite dans ces appartements. »

Le Vieux balaya cette objection : « Je veux des réponses claires. Je veux savoir qui habite là pour que les hommes du commando puissent agir vite. Tu complètes la documentation, ils livrent la marchandise. »

Le Vieux lui donna une liste provisoire de rendez-vous pour le lendemain, et Hans prit congé de lui avec une onctueuse déférence, et de moi avec une bonhomie dédaigneuse. Il se faufila élégamment à travers les tables et disparut dans la foule bruyante qui sillonnait la rue Corrientes.

Ce fut un soulagement d'avoir la table à nous tout seuls. Le Vieux me regarda paternellement, abandonna sa raideur et oublia les soucis que lui causait le jardinier-gardien. Il me pressa de questions : quelles étaient mes impressions sur la maison de la rue Garibaldi, après mes deux séances d'observation ?

J'exposai mes vues avec enthousiasme. « Que penses-tu de nos chances ? demanda-t-il, et je sentis que mon opinion lui importait.

— Excellentes, dis-je. Inutile de faire de longs discours.

— Bien. Il rayonnait, comme si la question était réglée. Tu es prêt ?

— Tout à fait. A l'instant même. Tu n'as qu'un mot à dire. » Il me tapota affectueusement la joue.

« Mais, souviens-toi — il pointa sur moi un doigt menaçant, c'était son centième avertissement —, je le veux intact. » Ses yeux avaient perdu leur expression chaleureuse ; ils avaient pris une teinte d'acier.

« Ce sera bientôt, dans quatre jours, le 10 mai !

— J'aimerais que ce soit tout de suite, ça fait longtemps que j'attends... »

Il me guida vers la rue, où je pensais que nous allions nous séparer. Mais il me prit fermement par l'épaule et me fit entrer dans un magasin de vêtements pour hommes.

« Ce que nous allons faire tout de suite, me dit-il, c'est t'acheter un manteau chaud. Peu importe le prix. Prends ce qu'il y a de mieux. Si ta mère te voit arriver sur un brancard, c'est moi qu'elle rendra responsable ! Et aussi un costume d'hiver convenable, mon garçon ! »

Le Vieux se planta sur la douce moquette grise et refusa d'en bouger tant qu'il ne me verrait pas entièrement équipé. Je choisis un imperméable bleu marine et un costume de flanelle anthracite. Il inspecta soigneusement mes nouvelles nippes, pour en vérifier la coupe et la qualité, et poussa finalement un grognement approbateur, en faisant beaucoup d'efforts pour dissimuler sa satisfaction. Il paya ; je croyais qu'on s'en tiendrait là, mais je me trompais.

« Je n'en ai pas encore fini avec toi », m'informa-t-il, et il m'embarqua avec lui pour son prochain rendez-vous, prévu à quatorze heures trente au café *Cabildo*, 736, *calle* Corrientes.

Nous descendîmes donc ensemble la grande rue animée, le Vieux avec son chapeau de fourrure russe et moi dans mon nouvel accoutrement de dandy. C'était la première fois depuis mon arrivée à Buenos Aires que je me sentais vraiment heureux. L'humidité et le froid vous sapent insidieusement le moral. Il me manquait cependant un accessoire pour compléter ma garde-robe : une paire de gants épais, qui, entre parenthèses, ferait plus que me tenir chaud aux mains. Elle me servirait à museler Eichmann quand je me serais emparé de lui.

Nous marchions maintenant dans un silence complice. J'en profitai pour vérifier qu'on ne nous suivait pas. Surtout le Vieux. Après tout, on ne pouvait pas savoir si les autorités locales n'avaient pas repéré cette bande d'étrangers, avec tout son trafic de location de voitures et d'appartements, ses fréquentes réunions, ses balades répétées autour de San Fernando, du port et de l'aéroport...

Uzi arriva au café à deux heures trente tapantes. Il portait une vieille capote, beaucoup trop longue et beaucoup trop large, avec des revers en pointe à la Napoléon, et des manches si grandes qu'elles faisaient aussi office de gants.

Je ne pus réprimer un immense sourire lorsque j'aperçus la redoutable capote qui s'avançait vers nous, le visage familier d'Uzi émergeant à peine du col. Quant au Vieux, il n'en croyait pas ses yeux.

Uzi prit place, sans avoir la moindre idée de ce qui

pouvait provoquer nos regards ébahis. Je murmurai : « On dirait que tu viens de déserter la cavalerie du tsar... Le secret, parlons-en... Tu peux à tout instant disparaître dans ce manteau, et à jamais...

— Et alors ? dit-il en haussant les épaules. Ça me tient chaud. C'est tout ce que je demande. Tu es très élégant », ajouta-t-il, en évaluant d'un coup d'œil mes récents achats.

Des profondeurs de sa poche, Uzi sortit un cahier d'écolier aux couleurs vives. Il contenait une série de schémas détaillés des entrées et des sorties du terrain d'aviation, dessinés de mémoire après les visites qu'il y avait effectuées.

Le Vieux les examina attentivement. Le terrain d'aviation était entouré d'une barrière protectrice, et chaque porte y donnant accès, que ce soit à pied ou en voiture, avait été clairement reportée. Chacune, expliqua Uzi, avait son détachement de gardes-frontières : « Quand un équipage étranger arrive à la porte, dans un véhicule de la compagnie, le conducteur tend un paquet de passeports au garde. Celui-ci ne regarde même pas la tête des membres de l'équipage. Il ne fait que compter rapidement le nombre de passeports, pour voir s'il y en a autant que de passagers dans le véhicule. Quelquefois, l'équipage franchit la porte sur un simple signe du garde. »

La face du Vieux s'illumina. Cela semblait le réjouir : « C'est pour ça que je suis ici. Pour être sûr que l'avion arrivera. Et aura l'autorisation d'atterrir. Cet avion doit être là dès que nous aurons enlevé Eichmann. Tout est prêt à Jérusalem. Le ministre des Affaires étrangères, qui n'est pas au courant, évidemment, prépare une mission israélienne, qui arrivera par vol spécial, pour représenter Israël aux cérémonies de l'indépendance argentine. Eichmann devra embarquer rapidement. L'avion doit décoller sans délai pour le vol de retour, afin que les mouvements néo-nazis et les fils d'Eichmann ne fassent pas le rapport entre sa disparition et l'atterrissage exceptionnel d'un avion d'El Al à Buenos Aires. Nous ne serons pas les seuls, plusieurs missions étrangères vont arriver par des vols spéciaux pour les cérémonies. Bien sûr, les couleurs bleue et blanche d'El Al passeront moins inaperçues, surtout aux yeux du contingent néo-nazi, qui est assez important ici.

— Pour l'avion, c'est sûr ? insista Uzi.

— A moins d'un changement de circonstances, c'est la solution que nous avons choisie. Mais continue tes vérifications à l'aéroport. Si on ne peut pas faire autrement, on l'emmènera dans un de nos bateaux, en tout cas quelque part loin de la côte. »

J'ajoutai alors que cet avion, aussi longtemps qu'il resterait au sol, pouvait constituer une cible par lui-même. Il faudrait le garder !

« J'y ai pensé. Une équipe spéciale de sécurité va venir d'Israël et restera près de l'avion vingt-quatre heures sur vingt-quatre. Il y aura aussi une équipe spéciale d'entretien, pour le maintenir en parfait état de marche, prêt pour le décollage. »

Hoffman apparut sur le seuil de la porte ; son visage rond était rose de satisfaction sous son chapeau melon. A l'évidence, il avait de bonnes nouvelles pour nous.

Il tira un fauteuil vers lui et, sans laisser au Vieux le temps de lui servir un verre, et moins encore de le questionner au sujet du jardinier-gardien, il lâcha, tout excité : « Je l'ai eue ! Je l'ai eue ! »

Le Vieux poussa dans sa direction un verre plein, prit son menton dans ses mains et attendit. Hoffman but quelques gorgées, épongea son visage en sueur avec un grand mouchoir, et tenta, sans succès, de dissimuler la note de triomphe qui perçait dans sa voix : « J'ai trouvé une villa merveilleuse. Sans gardien, et sans jardinier. Elle est en plein milieu du quartier résidentiel, bien sûr, mais complètement isolée par un mur de pierre. A l'écart de tout, personne ne peut rien y voir de l'extérieur. »

Il sortit un étui de cuir gaufré contenant un trousseau de clefs, et le déposa fièrement sur la table.

« J'ai la villa. Je viens de signer le contrat.

— Quand peut-on emménager ? questionna Uzi.

— A la minute.

— Je suggère qu'on s'y installe dès ce soir, Meir et moi, dis-je. Avec tout le matériel. »

Le Vieux refusa toute précipitation : « Si demain vous m'annoncez que l'endroit vous convient pour garder Attila, vous ne me donnerez que jusqu'au 9 pour déterminer le plan d'action. Or, le jour J, c'est le 10 mai. »

Il se leva. « Je vais au rendez-vous suivant ». Et il disparut.

Nous nous séparâmes pour ne pas être trop souvent vus ensemble. Hoffman alla chercher Meir, avec le matériel, pour l'emmener dans la nouvelle cachette.

Uzi et moi retournâmes à l'aéroport. Nous passâmes devant un magasin de confection pour hommes, et y entrâmes pour acheter une paire de gants. Le vendeur, d'une politesse sans faille, dut vider plusieurs tiroirs avant que je ne sois satisfait, mais j'avais trouvé ce que je voulais : une paire de gants marron foncé, de cuir souple, chaudement doublés, mais discrets. Je les enfilai et les retirai à plusieurs reprises, en pliant les doigts, pour vérifier que mes mouvements n'en seraient pas gênés. J'aimais leur contact et j'appréciais aussi leurs jolies piqûres à la main.

Comme nous étions sur le point de partir, je vis Uzi regarder ma cravate noire avec convoitise : « J'en veux une comme ça », marmonna-t-il, et il retourna dans la boutique. Nous demandâmes une cravate noire au commerçant, en anglais, comme la première fois. Le brave homme, réprimant un bâillement, appela son vendeur en yiddish : « Yankele, Yankele, *bring im der ferkacter binde, was is ibergebliben in stock.* »

C'était pour le moins inattendu, mais je m'efforçai de rester impassible. Yankele partit exécuter les ordres du maître, et je pris Uzi à part pour lui expliquer en hébreu : « Il lui a dit de t'apporter la dernière cravate merdique qui reste en stock. Tu veux que je lui réponde en yiddish ?

— Tu vas lui répliquer promptement, comme il le mérite, et en yiddish », ordonna Uzi malicieusement.

Je me dirigeai vers le commerçant, approchai mon visage tout près du sien et lui dis avec douceur : « *Ir kent areinshtippen der schwarze ferkacter binde in tuchas arein* », et je regardai son visage changer de couleur. Marmonnant dans sa barbe quelque chose en espagnol, il se hâta de rappeler son vendeur.

« Je lui ai dit, expliquai-je à Uzi, de prendre sa cravate noire de merde et de se la foutre au cul. »

Uzi éclata d'un rire bruyant et nous tombâmes dans les bras l'un de l'autre, comme une paire de vieux poivrots ; nous quittâmes le magasin d'excellente humeur et pleins d'entrain, tandis que le marchand nous courait après, puis renonçait à toute tentative en haussant les épaules.

Le 7 mai

Nous nous entassâmes dans quatre voitures et partîmes en cortège pour notre nouvel abri, qui, je l'espérais, nous servirait de base pour toute l'opération. Bien que le Vieux fût tout à fait prêt à louer d'autres appartements encore, je priai le ciel de ne pas faire partie de ceux qui devraient à nouveau déménager.

La veille, Aharon et moi avions pris la voiture louée par Hoffman, en utilisant des cartes d'identité délivrées avec l'auguste permission de Dani, et nous avions visité les environs de la nouvelle villa. Nous avions roulé pendant une heure et quart, en partant du centre de Buenos Aires. Nous n'avions pas pénétré dans la maison, bien que Meir y ait passé la nuit, afin de ne pas attirer inutilement l'attention sur nous dans ce quartier tranquille.

Nous remarquâmes avec satisfaction qu'il n'y avait pas de commissariat dans cette riche banlieue résidentielle. Hoffman, qui avait étudié la question, nous dit que c'était un quartier de vacanciers, très fréquenté en été. Maintenant, pendant la saison des pluies, c'était entièrement désert.

Le lendemain, qui était un samedi, il fut décidé que nous quitterions tous l'appartement de Buenos Aires. Nous y avions été trop nombreux, et nous y étions restés trop longtemps. Le concierge connaissait parfaitement notre apparence physique, et il était trop bien informé de nos déplacements. L'expérience m'avait appris que le concierge le plus discret en sait plus qu'on ne croit. Quand les autorités les questionnent pour avoir des renseignements détaillés, chose qu'elles font volontiers dans des pays comme l'Argentine, ils se révèlent fréquemment de véritables mines d'information. Le Vieux, qui se méfiait aussi des concierges, fut grandement soulagé quand Hoffman rendit les clefs au propriétaire.

Dani, avec son laboratoire, prit ses quartiers dans la première villa, dont il était le seul occupant. Un artiste étranger comme lui, avec l'attirail habituel que les artistes itinérants trimballent avec eux, n'avait pas à se soucier du jardinier. Une petite cachette très simple que nous avions bricolée dans la cheminée du salon lui servait à dissimuler ses faux. Si besoin était, il suffisait de frotter une allumette pour faire disparaître toute preuve...

Ce ne fut qu'après avoir réglé cette question que nous trouvâmes le temps de déménager, avec armes et bagages, et de nous transporter avec nos quatre voitures dans la nouvelle villa.

Les voitures étaient en si piètre état que nous pensâmes qu'il valait mieux nous suivre à la queue leu leu, avec Hoffman comme chef de file. Nous pouvions ainsi rester à portée de vue les uns des autres, et si l'une de ces vieilles tires tombait en morceaux, nous pourrions soit les recoller ensemble, soit prendre le tout en remorque, soit, le cas échéant, transférer le contenu du coffre.

Nous avions recherché avec acharnement des voitures neuves à louer, afin de rendre les vieilles avant qu'elles ne nous claquent entre les mains. Dani avait eu fort à faire pour préparer les différents papiers dont nous avions besoin pour louer des véhicules dans diverses agences de Buenos Aires. Il avait cependant fallu se résoudre à l'idée que, pour disposer de voitures opérationnelles selon nos critères, nous devrions faire nous-mêmes les réparations. Le garagiste le moins soupçonneux ne manquerait pas d'être étonné, s'il voyait arriver une bande de touristes réclamant une remise à neuf pour une voiture de location. Nous achetâmes donc toutes sortes de pièces de rechange, que nous stockions dans les coffres, en attendant de pouvoir procéder aux réparations indispensables.

Pour payer les milliers de dollars des locations, nous n'utilisions que des billets de dix ou de vingt : quiconque présentait un billet de cent dollars était immédiatement tenu de donner son nom et son adresse.

Mais les petites coupures présentaient d'autres inconvénients. Hoffman était parti ce matin-là payer un dépôt de garantie de cinq mille dollars pour une vieille Ford, et s'était mis à compter la somme en billets de vingt qu'il sortait de sa serviette. Le directeur de l'agence ne voulut rien savoir et il fallut qu'ils se rendent à la banque la plus proche pour faire vérifier les billets. Si tous les agents et tous les propriétaires avec lesquels il avait traité avaient été réunis, et confrontés à Hoffman-Ungermann, ils auraient peut-être décrété que c'était le plus fieffé coquin qu'ils aient jamais vu, mais ils auraient dû admettre qu'il payait avec des billets authentiques.

Uzi, qui avait loué deux voitures, me donna les clefs et les papiers de l'une d'elles, une américaine noire, à quatre portes.

Le cortège se mit en place, Hoffman en tête, suivi d'Uzi, qui précédait Aharon ; je fermais la marche.

Aharon m'avait toujours paru ressembler davantage à un étudiant en droit qu'à un officier de terrain. Nous avions le même âge, mais nous étions d'un genre très différent. Je m'attirais toutes sortes d'ennuis pendant le travail. Aharon était méticuleux, avait toujours une expression austère et soucieuse, et ne souriait presque jamais.

Quand un problème surgissait, Aharon faisait les cent pas dans son bureau, les dents serrées, comme un fauve en cage. Pendant une discussion un peu longue, il ne pouvait pas tenir en place et changeait de chaise sans arrêt. Il campait brusquement ses coudes sur la table, prenait sa tête dans ses mains, fronçait les sourcils et fixait celui qui avait pris la parole, avec un regard concentré et soupçonneux qui semblait passer chaque mot au crible de son détecteur de mensonge personnel.

Une exclamation affolée interrompait parfois brutalement l'orateur : « Je ne comprends pas ! Je ne comprends pas ! Peux-tu, s'il te plaît, répéter ce que tu viens de dire ? » Quand il avait enfin saisi la pensée de l'autre, il donnait libre cours à son triomphe, et hurlait, comme Archimède dans son bain : « J'ai trouvé ! J'ai trouvé ! » et il se levait brusquement, quittant la table de conférences sans prévenir, pour faire le tour de la pièce à grandes enjambées, comme s'il avait besoin de ce manège pour digérer ce qu'il venait d'apprendre.

Sur les questions professionnelles, il était intransigeant, et n'accordait à personne le bénéfice du doute. Il appartenait à l'école pharisaïque de Shamaï [1] : rigoureusement inflexible, et plus orthodoxe que le pape ; un véritable anachorète.

Aharon et Uzi avaient des caractères diamétralement opposés. Même s'ils affectaient tous deux la plus grande négligence dans leur manière de s'habiller, une habitude qui leur venait du Palmakh. Aharon étudiait les moindres détails avec une exactitude de Suisse, et passait ses nuits à potasser les dossiers de renseignement, comme un étudiant de *yeshiva* [2] qui apprend la Gemarra [3]. Guidé par l'ambition d'être le premier, il ignorait ceux qui le gênaient ou qu'il considérait comme des incapables.

Contrairement à Uzi et à moi-même, Aharon aimait

---

1. École particulièrement stricte sur le plan religieux (et moral), rivale de celle de Beth Illel (ou Illel), plus « libérale ».
2. École rabbinique.
3. Section du Talmud.

la solitude. Il serait toutefois injuste d'oublier l'autre aspect de sa personnalité, celui qui se manifestait pendant les longues nuits de travail, en Israël ou à l'étranger. Quand, sur un verre de vin dans un petit bistrot italien, détendu et affable, il s'épenchait et racontait des blagues ; nous échangions alors, en connaisseurs, quelques appréciations bien senties sur telle belle fille qui venait de passer...

Sur le plan professionnel, et c'était l'essentiel, il donnait entière satisfaction à tous. Sa culture nous était un complément indispensable. Pour les questions techniques et le travail manuel, il était très maladroit. Mais pour la tactique et la stratégie, c'était un as. Il excellait dans la lecture des cartes, et savait admirablement se familiariser avec le terrain, qu'il s'agisse d'un petit village, d'une grande ville ou d'un État.

Il était connu pour avoir besoin de très peu de sommeil — pas plus de trois heures. Pendant des années et des années, avant et après l'opération Eichmann, il ne dormit que de trois heures à sept heures du matin.

Nous venions de sortir de la ville, lorsque je fus pris dans un bouchon à un carrefour. Aharon avait réussi à passer à temps, mais moi, j'étais bel et bien coincé. Je pouvais toujours klaxonner et manœuvrer, il n'y avait pas moyen de bouger. J'assistai, sans pouvoir réagir, au départ d'Aharon, dont la voiture disparut après quelques ratés.

L'embouteillage qui semblait inextricable fut dégagé en quelques minutes, et j'appuyai sur l'accélérateur dans l'espoir de trouver Aharon en train de m'attendre sur le bas-côté. Mais il n'y avait pas trace des trois voitures, et je n'avais aucune idée de la direction qu'elles avaient prise. Je n'avais qu'une chose à faire : foncer. Je n'étais allé qu'une seule fois à la villa, la veille au soir, et j'étais inquiet et irrité d'avoir perdu les autres.

Tout à coup, au détour d'un virage, je tombai sur un barrage routier. Des soldats et des policiers, pistolet au poing, dirigeaient la manœuvre. Une demi-douzaine de voitures attendaient l'autorisation de passer, et aucune d'entre elles n'était à nous.

Deux soldats au visage sévère m'ordonnèrent de sortir de la voiture. Je pris mon sac et me vis conduire, avec tous les occupants des autres véhicules, à travers champs, en haut d'une colline, au sommet de laquelle se trouvait un petit poste de gendarmerie en béton blanchi à la chaux.

Je commençais à perdre pied, je ne comprenais rien à ce qui se passait. Et j'étais dans tous mes états, à l'idée que les autres puissent être dans le même pétrin...

Les uniformes gardaient l'œil sur nous. Hommes et femmes, tous paraissaient effrayés. On nous faisait entrer en rang dans une pièce où étaient assis, à cinq tables séparées, des hommes au visage impassible qui prenaient des empreintes et faisaient asseoir les gens pour un interrogatoire.

Je scrutai les visages autour de moi, espérant découvrir un Européen qui pourrait m'expliquer pourquoi nous avions été arrêtés, mais tous semblaient être des gens du pays.

J'étais très inquiet pour la voiture. Je ne savais pas exactement ce qu'Uzi avait mis dans mon coffre. Quoi que ce fût, cela pourrait me faire passer un très mauvais quart d'heure. Je me rongeai les sangs pendant une heure, à attendre mon tour. Un jeune enquêteur brun, à la peau mate et à la moustache amoureusement entretenue, me fit appeler. Il ne parlait aucune langue étrangère et je ne connaissais pas un mot d'espagnol. Nous restâmes face à face, muets, jusqu'à ce qu'il fasse venir un officier en uniforme qui parlait un peu l'anglais. A sa demande, je sortis les papiers du véhicule.

« Pas bon ! » dit-il avec brusquerie, en me les rendant. Ce que je lui montrais, m'expliqua-t-il, n'était que la moitié de la carte grise. Uzi, pensais-je, avait dû laisser l'autre moitié dans sa propre poche. C'était bien lui...

L'officier était cependant disposé à faire preuve de magnanimité au sujet de la carte grise. Si je voulais bien lui montrer mes autres papiers... Je n'y voyais pas d'inconvénient — à condition qu'ils ne prennent pas mes empreintes.

J'ouvris mon sac et, y apercevant un paquet de Kent que j'avais acheté dans l'avion, je le sortis avec mon passeport et le posai sur la table. L'officier à la casquette à visière examina le passeport et me le rendit.

« Vous êtes un touriste ? demanda-t-il.

— Un touriste et un artiste », répondis-je, en essayant d'avoir l'air détendu.

L'officier arracha un feuillet de son calepin, écrivit quelques mots, y appliqua un large tampon et me le tendit en souriant. De l'autre main, il prit le paquet de Kent, sur un hochement approbateur du petit homme à la peau sombre. « O.K., O.K., me dit-il, montrez ça au policier sur la route. »

Pour le moment, tout va bien, pensais-je. J'étais en effet la première, et même la seule personne à quitter le poste. En descendant de la colline, je vis monter un autre groupe d'automobilistes privés de leur véhicule. Plus tard, j'appris qu'un groupe péroniste avait posé une bombe dans une installation militaire voisine, après quoi les autorités avaient immédiatement bloqué les voies d'accès.

Remercie le Seigneur, pensai-je, de t'avoir si bien tiré de cette rencontre avec la Loi. Encore un peu de bonne volonté de Sa part, et je pourrais retrouver mes camarades, et — ce qui était plus important — la villa.

Grâce au laissez-passer, la barrière se leva devant ma voiture, et je continuai à rouler pendant une vingtaine de minutes, afin de me remettre de mes émotions. Tout à coup, j'aperçus un groupe de villas et je compris que finalement j'avais pris le bon chemin. Je tournai à gauche vers les maisons et, à mon grand soulagement, je trouvai Aharon qui m'attendait anxieusement devant la porte.

Les trois voitures étaient garées sur le terrain de la villa, et auprès d'elles se trouvait toute l'équipe — Meir, Uzi, Hans, qui étaient arrivés séparément, et Hoffman et Aharon.

Chacun semblait ravi, pour ne pas dire surpris, de me voir. Comment, se demandaient-ils, avais-je pu retrouver la villa, en ne l'ayant vue qu'une seule fois, et de nuit ? Et sans connaître l'adresse ? Je n'avais moi-même aucune idée de ce qui, dans l'immense agglomération de Buenos Aires, m'avait guidé à cet endroit-là. Aujourd'hui encore, et bien que j'aie souvent, au cours des années, repassé ce trajet dans ma mémoire, je suis incapable de me l'expliquer.

Ils furent étonnés d'apprendre que j'avais été arrêté par la police. Ils étaient venus par le même chemin et rien ne s'était produit.

Hans, évidemment, secouait la tête avec commisération en entendant le récit de mes mésaventures : « Tu me surprendras toujours — sa voix avait une intonation sardonique — il n'y a qu'à toi que ça arrive. »

C'était le genre de remarque auquel on pouvait s'attendre avec Hans. N'ayant plus assez d'énergie pour répliquer, je dis simplement : « Tu es sans doute passé quelques minutes avant qu'ils ne placent le barrage. » Et, réflexion faite, j'ajoutai : « Au fait, Hans, toi qui aimes les preuves, voici le laissez-passer qu'ils m'ont donné, avec un tampon de la police. Demande à Dani d'y jeter un coup d'œil, ça pourrait te servir... »

Ignorant superbement mon offre, Hans m'expliqua qu'il était venu sur l'ordre du Vieux, pour déterminer si la villa constituait une base d'opération convenable. Un rapide examen des lieux me convainquit que nous n'aurions pas à chercher davantage. D'après ce que je voyais, et ce que décrivait Meir, l'endroit était parfaitement approprié. Nous pouvions nous y mettre au travail sans éveiller le moindre soupçon.

Meir, le plus ancien occupant, me montra où il proposait de garder Eichmann, et où il avait déjà commencé à construire la cachette.

L'architecte de cette villa n'avait pas accordé de préférence à un style particulier. Les lignes étaient droites et simples. Les murs étaient en pierre, du matériau solide et épais. Au rez-de-chaussée, il y avait d'immenses baies vitrées mais, à l'étage, les fenêtres étaient d'une dimension plus commune.

Les murs épais étaient certainement très utiles en été, pour garder la fraîcheur mais, dans les circonstances présentes, ils faisaient de la maison une véritable chambre froide. Je frissonnai, malgré mon nouveau manteau. La villa n'était pas chauffée.

On entrait par un large perron de marbre, et on accédait directement au grand salon, une longue pièce rectangulaire. Un corridor étroit, à gauche du salon, menait à une spacieuse cuisine, moderne et bien équipée. Une des portes de la cuisine donnait sur une petite pièce pourvue de deux lits, qui était probablement destinée à la domestique.

En face de la cuisine, à gauche du couloir, se trouvaient encore deux pièces. Au bout du corridor, il y avait une véranda de bois, recouverte d'un toit d'épaisses frondaisons. De la véranda, on passait à l'arrière-cour, dont la porte verrouillée de l'intérieur donnait sur un chemin de traverse.

Meir, qui guidait la visite, nous fit part de son idée : mettre Eichmann dans l'une des deux pièces qui faisaient face à la cuisine, parce qu'elles n'avaient qu'une seule fenêtre chacune. Le sol de la véranda pouvait être utilisé pour la cachette. Et, de là, on pouvait évacuer discrètement le prisonnier par la porte de derrière.

Hans parut satisfait. Il noua son foulard de soie brun et jaune et dit : « Je vais en ville pour annoncer au Vieux que tout va bien. » Hans aimait faire des rapports, surtout au Vieux. Aharon et Hoffman partirent chercher des couvertures, du linge et de la nourriture. En moins d'une heure, la villa était transformée en atelier.

L'idée de Meir était bonne, et nous décidâmes de construire la cachette sous la plate-forme de bois surélevée qui servait de plancher à la véranda. Il y avait, entre cette plate-forme et le sol en béton, un espace assez large pour qu'une personne puisse s'y allonger sur le dos. Meir et moi retirâmes avec précaution la planche la plus proche de la cour. Nous la remplaçâmes par une latte qui pouvait coulisser sur une rainure, comme le couvercle d'un plumier. Ce couvercle pouvait être fixé par deux gros clous, ou des chevilles, faciles à mettre et à enlever. Aucune différence n'était perceptible à la surface. L'ouverture donnait accès à un espace raisonnablement large, que nous nettoyâmes et tapissâmes de couvertures. Nous perçâmes dans les planches de bois quelques petits trous, presque invisibles, pour l'aération.

Nous fabriquâmes aussi une civière à roulettes, plate et basse sur roues. Nous y attachâmes trois courroies : une pour bâillonner Eichmann, et deux pour le ficeler au matelas. En cas d'urgence on pourrait le sangler sur cet engin et le descendre dans la cachette.

Nous allâmes chercher quelques plantes en pot dans le jardin et les plaçâmes aux endroits stratégiques ; de façon générale, nous veillâmes à ce que la véranda soit parfaitement camouflée. Nous travaillâmes encore tard dans la nuit pour faire le ménage, afin d'éliminer toute trace de notre labeur, et nous dissimulâmes la civière dans la cachette elle-même, sous le plancher.

Il faisait un froid glacial dans cette villa. Hoffman revint heureusement avec une pile de couvertures, mais cela ne suffirait pas. La plupart de ces couvertures devaient servir de stores pour les fenêtres : nous voulions être à l'abri des regards indiscrets et ne pas laisser filtrer le moindre rai de lumière après le crépuscule.

C'était navrant de devoir enfoncer des clous dans ces couvertures : pas seulement parce que nous aurions préféré en faire un autre usage, mais aussi parce que Hoffman avait acheté des couvertures très chères, de belle qualité. C'était une honte de les clouer au cadre des fenêtres. Elles avaient dû coûter cinquante à soixante-dix dollars pièce, mais il était inutile d'en parler à Hoffman. Il y avait dans son regard légèrement voilé une lueur avide de possédant. Il jouait à l'homme d'affaires au portefeuille inépuisable et il était complètement entré dans la peau du personnage.

Nous nous assîmes avec lui pour faire une liste des achats nécessaires. Il devait entre autres rapporter des provisions pour plus d'une semaine. Nous insistâmes pour qu'il achète cette fois des couvertures ordinaires, bon marché, et qu'il n'oublie pas de se procurer quelque poêles. Sinon, on pourrait bientôt nous expédier par bateau à Jérusalem avec le reste de la viande congelée...

Sur la liste figuraient aussi deux jeux de cartes et un jeu d'échecs. Hoffman disparut dans la nuit, en nous promettant de revenir le lendemain.

Uzi et moi nous postâmes à tour de rôle devant les fenêtres, pour voir ce qui pouvait être aperçu du dehors. Nous étions entourés de maisons semblables. De la véranda, on pouvait distinguer les voitures qui passaient sur la grand-route. Des véhicules de l'armée et de la police pour la plupart. Comme si les forces de la sécurité patrouillaient régulièrement dans ce coin. Nous commençâmes à observer ces mouvements, afin de déterminer quelles étaient les mesures de précaution à prendre pour sortir de la villa.

Dans la pièce réservée à Eichmann, nous installâmes une sonnerie qui nous permettrait de signaler, de la porte d'entrée ou du salon, toute approche suspecte. Ce soir-là, nous nous affalâmes sur nos lits, au premier étage, toujours vêtus de nos manteaux, et enroulés dans une couverture. Nous étions suffisamment exténués pour nous endormir immédiatement.

Le 8 mai

Nous passions maintenant des heures à réparer les voitures pour qu'elles soient prêtes pour l'opération. Il y avait deux voitures au garage, une Mercedes noire et une Chrysler gris foncé. C'était la Mercedes qui devait transporter Eichmann, et nous lui accordions par conséquent tous nos soins. Il fallait qu'elle soit en parfait état de marche. Nous commençâmes par la pourvoir d'un mécanisme fait d'une charnière et de ressorts, qui permettait de changer les plaques d'immatriculation en quelques secondes. Meir avait collé des plaques du corps diplomatique au dos de chacune des plaques d'origine. Le laboratoire de Dani avait fourni les papiers correspondants : carte grise et permis de conduire appropriés.

Il suffisait d'une pichenette pour que les plaques tournent de 180 degrés et affichent le sigle C.D. Quand le vernis noir eut été légèrement retouché, l'automobile eut un bel aspect brillant et poli. Les quatre pneus usés furent remplacés par des neufs.

Nous n'étions certes pas mécontents de notre ouvrage, mais nous n'arrêtions pas de pester contre les agences de location : la Mercedes ne cessait de manifester de nouvelles défaillances, et cette voiture, pourtant mondialement réputée pour sa solidité, avait été si mal entretenue qu'elle était sur le point de se désintégrer. Le pot d'échappement était entièrement calciné. Nous en posâmes un neuf, et nous changeâmes aussi la courroie du moteur. Pas une seule pièce détériorée, ou simplement usagée, ne fut laissée en place, ampoules comprises. Nous otâmes cependant la petite lampe de plafond qui s'allume automatiquement lorsque les portières s'ouvrent : nous ne voulions pas qu'on puisse identifier les occupants de la voiture en pleine nuit. Les freins de l'embrayage fonctionnaient de manière satisfaisante. Nous caressâmes affectueusement la Mercedes qui était à présent, du moins nous le croyions, comme neuve ; puis nous fîmes une courte pause café, et nous nous apprêtions à nous occuper de la Chrysler quand les visiteurs arrivèrent.

La voiture d'Hoffman s'engageait prudemment dans l'allée ; il amenait deux nouveaux pensionnaires : Jack Hector, membre du commando, et un inconnu. Jack n'était arrivé à Buenos Aires que la veille au soir. Il se livra à ses effusions habituelles, sans être embarrassé par nos bleus couverts de cambouis. Puis il nous présenta son campagnon, un grand type à l'allure juvénile, qui devait avoir près de quarante ans, et qui était tiré à quatre épingles. Une fine chevelure châtaine encadrait sa sympathique figure de hibou.

« Notre médecin, annonça Jack, le docteur Maurice Klein. » Comme nous pouvions difficilement lui serrer la main dans l'état où nous étions, nous lui fîmes notre plus beau sourire. Le docteur nous regardait avec un certain étonnement. Il semblait quelque peu désorienté.

« C'est une bonne chose qu'il y ait un médecin dans la maison, lançai-je à la cantonade ; on va tous choper une pneumonie. »

Jack nous détrompa prudemment. Le docteur était venu d'Israël pour s'occuper d'Eichmann, pas de nous. « Le Vieux veut qu'Attila soit livré en pleine forme. »

Klein semblait être d'un tempérament doux. Il nous fallut du temps pour découvrir qu'il avait un sens de l'humour très vif, et beaucoup de sang-froid. Il portait une grosse trousse à pharmacie de cuir noir, et c'était, en dépit de ses apparences modestes, le premier anesthésiste de l'un des meilleurs hôpitaux israéliens. Il s'était porté volontaire pour la mission, en tant que rescapé de l'holocauste.

« Tu dois être Peter, dit-il aimablement, Uzi m'a parlé de toi.

— Je n'ose pas imaginer ce qu'il t'a dit, lui répondis-je, mais c'est bien moi. »

Uzi et le docteur Klein se connaissaient bien. Uzi avait été soigné d'une blessure de guerre par Klein, et ils étaient devenus amis. Uzi, avec son insatiable curiosité, qui l'incitait à explorer tous les domaines imaginables, était lui-même devenu une sorte de semi-médecin, et rendait fréquemment visite à Klein pour s'entretenir avec lui des nouvelles découvertes médicales, dont certaines étaient tenues secrètes. Jusqu'au jour où Uzi lui révéla à son tour quelque chose d'ultra-confidentiel : la mission « Attila », à laquelle il l'invita à participer en tant que médecin. Quand le docteur Maurice Klein sut qui était le « patient », il accepta sur-le-champ.

Hoffman mena les deux hôtes à leurs chambres, au premier étage. Nous nous mîmes à décharger le ravitaillement : des conserves de poisson et de viande, des saucisses, des fruits et des légumes. Ce qui nous réjouit vraiment le cœur, ce fut la vue de deux grands poêles à pétrole et d'une pile de couvertures. « Je n'ai pas pu m'en procurer plus de deux, s'excusa Hoffman, et ils m'ont coûté une jolie somme par-dessus le marché. Il semble qu'il y ait pénurie. »

Ce soir-là, après avoir allumé les lampes, nous vérifiâmes l'efficacité de notre calfeutrage. Nous pûmes constater, à notre grande satisfaction, qu'il n'y avait pas le moindre filet de lumière pour trahir notre présence.

Nous commençâmes à expérimenter la cachette : Uzi, soigneusement bâillonné, fut attaché à la civière.

Nous le fîmes rapidement rouler dans le réduit, où je le rejoignis en rampant. Le docteur Klein, qui nous avait regardés faire sans un mot, sourit tout à coup et dit : « Vous devriez faire breveter cette civière pour les hôpitaux. »

Nous restâmes là-dedans pendant dix bonnes minutes. L'air froid pénétrait à travers les trous. Mis à part une désagréable sensation d'enfermement et d'isolement, nous aurions pu y passer des heures entières. C'était cependant rassurant de savoir qu'il y avait au-dehors des gens prêts à nous tirer de là dès que nous aurions envie de faire surface.

Quand nous détachâmes Uzi, il frissonnait de froid. « C'est horrible d'être allongé comme ça. J'espère que nous n'aurons pas besoin d'utiliser cette cachette. » Il suggéra de capitonner le bâillon.

Jack Hector, qui avait assisté à l'exercice avec intérêt, n'avait pas cessé de plaisanter depuis un quart d'heure. Cela commençait à nous fatiguer, et nous le choisîmes comme prochaine victime. Quand nous le fîmes remonter, son sourire s'était figé sur ses lèvres transies...

Comme convenu, Aharon arriva après le dîner, vers neuf heures. Il nous fit part de ce qu'il avait observé avec Kiryati près de la maison d'Eichmann ; tout s'était passé comme d'habitude. Eichmann était rentré le soir à son heure coutumière. Aharon ajouta qu'il avait vérifié les différentes routes possibles, de la maison d'Eichmann à notre villa, et de la villa à l'aéroport : « On a le choix entre deux routes au minimum, pour revenir de la rue Garibaldi. J'ai vu une patrouille de police, mais je n'ai pas été arrêté une seule fois. »

Nous demandâmes des nouvelles du Vieux. Aharon nous dit qu'il continuait à faire sa frénétique tournée des cafés, et qu'ils avaient visité ensemble le terrain d'aviation : « Il est content que nous ayons enfin trouvé une villa, et il veut que nous soyons prêts après-demain soir. »

Uzi nous proposa d'aller effectuer un parcours de vérification, du quartier des villas à l'aéroport. Nous acceptâmes avec enthousiasme. Aharon, Uzi et moi, nous entassâmes dans une voiture pour une balade nocturne. Meir, Jack et le médecin restèrent à la maison. Nous nous plongeâmes dans la lecture des cartes pour repérer la route sinueuse qui menait de l'autoroute à l'aéroport. Il n'y avait de barrage routier nulle part. Seules les voitures de l'armée et de la police nous causèrent une fois de plus une certaine inquiétude.

Uzi avait l'œil vague, ce qui annonçait généralement chez lui des projets polissons... Il était grand temps, disait-il d'un ton persuasif, que nous fassions un tour en ville : « Tant que le Vieux ne nous a pas convoqués, profitons un peu de l'existence. Quand nous aurons enlevé Eichmann, nous n'aurons plus le temps de respirer. »

Nous nous garâmes rue Corrientes et nous joignîmes aux milliers de gens qui flânaient dans le quartier, et qui remplissaient les rues transversales illuminées de gigantesques néons bariolés. Il était presque minuit, mais les rues étaient bourrées de monde.

Nous entendions des accords de guitare, qui semblaient jaillir du sous-sol. Ils provenaient en fait d'un cabaret populaire, le *Pallo Boracho* — l'Arbre Soûl ! —, dont les tables étaient bien entendu couvertes de viande ; les amateurs de plaisirs étaient là en foule. Au milieu de la salle se dressait un arbre. Les joueurs de guitare grattaient leur instrument sur une immense estrade. Ils jouèrent d'abord essentiellement du tango, le rythme préféré des Argentins. C'était bien agréable d'être assis là, dans cette joyeuse atmosphère de fête. Nous en vînmes peu à peu à oublier que nous étions des étrangers, et nous nous mîmes à applaudir avec autant d'ardeur que les gens du pays. Nous regardions avidement les belles Argentines qui se levaient de temps à autre pour danser avec leurs partenaires.

Les joueurs de guitare firent une pause. Tout à coup, d'une longue table à tréteaux placée dans un coin, près de l'estrade, s'éleva un puissant beuglement. Un groupe d'hommes et de femmes passablement éméchés, attablés devant leurs pintes de bière mousseuse, avait entonné, d'une voix rauque, des chants allemands. Les hommes entrechoquaient leurs verres en chantant. Ils devinrent solennels et, ignorant complètement le reste de l'assemblée, se balancèrent au rythme de la musique. Un frisson me parcourut l'échine.

« Une bande de nazis, murmurai-je à l'oreille d'Uzi, furieux.

— Il y a des Allemands partout ici. Ils sont bien vus des gens du pays. Pas étonnant que Klement ait choisi de se réfugier à Buenos Aires. Qui sait combien il y a d'anciens S.S. parmi ces biberons à bière... »

Au-dehors, la nuit semblait plus froide et plus hostile que jamais.

Le 9 mai

A six heures du matin, notre sommeil fut impitoyablement interrompu par une sonnerie aiguë qui venait du portail. Je pénétrai dans le salon, vacillant sur mes jambes mal assurées. Hoffman descendait l'escalier, en pyjama rayé et en pantoufles. Il avait passé sur ses épaules son élégant pardessus, qui contrastait de façon grotesque avec son allure débraillée.

« Tu attends quelqu'un ? » lui demandai-je. Hoffman, le regard trouble et l'air hébété, me répondit qu'il ne voyait pas qui pouvait venir à une heure pareille.

Je montai au premier pour jeter un coup d'œil par la fenêtre. Notre visiteur, que j'apercevais maintenant dans la lumière grisâtre de l'aube, était Hans. J'en informai Hoffman qui courut ouvrir la porte.

« Eh bien, qu'est-ce qui se passe chez vous ? demanda Hans, qui s'engouffra dans la villa, telle une bourrasque glacée. Combien de temps faut-il attendre pour que vous ouvriez la porte ? » Personne ne prit la peine de répondre. Il ne fit pas un geste pour enlever son manteau. L'élégant foulard était douillettement enroulé autour de son cou et de son menton. Il jeta un regard hautain sur Uzi, pelotonné en boule devant le poêle. Mais le spectacle était si comique et si attendrissant que Hans lui-même se détendit un instant et émit un petit rire, dans un louable effort pour jouer les braves types. Il alla réveiller le commandant, non sans douceur.

Hans et moi approchâmes les fauteuils du poêle. Uzi hurla : « Du café ! Je veux du café ! » Hoffman esquiva adroitement la corvée du café en filant subrepticement vers son lit.

Hans annonça sans préambule : « Nous avons fait hier soir une nouvelle tentative pour localiser Mengele. Toutes les adresses que nous avions étaient fausses. Nous pensons qu'il habitait encore à Buenos Aires récemment. Mais nous ne savons pas où il est. Le Vieux veut qu'on le déniche à tout prix...

— Qui a pris part à la recherche ? » demanda Uzi.

Hans fouilla dans sa poche intérieure et tendit un papier à Uzi : « Tu trouveras tout dans ce rapport. L'adresse que tu dois vérifier est soulignée en rouge. Le Vieux veut que tu ailles y faire une dernière reconnaissance avant de décider si on continue à chercher le médecin, ou si on remet ça à plus tard.

— Nous sommes absolument débordés actuellement, dit Uzi, mais j'essaierai de caser ça quelque part. » Il n'avait toujours pas eu son café, et il était en proie à son accès d'humeur matinal.

Hans se leva. « Ce soir à six heures, dit-il, je viendrai pour parler du plan de l'opération. Nous disposons de trente-six heures avant l'heure H... »

Je conduisais, et Uzi me guidait en regardant la carte vers le quartier de Vincente Lopez, l'un des plus riches de Buenos Aires, situé à peu de distance du centre. Il se reportait fréquemment au papier que lui avait donné Hans. Il semblait que nos informations, y compris celles que nous avions glanées en Allemagne, indiquaient de façon concordante que le démoniaque docteur Mengele vivait dans ce quartier. « C'est qu'il peut se le payer, dis-je. A quoi ça lui aurait servi, sinon, de prendre l'or des dents de ses victimes ! »

Vers sept heures et demie, nous arrivâmes à l'adresse soulignée en rouge : une grande villa, semblable à toutes celles du quartier, entourée d'un jardin qui donnait sur la rue. Nous nous arrêtâmes à une centaine de mètres de là et nous examinâmes la maison. Une jeune femme portant des vêtements de sport en sortait, avec trois enfants qui tenaient leur cartable à la main. Elle revint un quart d'heure plus tard, seule, et rentra dans la maison. Au bout d'une demi-heure, un jeune homme apparut, et la jeune femme debout sur le seuil lui planta un baiser sur le front. Il prit sa voiture et partit. Nous notâmes son numéro.

« C'est le moment, dit Uzi. J'y vais. Tu attends dans la voiture. »

Il arracha une feuille de son carnet, sur laquelle il marqua le nom de la rue et le numéro de la maison voisine : c'était ce qu'il montrerait à la femme, en prétendant chercher une autre adresse. Je vis Uzi remonter l'allée et sonner à la porte. La femme ouvrit, et trente secondes plus tard, il était entré. Une demi-heure passa, qui me parut interminable, puis Uzi ressortit ; la femme lui fit un signe d'adieu amical. Il secouait la tête en marchant vers la voiture. Encore une visite infructueuse.

Nous retournâmes à la villa. « Ce n'était pas exactement Mengele : une gentille fille à vrai dire, une Américaine de Pennsylvanie. Très hospitalière, et mignonne en plus ; elle a fini par m'offrir une tasse de café.

— Et Mengele ? demandai-je avec impatience.

— Laisse tomber. Il doit être loin. J'ai dit à cette fille que je venais d'Allemagne, et que je cherchais l'adresse de mon ami, le docteur Mengele. Elle m'a dit que je l'avais raté à un mois près. Il a effectivement habité là. Il y reçoit encore des journaux suisses de langue allemande, mais il est parti sans laisser d'adresse. Il ne s'est pas manifesté depuis qu'il a quitté la villa. Elle ne l'a jamais vu, semble-t-il, c'est le propriétaire qui lui a parlé de lui. Elle pense qu'il est allé s'installer quelque part au Paraguay, ou au Brésil.

— Comment est-ce possible ? dis-je. Il ne serait parti que depuis un mois ?

— Oui. Il a dû comprendre que ça commençait à sentir le roussi. Quelqu'un l'a probablement averti.

— On a peut-être fait une bourde à un moment donné ?

— Tout est possible. Si ça se trouve, il est encore à Buenos Aires, il essaie de brouiller les pistes. De toute façon, dans l'immédiat, c'est une affaire classée. Il nous reste maintenant à nous occuper d'Attila. »

Nos amis de la villa furent très déçus d'apprendre que Mengele avait décampé. Nous avions passé des mois en Allemagne, à faire de longues et pénibles recherches. Mais peut-être qu'un jour, quand la mission Eichmann serait terminée, nous pourrions découvrir la nouvelle planque de Mengele et mettre la main sur cette ordure.

Cette déconvenue nous incitait en tout cas à en finir au plus vite avec l'affaire Eichmann ; il ne fallait pas laisser cet oiseau-là s'envoler. Nous n'avions plus que vingt-quatre heures.

Le docteur Klein, Jack Hector et moi nous réunîmes dans le salon pour examiner comment notre médecin attitré allait s'intégrer dans l'opération. D'un côté, il serait bon qu'il soit avec nous dans la Mercedes, pour donner à Eichmann les premiers soins en cas d'urgence, ou pour nous porter secours si nous étions blessés. Mais nous hésitions toutefois à mettre sa vie en danger en le plaçant en première ligne...

« Je suis prêt à rester où vous voulez, expliqua calmement le docteur Klein. Il faut que j'aie la possibilité d'intervenir immédiatement pour vous donner toute l'aide médicale dont vous pourriez avoir besoin. C'est pour ça que je suis là. »

Jack avait une proposition à faire, et ses propositions valaient généralement la peine d'être écoutées. Jack était un homme maigre, de taille moyenne ; ses boucles rebelles et ses traits anguleux de lutin lui donnaient l'air d'un poète, et il avait une façon particulièrement pittoresque de s'exprimer. Il parlait à la vitesse d'une mitrailleuse, comme si sa langue avait du mal à suivre sa pensée. Le docteur, proposait-il, devrait être dans la deuxième voiture, la voiture de protection. On pourrait ainsi l'embarquer à tout instant dans la première s'il y avait un blessé.

J'approuvai l'idée de Jack. Il demanda avec curiosité au médecin : « Comment vas-tu procéder pour lui injecter le narcotique ? »

Le docteur Klein se mit patiemment en devoir de le lui expliquer, comme un professeur à son étudiant : « Il y a toujours un risque, plus ou moins grand, quand on injecte dans le corps humain une substance provoquant une narcose. C'est pourquoi le médecin doit déterminer l'état de santé du patient avant d'administrer l'anesthésique.

— Et si tu découvres qu'Eichmann est malade ? questionnai-je.

— Je devrai passer en revue toutes les maladies d'Eichmann, et en particulier l'état de son cœur, avant de procéder à l'anesthésie. Je devrai lui demander s'il est allergique à certains produits, et quels médicaments il a l'habitude de prendre. Une injection peut être fatale. Il sera temps de s'occuper de tout cela une fois que nous l'aurons capturé. A l'hôpital, les patients subissent une série d'examens de routine, et l'anesthésiste a directement accès à tous les produits et à tous les instruments nécessaires. Nous ne travaillerons pas dans ces conditions, mais je m'adapterai à vos exigences de sécurité.

— Et les somnifères ? demandai-je.

— Surtout pas, interrompit-il. Il n'y a pas moyen de contrôler quelqu'un qui prend des somnifères. On ne peut jamais savoir quand il va reprendre connaissance. Lorsque tout ceci sera fini, venez me voir à l'hôpital Tel

Hashomer, je vous ferai une conférence exhaustive sur la question, je vous le promets. »

Le docteur alla préparer sa trousse d'urgence. Hoffman était en train de nettoyer l'allée irrégulièrement pavée qui menait du portail au garage. Nous nous dirigeâmes vers la Mercedes, garée dans l'arrière-cour au milieu des arbres.

Uzi tenait un chronomètre en main. Depuis le bois de Boulogne, je n'avais pas eu l'occassion de m'exercer. C'était ma dernière séance d'entraînement. Un joli crachin tombait sans discontinuer, mais on pouvait de temps à autre entrevoir un soleil mouillé derrière les nuages. Je mesurai chacun de mes gestes. Le processus, je le notai avec satisfaction, était maintenant devenu automatique. Je saisis rapidement Meir et le transportai sur mon dos, avant de le déposer sur le siège arrière de la Mercedes. Je répétai l'exercice avec une cible immobile, debout face à moi. Les mouvements se succédaient avec souplesse, et sans approximation. Je n'hésitai pas une seconde. Uzi se félicita de la rapidité de l'opération, quinze à vingt-cinq secondes, et de son succès.

« En ce qui me concerne, dis-je à Uzi, je suis prêt. Inutile de faire d'autres exercices.

— Bon. Et la Mercedes ? Es-tu sûr qu'elle est impeccable ?

— Cette voiture, lui dis-je, c'est un peu comme un malade. Pour le moment, elle marche. Mais ce ne sera jamais une voiture neuve. »

Assez peu rassuré, Uzi se mit au volant. Je lui ouvris la porte de l'arrière-cour et il lança la voiture à fond, résolu à faire un dernier essai avant l'opération.

Une demi-heure plus tard environ, la sonnette du portail retentit. C'était Uzi, qui affichait une insouciance inhabituelle. « La voiture est fichue, dit-il. C'est tout juste si j'ai pu m'arrêter. La boîte est foutue. Où est Hoffman ? »

Celui-ci sortit de l'arrière-cour, un balai à la main.

« Il faut que tu files en ville avec Meir, dit Uzi, et que tu te procures une boîte de vitesses neuve pour la Mercedes. Ou sinon que tu en loues une autre. » Puis, voyant Hoffman sur le point de poser des questions, il ajouta : « Peu importe le prix. Trouves-en une, voilà tout. »

En trois minutes, Hoffman avait réendossé sa tenue d'homme d'affaires prospère ; il partit joyeusement remplir sa nouvelle mission, avec l'assurance de celui qui n'achetait que la meilleure qualité, et pour qui l'argent n'était pas un problème...

Uzi et moi sortîmes la Chrysler pour aller remorquer la Mercedes. Nous étions réellement soucieux. Les voitures pouvaient être notre talon d'Achille. Et si l'automobile qui transportait Eichmann tombait en panne sur le chemin du retour ?

A dix-huit heures précises, Kiryati et Aharon arrivèrent. Nous nous enfermâmes tous avec Uzi dans le spacieux atelier que nous avions installé au premier.

Je pressentais qu'un vif débat allait s'élever entre nous au sujet de la capture d'Eichmann. Je me souvenais de la réflexion de Hans au restaurant, devant le Vieux. Je savais aussi qu'il me fallait l'emporter dans ce débat, parce qu'au bout du compte je serai seul, demain ou après-demain, face à face avec Eichmann, et ce serait moi qui porterais l'ultime responsabilité. Le plan qui allait être arrêté dans cette pièce serait décisif.

Tout sembla d'abord se dérouler sans accroc. Nous étalâmes une carte de Buenos Aires sur la table, et nous braquâmes une lampe de poche sur la zone que nous avions délimitée comme terrain des opérations. La pièce était entièrement calfeutrée. Nous étions tous silencieux et observions avec une attention soutenue le secteur qui entourait la maison d'Eichmann, rue Garibaldi. Mes deux fidèles camarades d'équipe, Uzi et Aharon, étaient à mes côtés. En face de moi se tenait Hans, les lèvres serrées, et plus suffisant que jamais. J'étais en mesure de me représenter clairement l'endroit, en trois dimensions : l'arrêt d'autobus sur la grand-route, à peu de distance du carrefour où commençait la rue menant à la maison d'Eichmann.

« Le plan est prêt ! » Ce fut Kiryati qui parla le premier. J'attendais qu'Uzi remette les choses au point, puisque c'était lui que le Vieux avait nommé commandant de l'opération. Alors que Hans, en raison de sa maîtrise de l'allemand, n'aurait qu'à questionner Eichmann une fois que nous l'aurions mis en lieu sûr. Je jetai un coup d'œil interrogateur à Uzi, dans l'espoir de l'inciter à parler. Mais Uzi, patient, gentil, et tout aussi embarrassé que nous, restait silencieux. Il autorisa Kiryati à continuer.

« Toi, Peter — la voix de Hans était vibrante d'autorité —, tu t'embusqueras dans la rue qui mène à la maison d'Attila. Dès que tu le verras, tu lui sauteras dessus et tu l'empoigneras fermement, pour qu'il ne puisse pas s'enfuir.

— Et que ferez-vous pendant ce temps ? » demandai-je calmement. Il était trop imbu de lui-même pour remarquer que j'étais pâle de rage.

« Le reste de l'équipe et moi-même attendrons dans les deux voitures sur la grand-route près du croisement. Meir se trouvera à quelques pas de toi dans l'allée. Dès que tu auras maîtrisé Eichmann, il viendra te seconder. »

Je ne voulais pas lui donner le plaisir de me voir me mettre en colère, et je dis simplement, d'un ton glacial : « Tu veux dire, je suppose, que, Meir et moi, nous resterons exposés à toute attaque éventuelle de la part d'un passant, ou d'un policier qui fait sa ronde, bien cramponnés à Eichmann, jusqu'à ce que vous daigniez arriver avec la voiture ? »

Hans répondit d'un ton sec : « Nous tenterons d'agir le plus vite possible. Quand tu auras immobilisé Eichmann, je te rejoindrai avec la voiture. Je viendrai de la grand-route, et je tournerai à droite vers la rue. Uzi ouvrira la portière arrière ; Meir et toi, vous pousserez Eichmann sur le siège. Lorsque nous repartirons, l'autre voiture nous suivra, puis nous doublera pour nous protéger jusqu'à la villa. »

Hans se rassit, les sourcils levés, les mains jointes, prêt à accepter nos remerciements admiratifs.

Personne ne souffla mot. Uzi et Aharon me regardaient, c'était à moi de jouer.

« J'ai une autre question... » Il ne semblait pas discerner l'irritation qui perçait dans ma voix. « Que se passerait-il si la police nous prenait en flagrant délit, au moment de l'enlèvement ? » La question était piégée, mais Hans ne s'en émut pas.

« Quoi qu'il arrive, répliqua-t-il promptement, en pointant doctement son index sur moi, vous ne devez en aucun cas laisser filer Eichmann. Si la police vous arrête, vous direz que vous venez de capturer l'un des plus grands criminels de l'Histoire. Vous vous présenterez comme des Israéliens, émissaires du peuple juif...

— De qui crois-tu donc te moquer ? lui dis-je, avec un dégoût non dissimulé. De moi ou de la police de Buenos Aires ? Tu t'imagines que nous sommes venus ici, Meir et moi, pour jouer les héros juifs ? Nous sommes ici pour enlever Eichmann et le ramener à Jérusalem avec le maximum d'efficacité. Tu m'excuseras, mais ton plan, même une troupe de boy-scouts n'en voudrait pas. »

Kiryati était blême. Il en resta muet de fureur. Uzi détourna la tête pour cacher un sourire de satisfaction. Aharon attendait, impassible, l'inévitable crise.

« C'est le plan — Hans recouvrait rapidement toute son assurance — et vous allez l'appliquer !

— Applique-le toi-même. Ce plan est d'un amateurisme complet, et je n'ai pas l'intention d'essayer de le mettre à exécution. Avec un plan pareil, c'est nous qui allons finir devant un tribunal, à Buenos Aires. On nous bouclera pour tentative d'enlèvement, pendant qu'Eichmann rentrera tranquillement chez lui, et le monde entier rigolera. »

Uzi rompit enfin son silence : « Tu as peut-être une autre suggestion, Peter ? »

Hans releva brusquement le menton : « C'est le plan et vous devez l'exécuter, conformément aux ordres...

— Je ne suis pas sourd, Hans. Ça suffit, répondit Uzi d'un ton cassant. J'aimerais entendre la proposition de Peter. C'est lui le protagoniste principal. Il aura une appréhension différente de la situation. Il est habilité à proposer un plan. Nous avons la possibilité de le rejeter ou de le modifier. C'est la souplesse qui a toujours fait la force du Shin Bet [1]. Nous n'exécuterons que le meilleur plan imaginable. Dans les circonstances présentes, Peter doit pouvoir exercer son veto. »

Je n'essayai même pas de faire preuve de tact : « N'oublie pas, Hans, lui dis-je avec emportement, que tu n'es qu'un enquêteur. C'est nous qui faisons le sale boulot.

— Tu feras exactement ce que je t'ai dit. Tu es là pour ça ! » La voix sonore était soudain passée à l'aigu, et tremblait de colère.

Je n'étais pas disposé à changer d'avis : « Je sais exactement ce que j'ai à faire et tu vas m'écouter jusqu'au bout. »

Je regardai Uzi et Aharon. J'aurais vraiment voulu qu'Uzi intervienne une fois de plus en tant que responsable des questions opérationnelles. Aharon ne se prononcerait pas avant qu'Uzi n'ait donné son avis. Ils évitèrent tous deux mon regard. Pour une raison quelconque, cette bagarre ne paraissait pas les concerner. Hans était maintenant bien calé sur sa chaise, les jambes croisées, et tambourinait du doigt sur la table, sûr de son bon droit. Il était devenu le juge, et moi, l'accusé qui n'avait pas un mot à dire pour sa défense. Il me jeta un regard écœuré, le sourcil haut, puis, comme si j'étais un objet trop pénible à contempler, se mit à fixer le mur au-dessus de moi.

---

1. Services israéliens de sécurité, à l'intérieur du territoire.

Je n'avais pas le choix : il fallait aller jusqu'au bout. J'imaginais déjà le lamentable échec de l'opération, au cas où nous suivrions le plan dc Hans. Je serrai les dents et poursuivis, en ignorant cette fois délibérément Hans : « Uzi, je veux que tu m'écoutes. C'est toi le commandant de cette opération, et c'est toi qui décideras, en dernier ressort. Je veux que tu étudies le plan, geste par geste, et dans tous les détails. Parce que cette opération me fait très précisément penser à un exercice d'acrobatie sur une corde raide. Une petite brise qui souffle sur le côté, et le funambule perd l'équilibre pour se précipiter dans le vide. C'est pour ça que je tiens à ne rien laisser au hasard.

— Peter, tu as tout à fait le droit d'exposer ton plan tel que tu le conçois — Uzi s'efforçait d'apaiser les esprits — et tu n'es pas seulement autorisé à exprimer ton opinion : il est indispensable que le plan te convienne. »

En ce qui concernait Uzi, la glace était rompue ; il avait retrouvé son assurance, et il prenait le commandement.

Un sourire s'esquissa sur les lèvres figées d'Aharon. Il s'assit à la table, prit son menton dans ses mains et fixa sur moi, à travers les fentes de ses yeux entrouverts, un regard attentif.

« Le plan de Hans comporte effectivement quelques erreurs de tactique, dis-je. Meir et moi, nous constituons la force d'attaque. Mais le reste de l'équipe, la force de soutien, sera beaucoup trop éloigné. Pendant l'enlèvement, une fois qu'Eichmann sera entre nos mains, il faut que vous puissiez nous rejoindre. Or il ne me paraît pas du tout certain que vous ayez l'initiative.

— Que veux-tu dire par là ? s'enquit Aharon, le visage toujours immobile.

— Le terrain imposera ses conditions. Imaginez, par exemple, qu'une voiture s'arrête en face de vous et obstrue votre champ de vision : qu'arriverait-il si vous

vous trouviez dans l'impossibilité de bouger pendant que je tiendrais Eichmann ?

— Vous pourriez vous cacher dans le fossé au bord de la route. »

Hans avait pris son ton le plus officiel pour me parler.

Uzi le fit taire.

« Laisse-le finir. Jc veux entendre le plan de Peter de A à Z.

— Je veux pouvoir partir aussitôt après avoir capturé Eichmann. On ne joue pas à cache-cache. Or, de nuit, vous risquez d'être éblouis à un moment critique, par les voitures qui roulent en sens inverse sur la nationale. Vous ne sauriez même pas si j'ai maîtrisé Eichmann ou non. Ce serait un beau fiasco si un citoyen trop zélé, nous voyant, Meir et moi, prêts à bondir sur Eichmann, appelait les voisins et la police... Inutile que vous rappliquiez à ce moment-là — autant se jeter dans la gueule du loup...

— Tout plan comporte des risques, intervint Hans. L'essentiel, c'est de bien les calculer... »

Je poursuivis, comme si je ne l'avais pas entendu : « Nous aurons vingt sencondes tout au plus pour effectuer l'enlèvement. Chacun de nous aura une fonction à remplir : les rouages doivent être bien huilés. Il faudra maintenir un contact visuel ; nous devrons aussi rester à proximité les uns des autres. A chaque stade de l'opération. Cela nous évitera de recourir à un système de communication par radio ou par signaux lumineux.

« La voiture de fuite attendra au point A, dans la rue Garibaldi, ou plutôt sur le chemin de droite, celui qui mène à la maison d'Eichmann : à quarante mètres du croisement avec la nationale, et à cent vingt mètres environ de sa maison. Hans sera au volant, avec Uzi à ses côtés. Nous ferons comme si nous avions eu un problème mécanique, et le capot de la voiture sera levé. Meir se placera dehors, près du siège d'Uzi, et fera semblant de tripoter le moteur.

« Quant à moi, je me tiendrai sur le chemin, face à l'avant de la voiture. Je ferai également semblant de réparer le moteur, mais je surveillerai d'un œil l'arrêt d'autobus. Comme ça, je ne perdrai pas de vue Eichmann, du moment où il descendra du bus jusqu'à celui de notre rencontre.

« Eichmann ne doit pas pouvoir établir un quelconque rapport entre la voiture arrêtée dans l'obscurité et moi-même. Je l'intercepterai lorsqu'il sera à une dizaine de pas de la voiture. »

Hans eut un sourire malveillant : « Eichmann flairera le piège ! Dès qu'il posera les yeux sur la voiture, il prendra ses jambes à son cou !

— Laisse-le donc finir, dit Uzi à Hans, d'un ton péremptoire.

— Eichmann remontera le chemin exactement comme je l'ai prévu. Il se dirigera droit sur sa maison. Essayez de bien comprendre la situation : n'importe qui agirait ainsi. Où peut-il s'enfuir ? Un homme qui rentre le soir de son travail, même s'il s'appelle Eichmann, où peut-il aller ? Il n'a plus que quelques mètres à faire, et il est chez lui. Supposons que la voiture lui paraisse suspecte. Va-t-il courir vers la nationale, où il n'a personne à qui demander du secours, sinon des automobilistes indifférents qui passent en trombe, ou préférera-t-il courir le risque d'essayer d'atteindre un endroit sûr, c'est-à-dire son propre foyer ? »

J'étais sûr qu'Eichmann se conduirait ainsi. En tant qu'officier nazi bien discipliné, sa fierté ne lui permettrait pas d'éviter l'affrontement. Hans n'ayant rien à ajouter,je continuai :

« La deuxième voiture attendra au point B. L'endroit que tu as marqué sur la route, Hans. Son rôle, ce sera de protéger la première, qui transportera Eichmann. Aharon sera au volant, et le docteur à l'arrière avec Jack. Du point B, Aharon pourra apercevoir ta voiture, Hans, dès qu'elle se mettra en route, parce qu'une voiture, c'est un objet autrement plus gros qu'un groupe de deux personnes, comme Meir et moi. »

Hans n'en démordait pas : « Et si Aharon est ébloui — ton idée fixe, tu te souviens ?

— Le risque sera pratiquement nul. Pour le moment, je n'ai donné que la disposition statique du plan. Avant l'apparition d'Eichmann. Dès qu'Eichmann descend du bus, notre machine se met en branle : je commence à marcher vers lui, naturellement, comme un simple passant, et Meir fait le tour de la voiture par-derrière, pour prendre ma place au-devant. A la seconde où je saute sur Eichmann, Meir se précipite pour m'aider à le pousser dans la voiture. Uzi passe sur le siège arrière, ouvre la portière gauche et nous flanquons Eichmann par terre, entre la banquette arrière et les sièges avant. Et nous partons à fond de train.

« La voiture d'Aharon nous doublera et nous protégera au cas où il y aurait une barrière de police ou tout autre obstacle. Si Aharon était ébloui, ou si, pour une raison quelconque, il ne pouvait pas démarrer, nous continuerions, conformément au plan, en détachement indépendant. Le gros avantage, c'est que Meir et moi nous n'aurions pas à attendre seuls en maintenant Eichmann, exposés à toute intervention, mais que nous quitterions les lieux immédiatement. »

Il y eut quelques minutes d'un silence tendu. Cette fois, Aharon n'attendit pas Uzi. Il se leva et annonça : « Désolé, Hans, je crois que le plan de Peter est moins risqué, et aussi plus rapide.

— Bravo, Peter. Tu as vraiment trouvé le truc. Ton plan est un modèle du genre », confirma Uzi.

Hans resta de marbre. Intimement convaincu de la justesse de son point de vue, il pinça simplement les lèvres : « Attendez la décision du Vieux », jeta-t-il. Sur quoi il se leva et partit.

Le 10 mai

La dernière réunion devait avoir lieu au café mais, en raison de notre nombre, il avait finalement été décidé que nous nous verrions à la villa de Dani, où nous arrivâmes par petits groupes vers dix heures du matin. Dani avait réussi à se débarrasser du jardinier : il l'avait tout simplement envoyé faire des courses dans le centre de Buenos Aires — à bonne distance.

Nous nous assîmes sur les canapés qui entouraient la table basse du salon : Uzi, Aharon, le docteur Klein, Hector, Dani et moi. Le Vieux prenait ses aises dans un profond fauteuil, son chapeau d'astrakan posé sur ses genoux ; il avait le visage marqué par la fatigue et les yeux rougis par le manque de sommeil. Hans prit position à côté de lui.

« Et la Mercedes ? » tonna soudain le Vieux.

La question brève, tranchante, résonna dans la vaste pièce. Uzi répondit que Meir et Hoffman avaient pu se procurer une boîte de vitesses neuve, et qu'ils étaient en train de la monter.

« Il faut que vous ayez fini ce soir ! » C'était un ordre, et Hans approuva d'un signe de tête.

La phrase qu'Uzi prononça alors fit l'effet d'un coup de tonnerre : « Je propose qu'on reporte l'opération de vingt-quatre heures. »

Il y eut un silence craintif. Le Vieux regarda intensément Uzi, dans l'attente de plus amples explications.

« Les hommes ont besoin de repos, plaida Uzi d'une voix dure, et il faudra essayer la Mercedes encore une fois, ce soir, après la réparation. »

Dani se retira pour préparer le café — en hôte délicat qui ne veut pas s'immiscer dans une dispute familiale. Le docteur suivait avec attention, les yeux écarquillés, apparemment stupéfié par une telle insubordination.

« Très bien, répondit le Vieux, d'une voix sèche et métallique. Mais nous ne pourrons pas retarder l'opération une seconde fois. Demain soir, quoi qu'il arrive, vous entrez en action ! »

Hans ne pipait pas. Aharon le regarda avec un sourire ironique, comme pour dire : « On ne peut pas avoir toujours raison. »

Mais après avoir bu son café, Hans reprit du poil de la bête et voulut parler de notre différend au sujet du plan. Uzi l'en empêcha : « C'est moi qui vais présenter le problème. » Il fit un bref exposé des deux plans. Le Vieux écouta attentivement puis s'adressa à moi :

« Je comprends, Peter, qu'en tant que protagoniste principal, tu préfères ton propre plan. Cependant, ce qui me gêne, c'est qu'Eichmann verra la Mercedes dès qu'il prendra la rue Garibaldi. Cela pourrait le dissuader de rentrer chez lui. Qu'en dis-tu ? »

Je répétai mes arguments de la veille et conclus : « Je suis sûr que n'importe qui s'engagerait quand même dans la rue, et surtout Eichmann. »

Tous les yeux étaient maintenant tournés vers le Vieux et vers moi. Le Chef se leva et fit lentement le tour de la table. Il posa la main sur ma tête, comme pour me bénir : « D'accord. Mais gare à toi si Eichmann est blessé, ou s'il réussit à s'enfuir. Je le veux sain et sauf à Jérusalem. Ce scénario-là, on ne le jouera pas deux fois. »

Le contact de la main du Vieux me transmettait clairement son message : il avait approuvé mon plan, mais son geste n'était pas seulement un signe d'affection ; c'était aussi un avertissement — « tu l'as voulu, tu l'as eu ! ».

L'espace d'un instant, je regrettai mon audace : qui étais-je pour être si sûr de la réaction d'Eichmann ? Qu'est-ce que j'en savais, après tout ? Et s'il avait la frousse et décampait à toute vitesse ? Quel besoin avais-je eu de m'avancer ainsi ?

Je pris rapidement ma résolution : il ne m'échapperait pas. Il tomberait dans mon piège. Je lui sauterais au collet et il serait pris comme dans un étau !

Le Vieux retourna à sa place mais il resta debout. Il passa en revue toute l'équipe. Une étrange collection d'individus, venus tous ensemble en Argentine, d'un pays éloigné, pour une mission unique. Pour une chasse à l'homme.

Il était manifestement ému, et cherchait les mots justes : « L'heure de vérité est arrivée. Justice sera faite. Vous aurez l'immense privilège de pouvoir consigner la date du 11 mai 1960 comme un jour historique. Un jour mémorable, qui attestera la volonté de l'État d'Israël de punir pour leurs crimes passés les assassins du peuple juif, où qu'ils soient ; et qui montrera aussi à tous sa détermination à veiller sur la sécurité des juifs partout dans le monde. Israël ne tolérera pas qu'on mène des juifs à l'abattoir. Six millions d'entre eux ont péri entre les mains des nazis. On ne peut pas les ressusciter, et leur sang ne sera jamais vengé ; mais dans un monde cynique comme celui-ci, qui ferme les yeux sur les forfaits les plus barbares, un monde dans lequel on voit à nouveau les croix gammées fleurir sur les murs, et parfois même sur les tombes des juifs, il faut qu'on sache qu'Israël ne tolère pas de telles choses. Quand vous aurez capturé Adolf Eichmann, le tueur de juifs, vous n'aurez pas seulement réglé quelques comptes avec le passé, vous aurez aussi donné un avertissement aux générations futures ! »

Chaque parole du Vieux retentit avec force dans la

pièce. Jamais je ne l'avais vu si profondément bouleversé. Il nous serra la main à chacun et ajouta : « Bonne chance ! » Il ne pouvait pas prononcer un mot de plus.

Le 11 mai

La pièce destinée à Eichmann était la mieux tenue de la villa. Quelques heures avant le début de l'opération, je vérifiai que tout était à sa place. Parmi les lits qui se trouvaient dans la maison, j'en choisis un très simple, en métal, muni de petites barres incurvées des deux côtés ; j'y attachai une paire de menottes.

Je fis le lit avec une paire de draps et quelques couvertures de laine neuves qu'Hoffman m'avait apportées. Je déposai par-dessus un pyjama rayé et une serviette, ainsi qu'une paire de grosses lunettes noires de motard et un bandeau.

A côté du lit se trouvait une table de nuit marron, sur laquelle étaient placés un broc d'émail blanc, rempli d'eau, et un verre. J'introduisis un nécessaire de toilette dans le tiroir près du lit — en veillant à ce qu'il ne comporte pas de lames de rasoir.

L'unique fenêtre de la pièce, donnant sur l'arrière-cour, était bouchée par une couverture. Les volets étaient fermés. Hoffman apporta un radiateur électrique. On avait mis dans un coin, près de la porte, une chaise de bois assez haute. Bien que la pièce ne fît pas plus de quatre mètres carrés, elle paraissait spacieuse, grâce à son mobilier très sobre. On aurait dit une petite chambre d'hôtel. Lorsqu'elle était verrouillée de l'intérieur, il était impossible d'y pénétrer. Tout était prêt ; l'occupant seul manquait.

Bien que personne n'en parlât, il régnait une atmosphère tendue dans la villa. Chacun s'était levé tôt, et avait fait sa valise pour être prêt à déménager sur-le-champ s'il le fallait.

Les mains adroites de Meir avaient donné une nouvelle jeunesse à la Mercedes. Il avait travaillé tard la veille au soir, dans le garage entièrement calfeutré. A l'aube, il était debout pour aller essayer la voiture avec Uzi. Ils revinrent peu de temps après, souriants : « Comme neuve », dirent-ils.

Nous avions pris nos dispositions pour les dernières rencontres avec le Vieux ; nous savions aussi où le retrouver après l'opération, pour l'informer du déroulement des événements.

Jack, qui d'habitude lisait calmement, ne cessait pas d'aller et de venir. Il avait les nerfs à vif à force d'attendre. Je lui apportai du café.

« Je n'ai pas dormi de la nuit, avoua-t-il. Pour la première fois de ma vie, je me suis souvenu des atrocités de la Seconde Guerre mondiale. Je n'étais qu'un enfant à ce moment-là. J'ai vu les officiers S.S., en chemise brune, traverser Budapest au pas de l'oie. C'était à peine croyable. Eichmann a liquidé la communauté juive hongroise. Et me voici, moi, le petit juif de Budapest, quinze ans après, dans une villa de Buenos Aires, où je vais le rencontrer, en chair et en os. Je suis heureux qu'on m'ait accordé un tel privilège. Mais je n'arrive pas à imaginer que nous allons vivre tous deux sous le même toit.

— Mais cette fois les rôles sont inversés, lui rappelai-je. Et il n'aura pas de chemise brune. Ce sera lui le prisonnier, et toi le gardien. Ce qui change considérablement les choses, tu t'en rendras compte. »

Meir avait troqué son bleu de travail contre un élégant costume, et semblait de joyeuse humeur. C'était un vrai géant, tout en muscles. Je le voyais vérifier, encore et encore, toutes ses réparations, ouvrant et refermant les capots, prêt à effectuer, le cas échéant, d'ultimes réglages.

Le docteur Klein était seul dans le salon et déplaçait distraitement quelques pions sur son échiquier. Sa trousse à pharmacie était posée sur le sol, à ses pieds.

Uzi inspecta la chambre une dernière fois, examina les voitures, les documents et les faux papiers. Vêtu de sa capote napoléonienne, il avait l'air d'un vaillant petit commandant passant en revue ses troupes avant un combat décisif : « Alors, Peter, à quoi penses-tu ? » A maintes reprises, il me demanda : « Tu es sûr d'être prêt ? »

— Demain, lui dis-je, à cette heure-ci, tout ce remue-ménage sera terminé. Nous avons fait tout notre possible. A moins d'une intervention divine, ou d'une défaillance de ces satanées bagnoles, tout ira comme sur des roulettes. »

Il testa ainsi chaque membre de l'équipe, et alla se reposer sur une chaise longue, dans la véranda, qui allait devenir son perchoir favori pendant les dix jours suivants.

Plus qu'une demi-heure. Dans trente minutes, j'allais entrer dans la voiture qui me mènerait rue Garibaldi. J'étais allongé sur mon lit étroit, et j'essayais de me détendre, de tout oublier, même les discussions et les conflits qui m'avaient opposé à Hans. Je ne lui en voulais pas. C'était un membre de l'équipe et, tout comme moi, il tenait à ce que nous réussissions... à condition que ce soit grâce à lui. Je tentai de penser à autre chose ; des souvenirs de Tel-Aviv, ma mère à son balcon, ma dernière soirée en compagnie de Gila. Rien n'y faisait. La seule image qui parvenait à s'imposer à mon esprit, c'était celle de Klement, s'avançant vers moi dans la rue Garibaldi, à San Fernando.

J'allai à la salle de bains, m'aspergeai le visage d'eau froide et examinai mon reflet, pour voir si j'avais changé. A quoi ressemble un kidnappeur, en fait ? Comme je ne paraissais nullement différent, je sortis ma perruque, que je revêtis et peignai méthodiquement, ainsi que je l'avais décidé auparavant. C'était une perruque châtaine, avec de longs cheveux. « Dieu Tout-Puissant, me mènerez-vous à Eichmann ? » Je fis ensuite glisser mes lunettes sous la perruque et je retouchai ma coiffure. Puis j'enfilai ma veste et m'assurai que les moitiés inférieure et supérieure de mon corps avaient bien l'air d'appartenir à une seule et même personne. J'utilisai un petit miroir de poche pour me voir de dos. Rita Hayworth s'y serait trompée.

J'étais prêt. Il ne restait plus qu'à laisser les événements suivre leur cours. Je dévalai les escaliers quatre à quatre. La porte était entrouverte ; ils étaient tous dans la cour et j'allai les rejoindre.

Aharon arrêta doucement la voiture devant mes camarades qui y entrèrent sans mot dire. Ils tournèrent les yeux vers Uzi. Ce dernier fit signe à Hoffman d'ouvrir le portail. Hoffman leva le bras et croisa les doigts. L'équipe lui rendit son salut, et la portière se referma. Les lampes du vestibule étaient éteintes. Hoffman ouvrit le côté droit du portail et sortit vérifier qu'il n'y avait personne dans la rue. Il revint ouvrir en grand et indiqua aux hommes qu'ils pouvaient passer. Ils relevèrent les vitres pour se protéger du froid. Les reflets des phares balayèrent les fenêtres. La voiture noire, frauduleusement immatriculée C.D., franchit majestueusement le portail.

Cette nuit ne ressemblait à aucune des précédentes. Pour la première fois en cinq jours, la pluie avait cessé. Les étoiles brillaient d'un éclat surnaturel. Uzi et moi attendions en silence sur le perron.

Nous nous regardâmes en souriant. J'étendis la main. « Tout ira bien, dis-je. — Je sais », répondit doucement Uzi. Nous marchâmes jusqu'à la voiture qui était arrêtée à gauche de l'entrée. Hans était déjà à la place du conducteur et mettait le moteur en marche.

Meir était bien calé à l'arrière. Je demandai à Hans si tout était prêt. « Aucun problème », dit-il calmement. Meir me fit une place à côté de lui. Uzi s'assit à l'avant. Je me penchai alors vers Meir et lui glissai à l'oreille : « C'est aujourd'hui le grand jour, Meir... tu ne vas pas me laisser tomber, hein !

— Oh, bon Dieu, murmura Meir, laisse-moi seulement mettre la main sur ce salaud, et je te promets qu'il n'y aura plus rien à ramener. » Je ris. « Je veux bien te croire. Mais alors ce sera toi que le Vieux fera traduire en justice. » Cela nous amusa tous deux. Hans prit un air contrarié. Il ne trouvait pas ça drôle du tout. Pour lui, c'était une affaire sérieuse, qu'il ne fallait pas prendre à la légère. Il préparait mentalement les questions qu'il allait poser à Klement... si tout se passait bien

La Mercedes démarra lentement ; seules les lanternes étaient allumées. Hans ne mit les phares que lorsque nous eûmes quitté le voisinage. La Mercedes se faufilait à travers les rues. A l'arrière, les plaques C.D. avaient été artistement maculées de boue pour que les chiffres ne soient pas clairement lisibles. Hoffman, dont le visage poupin était tendu par l'anxiété, avait refermé le portail derrière nous ; il restait là, seul, nerveux et impatient, à attendre notre retour.

Hans tira de sous sa montre une feuille de papier. C'était la liste des signes particuliers d'Eichmann :

1. Une cicatrice de 3 cm de long sous le sourcil gauche.
2. Deux bridges sur la mâchoire supérieure.
3. Une cicatrice de 1 cm de long sur la dixième côte droite (d'après un certificat médical datant de 1937).
4. Un tatouage indiquant son groupe sanguin sous l'aisselle gauche (comme sur tous les officiers S.S.).
5. Mensurations (d'après les documents S.S. extraits de son dossier personnel) :

— taille : 176 cm
— tour de tête : 56 cm
— forme du crâne : allongée et étroite
— couleur de cheveux : blond foncé
— couleur des yeux : bleu gris
— pointure : 42,5

6. N° S.S. : 45326; n° de carte du parti national-socialiste : 889895.

C'était la troisième, et j'espérais la dernière fois, que j'allais rue Garibaldi. Mais cette fois-ci, nous étions tous silencieux dans la voiture. Hans conduisait avec assurance, en homme qui connaissait bien le terrain.

A sept heures vingt, nous atteignîmes l'intersection de la rue Garibaldi et de la nationale 202. La Chrysler était garée à cent mètres de là, tous phares éteints. Hans ralentit et tourna à gauche, vers la rue Garibaldi. Il arrêta la Mercedes sur le côté droit, à cinquante mètres du carrefour. De là, nous pouvions nettement distinguer la Chrysler, qu'effleurait par moments la lueur des phares.

Il avait été convenu au préalable que nous nous ferions de brefs signaux lumineux, pour que chaque voiture puisse repérer l'autre.

Il n'y avait personne. Je sortis de la voiture, étirai mes jambes et levai le capot, comme si je recherchais la cause d'une quelconque anomalie mécanique. Meir s'assit à l'avant; il était entièrement dissimulé par le capot. De toute façon, les vitres étaient pleines de buée, tant il faisait froid au-dehors, de sorte que l'intérieur de la voiture était pratiquement invisible. Uzi était à l'arrière, et Hans s'était glissé aussi bas que possible derrière le volant.

« Qu'il arrive le plus vite possible... » Je priai, comme jamais je n'avais prié. Mes yeux étaient rivés sur l'arrêt d'autobus. J'entendais le moindre bruissement de feuille.

Au bout de dix minutes, à l'heure où l'autobus d'Eichmann arrivait habituellement, un cycliste venant de la nationale s'engagea dans la rue Garibaldi. Il s'arrêta à ma hauteur, alors que j'étais en train de regarder sous le capot. Un garçon d'une vingtaine d'années. Meir et moi, nous fourragions dans le moteur, l'air fort absorbé.

Il nous interpella en espagnol, et nous offrit son aide. J'étais extrêmement ennuyé. Il fallait se débarrasser de ce gamin avant l'arrivée de l'autobus. Ce cycliste trop prévenant allait peut-être tout gâcher. Je lui fis un gentil sourire, et j'essayai de lui expliquer que nous avions déjà trouvé l'origine de la panne, et que nous n'avions pas besoin de son aide si généreusement offerte. Pour appuyer mes dires, j'abaissai le capot et le caressai avec toutes sortes de démonstrations. Nous poussâmes un soupir de soulagement lorsqu'il s'éloigna, sans se retourner, vers le quartier d'Eichmann.

De longues minutes passèrent. Je jetai un coup d'œil à ma montre : il était huit heures moins le quart. L'autobus aurait dû être là depuis plus de dix minutes. Et rien n'annonçait son arrivée. J'entendis soudain Hans qui chuchotait à l'intérieur de la voiture : « On a peut-être loupé le bus ! Est-il possible qu'il soit passé avant nous ?

— Il faut que nous attendions le suivant », répondis-je.

Je regardai la maison d'Eichmann. Il n'y avait qu'une faible lumière. Je me souvenais très bien que, le premier soir, j'avais remarqué que la maison s'éclairait davantage quand il rentrait. Je tins bon et dis à Hans : « Il n'est pas encore chez lui. Attendons le prochain autobus. »

Les phares, bien reconnaissables, du vieux bus crevèrent enfin l'obscurité. Nous soupirâmes silencieusement, tendus comme des arcs. Nous vîmes alors se détacher la silhouette désormais familière d'Eichmann.

L'autobus semblait prolonger inutilement son arrêt. Les phares des voitures qui sillonnaient la 202 m'empêchaient de bien voir Eichmann pendant qu'il traversait la route en direction du kiosque.

Il atteignit enfin celui-ci — rien d'autre qu'un terrain vague ne le séparait désormais de sa maison. Allait-il prendre un raccourci et couper à travers le champ boueux, ou s'engagerait-il dans la rue Garibaldi ? Pendant ces quelques instants, je me préparai à foncer dans le champ pour lui bloquer la route. Mais cela aurait compliqué les choses. Eichmann aurait interprété mon mouvement comme une menace. Puis je le vis prendre la rue Garibaldi et je sus que notre rencontre était inéluctable.

A partir de ce moment-là, je me mis à agir machinalement. Tout mon esprit, toute ma force physique, toute ma volonté se tendirent vers cet homme qui s'avançait dans ma direction. Je comptai les secondes, une à une. Tout semblait aller si lentement...

Pas un instant je ne pus oublier le froid mordant. Le vent me fouettait sauvagement le visage. Eichmann semblait enfoui sous son manteau. Sa tête était protégée par son col relevé; son corps était légèrement incliné.

A ma gauche, la voiture noire où mes camarades attendaient, immobiles. Derrière Eichmann, la route. Et derrière moi, la maison d'Eichmann. Qu'il voyait maintenant pour la dernière fois...

Nous nous retrouvâmes face à face, comme dans un film muet. Je bondis et lui fis une clef au cou. Nous roulâmes tous deux dans le fossé, sur le bas-côté. « Tirons-nous vite d'ici », me dis-je. Pas une seconde je ne desserrai mon étreinte. Eichmann suffoquait, comme un animal pris au piège. Je le hissai sur mon épaule, comme un sac de sable. Je le sentais qui essayait de libérer son cou de ma prise, et je l'empoignai encore plus fort. Mes doigts étaient durs comme de l'acier. Tu ne m'échapperas jamais, jamais! Tu es fichu. Je grimpai sur le talus boueux, en le traînant avec moi, vacillant dangereusement. Dans un dernier effort, je parvins à le glisser par la portière ouverte de la Mercedes. Meir lui prit les jambes pour m'aider à le pousser dans la voiture. Hans emballa le moteur. Uzi, assis près de la portière, saisit à son tour les pieds d'Eichmann et le tira à l'intérieur de la Mercedes, puis l'allongea sur le sol. Je rentrai dans la voiture après Eichmann, sans lâcher son cou et sans cesser de le bâillonner. Meir referma la portière et courut prendre place aux côtés de Hans. La voiture démarra en trombe.

Eichmann était immobile ; il avait les jambes coincées par les genoux d'Uzi, et la tête posée sur les miens. Il ne fit aucune tentative pour bouger. Pendant que nous roulions, Meir se leva de son siège et mit une couverture sur lui pour le cacher.

Hans, qui maniait adroitement le volant, dit, dans un allemand parfait, en articulant chaque mot, sans détacher les yeux de la route : « Si vous proférez le moindre son, vous êtes un homme mort ! » Eichmann fit un signe d'assentiment.

Cinq minutes plus tard, à huit heures tapantes, nous dûmes nous arrêter à la barrière du passage à niveau, qui était abaissée. D'autres voitures attendaient aussi, à côté de nous et derrière nous. Comme d'habitude, il y avait un policier devant la barrière. Il avait fallu que ce train, particulièrement long et lent, choisisse cet instant précis pour franchir le passage à niveau... Au bout de quelques minutes, qui nous semblèrent une éternité, le train disparut enfin.

C'est alors seulement que nous pensâmes à la Chrysler, la voiture de protection qui aurait dû nous doubler et nous ouvrir la route jusqu'à la villa. Elle s'était volatilisée !

Conformément aux ordres formels que nous avions reçus, nous n'ouvrîmes pas la bouche. Pour ma part, j'avais le sentiment que l'essentiel de ma tâche était accompli. J'avais tenu ma promesse. Eichmann était entre nos mains, sain et sauf. Peu à peu, je sentais mon corps se détendre sous l'effet du soulagement et de la joie. Il était là, sur mes genoux, réduit à l'obéissance. C'est alors qu'une pensée me traversa brusquement l'esprit : cette bouche, que ma main continuait à comprimer fermement, cette bouche tiède qui salivait sous mon gant de cuir, avait autrefois décidé du sort de millions de gens. Je fus pris d'une vague nausée.

Le policier releva lentement la barrière et Hans repartit immédiatement vers la villa. Quelques minutes après, nous aperçûmes la Chrysler, conduite par Aharon, qui nous dépassait. Il nous fit un signe pour indiquer que, dorénavant, il roulerait en tête.

Nous sûmes plus tard qu'Aharon et ses compagnons avaient été éblouis par les phares des voitures d'en face au moment précis où j'avais saisi Eichmann. Ils ne nous avaient pas vus partir dans la Mercedes, ce qui, incidemment, prouvait la justesse de mes arguments. Mes prévisions avaient été confirmées, et j'en étais particulièrement satisfait : Eichmann n'avait pas tourné les talons en voyant la Mercedes, il avait au contraire marché droit vers l'embuscade.

Au bout d'une heure de route, nous nous engouffrions dans la villa. Nous allâmes directement au garage, et Hoffman s'empressa de refermer le portail derrière nous. Uzi banda les yeux d'Eichmann avec un foulard noir. J'ôtai ma main de sa bouche et retirai mes gants. Notre prisonnier, encadré par Uzi et moi-même, fut conduit à sa chambre.

Hoffman, le docteur Klein, Jack, Aharon et Meir étaient dans le salon, et observaient Eichmann avec curiosité. Ils étaient rouges d'excitation, et, sans un mot, nous tapaient sur l'épaule et nous serraient les mains. Nous déposâmes Eichmann tout habillé sur son lit. Je fermai la porte. Hans était debout au pied du lit ; il commença à l'interroger en allemand.

« Comment vous appelez-vous ? demanda-t-il d'un ton tranchant et autoritaire.

— Klement, Ricardo Klement », dit l'homme allongé sur le lit de fer, d'une voix tremblante ; il était encore hors d'haleine. Puis il poussa quelques gémissements et finit par émettre des gargouillements bizarres qui provenaient du fond de sa gorge endolorie.

« Comment vous appelez-vous ? répéta Hans, d'un ton monocorde.

— Ricardo Klement », persista Eichmann.

Hans me fit un geste de la main, et je le forçai à se mettre debout. Je lui enlevai son léger imperméable, puis sa veste, sa cravate et sa chemise. Il était planté là, au milieu de la pièce, en tricot de corps et en pantalon, indifférent. Je relevai le tricot de corps pour dénuder sa poitrine. Nous l'examinâmes en silence, à la recherche de ses signes particuliers. Nous découvrîmes une cicatrice sous son aisselle. Il avait manifestement tout fait pour effacer le tatouage qui indiquait son groupe sanguin, et qui datait de son incorporation dans la S.S. Toutes les autres marques, cicatrices et blessures mentionnées sur la liste de Hans étaient là.

Comme toutes les caractéristiques physiques que nous relevions correspondaient à nos informations, nous n'eûmes bientôt plus aucun doute sur son identité. Notre prisonnier était bien Adolf Eichmann !

Nous lui ordonnâmes d'ouvrir la bouche pour jeter un coup d'œil sur sa dentition. Il avait de fausses dents, ce qui ne nous renseigna guère. Il me confia plus tard que lorsque je l'avais saisi par le cou et par la bouche, son appareillage s'étaient déchaussé et avait failli l'étouffer. C'était une éventualité à laquelle je n'avais pas pensé, en dépit de toutes mes prévisions.

Eichmann avait la tête courbée, comme s'il était devant un tribunal qui allait prononcer sa sentence.

« Vos numéros dans la S.S., lui dit Hans, étaient le 63752 et le 45326, n'est-ce pas ? »

Eichmann mit quelques secondes à se décider. S'il répondait maintenant par l'affirmative, il ne pourrait plus nier son identité.

« *Jawohl* », dit-il brusquement, d'une voix forte et claire, en homme qui avait fait son choix. « C'étaient mes numéros de S.S.

— Et quel était votre numéro au parti national-socialiste ? »

Eichmann s'en souvenait également : « 889895. Je m'appelle Adolf Eichmann. »

Cette fois, une vive émotion nous envahit. Nous avions entendu son nom tomber distinctement de ses propres lèvres. Dans quelques heures, le Vieux pourrait envoyer un message codé au Premier ministre israélien.

« Et qui sommes-nous, d'après vous ?

— Je suis entre les mains des Israéliens. Vous êtes israéliens. J'ai toujours su que ce moment viendrait. Ça fait quinze ans que je m'y prépare. »

Hans et Aharon s'en allèrent faire leur rapport au Vieux, pour lui donner les nouvelles qu'il devait attendre avec impatience depuis plusieurs heures.

Uzi déshabilla entièrement Eichmann et le fit asseoir sur le lit. Le docteur Klein entra pour lui faire subir un examen complet. Il le trouva en bonne santé. Uzi et moi, nous lui enfilâmes le pyjama rayé et nous détachâmes son bandeau. N'osant pas ouvrir les yeux sans en avoir reçu la permission, il restait là, paupières baissées, obéissant et discipliné comme un soldat.

Nous lui bandâmes à nouveau les yeux, avec un turban noir préparé à cet effet. J'enfermai sa cheville dans l'anneau attaché au cadre du lit.

Je gardai l'œil sur lui, tout en fouillant les poches de son imperméable. Il n'avait pas de papiers. Quant à l'objet que m'avait signalé Hans, avant que je ne lui saute dessus, c'était tout simplement une lampe de poche.

Eichmann était allongé sur le dos, les yeux bandés, les lèvres pincées comme s'il gardait quelque ténébreux secret. Ses bras pendaient mollement le long du lit.

Six heures s'étaient écoulées depuis que nous avions capturé Adolf Eichmann, et que nous l'avions amené dans cette pièce. J'étais assis à l'autre bout de la chambre, et je ne pouvais pas détacher mon regard de mon prisonnier.

Son corps restait immobile, mais les lignes de son visage trahissaient une certaine agitation : il semblait essayer de dominer quelque chose de plus fort que lui-même. On aurait pu croire qu'il dialoguait silencieusement avec Satan. Un échange de vues entre deux suppôts du Mal, entre deux partenaires qui avaient longtemps collaboré.

Des convulsions de peur tordaient ses lèvres. Il n'était plus le maître de millions de gens, sur lesquels il avait droit de vie ou de mort, mais un prisonnier sans défense, enchaîné à son lit métallique, qui n'avait plus grand-chose à espérer. La crainte, ou la soumission résignée, laissaient parfois la place à la rage et au dégoût, comme s'il maudissait sa propre stupidité de n'avoir pas remarqué la voiture, et d'avoir continué à avancer sans méfiance.

C'était moins éprouvant de regarder l'ombre d'Eichmann sur le mur, plutôt que l'homme lui-même. J'avais du mal à croire qu'il était vraiment là, sous mes yeux, en personne. On nous avait interdit de lui parler. En fait, une telle perspective m'effrayait, mais je ne pouvais pas m'empêcher de penser que j'étais venu d'Israël pour attraper ce salopard. Qu'as-tu donc à offrir ? Et peut-on seulement te faire payer ? Je ne pouvais pas me contenir plus longtemps, et, bien que le son de ma propre voix me fît frissonner, je m'entendis prononcer : « Klement ! » (Il me fut impossible au début de l'appeler autrement que par son nom d'emprunt.) « Klement... » répétai-je. L'ombre se tourna vers moi.

« *Jawohl, mein Herr* », répondit-il, de son ton d'officier. Il n'avait pas oublié. Comme autrefois. Mais il y avait de la peur dans la voix qui me répondait. J'hésitai à poursuivre. Dans sa bouche, la langue de Goethe et de Schiller rendait un son sinistre. Cette langue, qui avait été le symbole de la plus haute culture, avait été souillée par des barbares, des fabricants de mort.

Le vent mugissait lugubrement au-dehors. Un coup de tonnerre parut éclater au-dessus de la maison, et dans l'éclair qui l'accompagna, je vis Uzi, seul sur la véranda, qui contemplait l'orage. Des trombes d'eau se déversaient, comme pour noyer la terre sous un nouveau déluge. Une profonde mélancolie s'empara de moi. Il me semblait que nous étions en procès avec le ciel. J'étais en plein désarroi.

Tout à coup, j'entendis à nouveau le son de ma voix. Elle était haut perchée, étrangère. Je m'adressais à l'ombre d'Eichmann sur le mur.

« Je m'appelle Peter. » Je pouvais maintenant nommer mon émotion : c'était de la colère.

« *Ich weiss,* je sais. Vous êtes l'homme qui m'a attrapé, dit sèchement Eichmann.

— Comment le savez-vous ?

— Votre voix. Je la reconnais. Vous m'avez parlé juste avant...

— *Un momentito, señor...*

— *Ja,* c'est bien cette voix. » Eichmann était apeuré. « Vous êtes un soldat ?

— Oui, je suis un soldat et un Israélien. Je suis un juif. Vous m'entendez, Eichmann ? »

La tête de l'ombre s'agita, dans un mouvement de rage contrôlée, comme s'il n'arrivait pas à en croire ses oreilles.

« M'expliquerez-vous quelque chose — rien qu'une chose... Pourquoi ? Pourquoi avez-vous fait ça ? » J'essayai de garder mon sang-froid.

« *Ich weiss nicht,* je ne sais pas. »

Je le vis prendre sa tête dans ses mains, comme s'il tentait de se souvenir, et en même temps de chasser le son de ma voix.

« Vous ne savez pas ? Comment ça vous ne savez pas ? Dites quelque chose ! N'importe quoi !

— *Ich weiss nicht. Ich weiss nicht...* »

Je dus serrer les poings, pour ne pas me précipiter sur lui. « Des hommes, des femmes et des enfants exterminés, des camps de concentration, des chambres à gaz, des convois interminables... et vous ne savez pas ? C'est une plaisanterie peut-être ?

— *Ich weiss nicht.* Je ne sais pas.

— Oh... mais vous n'avez sûrement pas oublié les mères, les pères, les enfants !

— *Nein, ich liebe Kinder.*

— Vous aimez les enfants ? Tu aimes les enfants ? Ah non, ne me dis pas ça. » Je faisais maintenant les cent pas, j'étais en fureur. « Ou alors seulement quelques-uns. Ça n'est pas pareil. Il y en a des blonds, et il y a des bruns — c'est ça ? » J'attendais sa réponse.

« *Nein, ich liebe alle Kinder.* J'aime tous les enfants.

— Vraiment ? Et les larmes, tu ne t'en souviens pas ? Rappelle-toi, un enfant qu'on laisse, seul, et qui voit sa mère malmenée par la Gestapo, par tes soldats. Elle crie : *Shma Yisraël...* Tu t'en souviens peut-être ? Et ce n'est qu'un enfant. Il cherche de l'aide, il se tourne vers le ciel. Il joint ses mains d'enfant pour prier, en pleurant ses parents perdus. »

Eichmann, en allemand, soucieux : « *Ich verstehe nicht.*

— Alors, tu n'as rien à dire ? Ils ne se reverront jamais, n'est-ce pas ? Alors ? »

Eichmann secouait lentement la tête, de droite à

gauche, et murmurait avec inquiétude : « Je ne comprends pas.

— Quoi ? Qu'est-ce que tu ne comprends pas ? » Un autre coup de tonnerre gronda, suivi d'un éclair. Il joignit les mains, effaré, comme s'il tentait de localiser le bruit qu'il avait entendu dans son obscurité.

« *Ach, mein Gott...*

— Non, pas toi ! Tu n'as pas le droit d'invoquer Dieu. Comment oses-tu prononcer le nom de Dieu !... Tu te souviens des trains ? Des trains, c'est ça que tu voulais. Tu les organisais. Tu étais un expert en la matière. Tu ne te rappelles pas ?

— *Nein, nein.*

— Tu ne te souviens pas de ces trains ? Tu disais que tu en avais besoin. Pour quoi faire ? Pour les camps ?

— *Ja, ja.*

— Pour les camps d'extermination ! Non ? Tu travaillais pour le Führer. Et il y avait aussi des camions, n'est-ce pas ? Quand tu n'avais plus assez de trains, tu prenais des fourgons à bestiaux, c'est bien ça ? C'est toi qui les réquisitionnais. Tu te souviens des trains ? C'étaient des trains très longs. Et toi ? Tu ne leur disais pas, aux jeunes et aux vieux, qu'ils allaient mourir. Tu les entassais dans les trains et tu leur disais qu'on les emmenait vers de nouveaux foyers. »

Eichmann : « *Ich...*

— Tu ne savais pas où tu les envoyais, c'est ça ? Soyez heureux, leur disais-tu, dansez, car vous allez avoir de nouveaux foyers. La danse des camps, hein ? Et toutes ces fleurs que tu as fait mettre. Pour qu'ils ne remarquent pas les cheminées qui fumaient. Allez, plus vite, leur disais-tu, dépêchez-vous. Pourquoi ? Les faibles tombaient le long de la route, avec les enfants. »

Eichmann : « *Nein, nein. Ach, mein Gott !*

— Ce n'était pas toi, ni moi. C'était Mengele. C'était Mengele. Oui, tu le connais, Mengele. Tu te souviens de lui ? De son index, qu'il pointait sans cesse, à gauche, à droite. A gauche : la mort ; à droite : les travaux forcés.

C'est-à-dire la mort, mais pour un peu plus tard. Tu te souviens ? Tu te souviens, Klement ? »

Eichmann se mit à pleurer.

« Mon Dieu, il pleure. Qui le croirait. Klement pleure...

— *Nein, nein,* ce n'était pas moi.

— Le croiriez-vous ? Le croiriez-vous ? C'est lui qui est allongé sur ce lit. » Je ne pouvais pas écouter un mot de plus. C'était intolérable. Il fallait que je sorte de cette pièce, et vite.

« Je vais le tuer », marmonnai-je, et je me ruai tête baissée vers le couloir. C'en était trop. Je sortis de la villa ; la pluie ruissela sur mon visage. Je marchai dans l'orage, abasourdi. Un homme qui avait su organiser un génocide avec tant d'efficacité... Tant de morts, tant de trains, et il disait qu'il ne savait pas. Et il avait l'air sincère ! Et il invoquait Dieu ! « Il invoque Dieu ! » sanglotai-je. Peu importait qu'on m'entende. (Je vis Meir me regarder. Ce n'était pas lui qui allait me blâmer.) Le salaud ! Sa présence souillerait la terre d'Israël. Il n'était pas digne de passer en jugement à Jérusalem. Même pas digne de mourir. Qu'allais-je dire à ma mère ? Lui annoncerais-je que j'étais l'un de ceux qui avaient capturé Eichmann ? Quelle farce ! Pourquoi ne l'avais-je pas tué ? Elle me poserait la question, tout naturellement. Oh ! et il est trop tard, beaucoup trop tard.

J'étreignis le mur. Je voulais sentir le vent sur mon visage. Cette chambre exhalait l'amertume et le désespoir. Il ne saurait jamais pourquoi. Il n'y aurait rien à faire. Même à Jérusalem, avec les meilleurs juristes, les témoins les plus cohérents, les juges les plus sages — comment pourrait-on l'obliger à répondre de six millions de tourments ? Six millions de morts atroces. Des enfants juifs, des femmes, des vieillards et des nourrissons. Quelle expiation ? Quelle réponse possible ? Dieu lui-même n'en aurait aucune à donner.

J'étais trempé ; la pluie et le vent m'enivraient d'une

joie sauvage. Debout, la face collée au mur, je pensais à la vanité de tout cela. Je regardai la maison plongée dans l'obscurité, avec ses fenêtres aveugles. Une maison morte, dont nous étions les habitants.

Meir me dit : « Est-ce que tu l'as laissé seul dans la pièce ?

— Non. Uzi est avec lui.

— Et tu es sorti.

— Je suis sorti. Il fallait que je parte.

— Sinon tu l'aurais tué...

— Je ne sais pas ce que je... pas le tuer, non... Je voulais... le déchiqueter. Pas à cause de ce qu'il a fait, mais parce qu'il a dit qu'il ne savait pas. Après tout ça, il a dit qu'il ne savait pas ! »

Le 12 mai

Ce n'était pas un jour comme les autres.

L'atmosphère était différente. La présence d'Eichmann dans la villa engendrait une certaine tension. Chacun d'entre nous avait le sentiment d'avoir contribué au succès de l'opération. Certes, il restait encore à rentrer à Jérusalem, mais le plus dur était passé.

Il y avait de l'allégresse dans l'air. Les visages étaient plus détendus. Nous avions plus souvent le sourire aux lèvres, et nous étions plus prévenants les uns envers les autres.

Jack Hector, qui parlait couramment le castillan, nous lisait les journaux du matin qu'Hoffman se hâtait de nous rapporter. Il écoutait aussi la radio de Buenos Aires. Dans les jours qui suivirent, ce fut une tâche supplémentaire qui lui incomba : se tenir au courant des nouvelles, pour que nous sachions si la disparition d'Eichmann avait été signalée, et si la famille ou les autorités avaient pris des mesures pour le rechercher.

« Pas de nouvelles, bonnes nouvelles », assurait Jack à Uzi, qui lui demandait fréquemment ce que disait la radio.

Nous nous interrogions parfois sur la façon dont cette information avait été reçue en Israël : quelle avait été la réaction du Premier ministre et de ses intimes lorsqu'ils avaient lu le télégramme secret du Vieux :

« Eichmann entre nos mains » ? Un secret qui devait être précieusement gardé jusqu'à son arrivée en Israël.

Hans revint tôt le matin, pour nous transmettre la bénédiction du Vieux. Il avait meilleure mine, et paraissait plus heureux.

Je m'enfermai avec lui, en compagnie d'Eichmann, pendant trois heures. Eichmann refusait toute nourriture et toute boisson, et il évitait, autant qu'il lui était possible, de répondre à nos questions. Lorsque je lui proposai de l'amener aux toilettes, il refusa de sortir de son lit. Il commençait seulement à comprendre sa nouvelle situation. De temps à autre, un tremblement lui parcourait le corps. Son visage était secoué de tics. Quand la pièce était plongée dans un silence total, je le voyais s'efforcer de capter le moindre son ou le moindre mouvement significatif, comme un aveugle. Il essayait de deviner où il était. Qu'est-ce qu'un homme comme lui pouvait bien espérer, je me le demandais. De l'aide ? Un interrogatoire différent ? L'exécution ? Nul ne pouvait savoir ce qu'il ruminait dans sa tête. Pas plus maintenant qu'autrefois.

La voix neutre et métallique de Hans lançait sans relâche un flot de questions. C'était un enquêteur expérimenté. Eichmann tressaillait sur son lit de fer. Il écoutait très attentivement les questions. Avant de répondre, il prenait le temps de réfléchir longuement. Ses réponses étaient brèves : oui et non.

Les questions de Hans portaient sur un sujet bien précis, conformément aux instructions du Vieux :

« Savez-vous où habite Mengele ?

— Non.

— Avez-vous eu des contacts avec Mengele ?

— Non.

— Est-il en Argentine ?

— Je n'en sais rien.

— Est-il en Amérique du Sud ?

— Je n'en ai aucune idée.

— Savez-vous où se trouve Martin Bormann (le second de Hitler) ?

— Non !

— Vous ne voulez pas répondre ? Vous pouvez me le dire, à moi. Ils ne peuvent pas vous faire de mal. Vous n'avez pas à vous inquiéter. Mais vous pouvez partager votre responsabilité avec eux. Nous savons que vous n'étiez pas le seul. » Hans se montrait doux et persuasif.

« Ils m'ont laissé tomber, dit-il avec colère. Je n'ai aucun lien avec eux. Je ne sais absolument pas où ils habitent.

— Tout de même, ils vous ont aidé à atteindre l'Argentine, et à obtenir ces faux papiers, monsieur Klement !

— C'était il y a longtemps, à la fin de la guerre, et, après ça, chacun est parti de son côté.

— Voulez-vous boire quelque chose ?

— Non.

— Voulez-vous que nous aidions votre famille ? »

A cette question, Eichmann hésita longuement. « Ma pauvre femme... soupira cet affectueux époux. Que va-t-elle penser ? Où va-t-elle s'imaginer que je suis parti ?

— Nous n'en avons pas encore terminé avec vos camarades de la S.S. Que fera votre femme, d'après vous, lorsqu'elle se rendra compte que vous avez disparu ?

— Rien. Elle ne comprendra pas.

— Et vos fils aînés ?

— Ils penseront que quelque chose m'est arrivé, un accident, ou bien que je suis à l'hôpital.

— Pensez-vous qu'ils iront à la police ?

— Je ne sais pas. Je ne crois pas. Ils attendront un message de ma part.

— Est-ce qu'ils sont en rapport avec le parti néo-nazi argentin ?

— Nous sommes des Allemands. Et ils fréquentent des Allemands.

— Vous chercheront-ils par eux-mêmes, sans l'aide de la police ?

— Oui, je crois. Ils seront très inquiets.

— Que feront-ils ?

— Je n'y ai jamais pensé. Je n'en sais pas plus que vous. Ils iront voir à mon travail. Ils questionneront certainement le conducteur de l'autobus, mais j'ignore s'ils demanderont l'aide dcs autorités.

— Voici une déclaration, continua Hans, en tirant de sa poche une feuille de papier.

— Je ne vois pas... dit Eichmann. Est-ce que vous allez me tuer ? » Il trembla de tout son corps.

« Absolument pas. C'est une déclaration que vous devez signer, stipulant que vous consentez à être traduit en justice en Israël. »

Il y eut un long silence.

« En Israël ? demanda-t-il, lentement, avec incrédulité, d'une voix étranglée par la peur. **ISRAËL ?**

— Mais qu'avez-vous à craindre en Israël ? Vous êtes allé en Palestine en 1937, n'est-ce pas, pour étudier la question juive ? »

Eichmann répondit d'un ton hésitant : « Je suis prêt à passer en jugement... en Allemagne ! Là-bas, au moins, je comprends la langue.

— Il y a encore en Palestine pas mal de juifs qui parlent l'allemand. Ils traduiront pour vous chaque mot du procès...

— Il faut que je réfléchisse. Je ne peux pas m'imaginer devant un tribunal en Israël. Mais en Allemagne ou en Argentine, je suis prêt à être jugé immédiatement. Ma famille pourra assister au procès.

— Je laisse cette déclaration sur la table. Je vous suggère de la lire. Je reviendrai demain.

— Je ne peux pas lire. J'ai perdu mes lunettes pendant l'enlèvement. »

C'était la première fois qu'il en parlait. Je n'avais rien su de ses fausses dents, et j'avais complètement oublié ses lunettes. Où pouvaient-elles être, ces lunettes ? Sans aucun doute, dans le fossé où nous avions roulé ensemble.

« Nous vous achèterons des lunettes, reprit Hans. Donnez-nous les références pour les verres, il n'y aura aucun problème. »

En quittant la pièce, Hans me glissa : « Surveille-le. Il pourrait tenter de se supprimer. »

Cet entretien avait rendu Eichmann extrêmement nerveux. J'étais assis sur la chaise et je le regardais, mais j'étais plongé dans mes propres réflexions. Je tâchais de pénétrer ses pensées. Était-il capable de se suicider ? Je scrutai la chambre, le lit, la petite table ; il n'y avait aucun moyen de le faire. Il fallait toutefois rester vigilant : en tant qu'officier S.S., Eichmann avait fait disparaître un certain nombre d'individus, et il pouvait trouver un stratagème pour mettre fin à ses jours. Ne savait-il pas, mieux que personne, que ce serait la solution la plus simple ?

J'avais pris la décision de rester dans la chambre, pendant les premiers jours de la détention d'Eichmann, et de le garder sous ma surveillance personnelle nuit et jour. Quand il s'endormait, je demandais à Uzi de me relayer pour deux ou trois heures, afin de prendre un peu de repos.

Dans la pièce, on n'entendait guère que les craquements du lit, et les étranges sons gutturaux qu'émettait parfois Eichmann, lorsqu'il était particulièrement anxieux.

J'observais attentivement ses traits. Je voulais le dessiner, et, comme je n'avais pas de papier, j'utilisai mon guide de l'Amérique du Sud en guise de carnet à croquis. J'avais apporté ce coûteux volume de Paris, afin de me familiariser un peu avec les statistiques argentines. Pendant les longues journées qui suivirent, je le couvris de portraits.

Je me limitai d'abord au visage, et à lui seul. Peu à

peu, le dessin prenait forme : je commençai par la bouche tordue, je continuai avec la moustache, jusqu'aux pommettes légèrement proéminentes, puis j'esquissai les oreilles et le front, qui était assez haut. Je découvris avec stupéfaction que j'avais tracé tout son profil en forme de S. Il ne portait pas ses fausses dents à ce moment-là, de sorte que les proportions de son visage étaient modifiées — plus petites, plus ratatinées. J'ébauchai le menton, puis la ligne du cou, avec sa pomme d'Adam qui saillait nerveusement. D'un trait plus appuyé, je soulignai les pommettes et le menton.

Ce n'était pas mon premier portrait. Rien ne le distinguait particulièrement de tous ceux que j'avais pu faire. Mais pour la première fois, je me demandais, pendant que mon crayon courait sur le papier, ce que cachait le masque.

Je me mis à dessiner le lit, la chambre, Eichmann attaché à son lit de fer. C'était aussi une façon de tuer le temps, qui s'écoulait si lentement. Je n'arrivais pourtant pas à oublier un détail qui me tracassait : les lunettes d'Eichmann, perdues pendant l'enlèvement. Mon erreur était là, je le savais. J'aurais dû penser à ces lunettes, d'autant plus que je connaissais leur existence avant l'opération. Personne n'y avait prêté attention, et cela m'ennuyait. Hans n'avait même pas réagi lorsqu'Eichmann lui en avait parlé. Il fallait que j'en informe Uzi, qui se reposait dans un fauteuil, sur la véranda, à côté de nous. Je lui fis signe de venir. Uzi comprit immédiatement où je voulais en venir : si l'un des proches d'Eichmann les découvrait, il en conclurait tout de suite qu'il avait été attaqué, ce qui pourrait inciter la famille à entreprendre des recherches sans plus attendre.

« Qu'est-ce que tu proposes ? demanda Uzi, qui se frottait le menton d'un air soucieux.

— Qu'on retourne là-bas et qu'on les retrouve ! lui répondis-je.

— Oui, mais sans que personne ne le sache. Ça ne

servirait à rien d'affoler tout le monde. Si on les trouve — tant mieux. Sinon... il n'y aura qu'à voir venir. Et à garder la maison de façon beaucoup plus stricte. »

Pendant que nous étions là à réfléchir, nous entendîmes distinctement, en provenance du salon, un bruit de glissade suivi d'un son mat. Je laissai Uzi sur le seuil de la porte et partis voir ce qui se passait.

Au beau milieu du salon, il y avait une femme étalée sur le sol ; elle était vêtue d'un manteau de laine gris. Elle essayait de se relever tout en se cramponnant à un sac de toilette qui s'était ouvert sous le choc, et déversait sur le tapis toutes sortes d'articles de maquillage. Hoffman descendait l'escalier, une grosse valise à la main ; il avait encore son chapeau sur la tête, et paraissait complètement désemparé. Jack et le docteur Klein, qui s'efforçaient de réprimer un sourire amusé, avaient interrompu leur partie d'échecs. Seul Meir n'avait pas perdu toute présence d'esprit, et venait au secours de la femme.

Dès que je posai les yeux sur celle-ci, le mystère s'éclaircit. C'était notre Rosa, une attention spéciale du Vieux. La Mata-Hari israélienne en personne. Elle portait, comme toutes les juives orthodoxes, un turban blanc qui lui couvrait entièrement les cheveux. Elle remit un peu d'ordre dans sa tenue, tirant sur sa veste et lissant sa jupe, qui dissimulait des formes épanouies. Meir rangea les objets de toilette.

Rosa courut joyeusement vers moi, comme si rien ne s'était passé, me serra chaleureusement les mains et, avant même d'avoir repris son souffle, me dit : « Peter, je sais... Je sais tout... C'est tout simplement merveilleux. Le Vieux m'a dit de bien prendre soin de vous, les enfants. Je vais préparer de bons petits plats de chez nous... Où est la cuisine ? » Rosa parlait d'une voix forte et entrecoupée, et nous noyait sous un flot de paroles : elle tenait absolument à nous raconter toutes ses mésaventures, et à nous expliquer comment elle avait dû quitter Israël précipitamment. « Mais je suis si heureuse de pouvoir vous aider ! » ajouta-t-elle.

Je connaissais Rosa — et ses talents — pour l'avoir rencontrée à plusieurs reprises en Israël. La dernière chose qu'elle était capable de faire, c'était de nous aider. Comment, alors qu'il y avait des régiments de belles filles disponibles, le Vieux en était-il arrivé à choisir précisément celle-ci pour l'expédier dans cet antre de fauves encagés, voilà qui me dépassait complètement...

Rosa portait d'épaisses lunettes cerclées d'or qui agrandissaient ses pupilles, et qui étaient à l'évidence responsables de sa chute. Elle avait raté une marche et plongé dans le salon, la tête la première, comme dans une piscine à sec. Ce n'était certainement pas la première fois qu'un accident de ce genre lui arrivait. Nous étions, pour notre part, passablement ahuris, mais Rosa se conduisait avec le plus grand naturel, comme si Dieu était toujours à ses côtés pour la protéger du mal sous toutes ses formes.

Pendant qu'Hoffman menait Rosa à sa chambre, Meir et Jack échangèrent des haussements d'épaule désabusés. Nous savions qu'une femme devait venir nous rejoindre, et cette nouvelle nous avait considérablement ragaillardis. Chacun s'était imaginé une star de cinéma, qui aurait auréolé de sa féminité ce terne décor masculin. Chacun de nous, moi compris, avait secrètement échafaudé tout un roman chevaleresque dont il était le héros. Les tenues étaient soudain devenues impeccables, les cravates et les vestes avaient surgi...

Mais la dame était arrivée, et les rêves s'étaient écroulés. Seul Hoffman était satisfait : il avait un accessoire de plus à sa panoplie : Rosa était venue sous l'identité de Mme Hoffman.

Meir fut le premier à se remettre de sa déception, et à apprécier la situation de façon plus objective. Après tout, Rosa était une femme, et c'était un avantage à ne pas négliger. Surtout dans ce blockhaus, où elle se chargerait de la cuisine. De toute façon, depuis qu'il était installé dans la villa, Meir passait le plus clair de son temps à la cuisine.

« D'une pierre deux coups, résuma Meir, comme si c'était lui qui avait tout combiné. Une femme et une cuisinière !

— Je te fais cadeau des deux », lui assurai-je, et j'allai instruire Uzi de la dernière trouvaille du Vieux.

« On a vraiment touché le gros lot, grommela Uzi. Dorénavant, on mangera exclusivement kascher. C'est bien le Vieux. La couverture, toujours la couverture, et peu importe ce qu'il y a dessous. J'aime autant me faire ma cuisine moi-même ! »

Nous revînmes à des problèmes plus urgents : les lunettes d'Eichmann. C'était peut-être déjà trop tard, mais ça valait tout de même le coup d'essayer.

Au crépuscule, Uzi vint me relayer pour garder Eichmann. Notre prisonnier s'était enfin endormi et ronflait légèrement. J'entrai dans la Chrysler ; j'avais déjà emballé le moteur lorsque je songeai que moins on verrait cette voiture rue Garibaldi, et mieux ça vaudrait. Je me mis donc en route sous la pluie battante, vers l'arrêt du 203. Je n'étais pas sûr que mon initiative soit très judicieuse, mais il fallait mettre un terme à l'incertitude et, si possible, effacer toute trace de notre passage sur le terrain. Et tant pis si ça m'obligeait à me coller quatre-vingt-dix minutes de trajet dans une vieille guimbarde. Il tombait une pluie torrentielle, la visibilité était presque nulle, et le conducteur était penché vers le pare-brise pour scruter la route. Moi qui croyais ne jamais repasser par là ! En tout cas, le 203 avait définitivement perdu un client régulier. Plus nous approchions de la rue Garibaldi, plus j'étais inquiet. Et si le fils d'Eichmann montait la garde avec ses copains autour de la maison et dans le voisinage ?

Cette fois, je ne descendis pas à l'arrêt qui se trouvait en face du kiosque. Je ne bougeai pas, et tandis que le bus repartait, j'inspectai le carrefour de la rue Garibaldi. Tout était désolé; c'était vraiment un temps à ne pas mettre un chien dehors. A travers un rideau de pluie, je pus distinguer la maison d'Eichmann, qui était éclairée, comme d'habitude. Quand l'autobus, qui n'avait plus que quelques passagers, s'arrêta à la station suivante, je descendis, relevai mon col et enfonçai mes mains dans les poches. Je marchais aussi vite que je pouvais sous l'averse; j'atteignis le croisement de la rue Garibaldi. Vingt-six heures s'étaient écoulées depuis l'enlèvement. La rue était vide. Un criminel, dit-on, revient toujours sur les lieux du crime. Il doit y avoir du vrai là-dedans. Même quand il s'agit d'un « crime » comme le nôtre.

J'étais seul avec la pluie dans la rue Garibaldi. Rien ne pouvait témoigner, dans ce paysage endormi, du drame qui venait de s'y produire, et qui restait encore dans le secret le plus absolu.

Je me glissai précautionneusement dans le fossé boueux où j'étais tombé avec Eichmann. Je sortis une torche électrique et commençai à chercher les lunettes. Elles ne pouvaient être que là, j'en étais sûr. Pataugeant dans la boue, le calcaire gluant, l'eau et les cailloux, je passai au peigne fin une étendue de quelques mètres; je ratissai le fond du fossé à la main. Rien.

J'étais immobile, la tête penchée sur ce trou noir que je contemplais avec amertume, quand il me vint soudain à l'esprit que les lunettes avaient pu glisser pendant que nous poussions Eichmann dans la voiture... Je me hissai hors du fossé, empêtré dans mon pantalon mouillé qui me battait les chevilles, et j'examinai minutieusement l'asphalte, dans l'espoir de découvrir au moins quelques fragments de verre brisé. Rien.

Je nous maudis tous, nous étions une bande de sombres crétins. Quelques minutes de recherche me convainquirent que ma démarche était vaine. La seule chose sensée à faire, c'était de partir vite, avant que quelqu'un ne se demande ce que je fabriquais dans cette rue déserte. J'avais de la chance : l'autobus arrivait.

Je sortis un mouchoir pour m'éponger le visage et les cheveux. L'autobus démarra rapidement. En ce qui me concernait, c'était la dernière fois que je mettais les pieds à San Fernando. La prochaine fois que je quitterais la villa, ce serait pour aller droit à Jérusalem.

La vue du portail de fer forgé me réjouit. Tout est relatif. A l'occasion, même une maison isolée, en plein pays étranger, qu'on partage avec un meurtrier, peut apparaître comme un paradis. Et peu importe si la seule Ève qui vous y attend est une créature aussi peu éthérée que Rosa...

J'étais sur le point d'ouvrir le portail, tout rempli de gratitude, lorsque quelqu'un atterrit sur mon dos. Je savais déjà que tout pouvait arriver — et arrivait parfois effectivement — dans cette invraisemblable banlieue. Mais ça, c'était tout de même un peu fort. J'étais trop perplexe pour faire quoi que ce soit. Un pitoyable miaulement se fit entendre dans mon oreille gauche. Ma main entra en contact avec un pelage embroussaillé ; je songeai un instant, avec dégoût, à expédier dans l'au-delà cette boule de fourrure mouillée. Ma sollicitude légendaire ne me le permit pas. Je mis la petite bête sous mon manteau et j'entrai par la porte de la véranda. J'étais sur le seuil, dégoulinant de pluie et de boue, et tout ce qu'Uzi trouva à me dire, ce fut : « Hum ? Tu as trouvé ?

— Oui, répliquai-je avec aigreur, en brandissant l'animal par la peau du cou : Voilà ce que j'ai trouvé !

— Toi et tes conneries, marmonna Uzi. Ces lunettes peuvent être n'importe où. Quelqu'un a pu les ramasser. Il faudra que nous fassions des tours de garde, jour et nuit, à l'intérieur de la villa et autour du mur d'enceinte, jusqu'au départ. »

Le 13 mai

Eichmann et moi étions face à face devant la véranda. Il avait les yeux bandés comme d'habitude, et portait un pyjama rayé et des pantoufles. Il devait exécuter, sous mon commandement, quelques mouvements de gymnastique. J'allais être obligé de lui tenir les deux mains, et cette idée me répugnait profondément, comme le contact d'un reptile ou d'une substance visqueuse. Elles étaient immondes, ces mains qui avaient désigné les trains, les camps, et qui avaient sélectionné les cobayes. Et moi qui, deux jours auparavant, avais failli étrangler cet homme, j'allais empoigner ces mains moites.

Uzi, qui assistait à la scène, ne pouvait pas deviner le fond de mes pensées. Je m'attelai à la tâche en essayant de faire comme s'il ne s'agissait pas d'Eichmann, comme si c'était un individu sans nom et sans visage. En le tirant d'un côté, puis en le poussant de l'autre, je parvins à lui faire comprendre quel genre d'exercices je lui demandais. Je l'obligeai à fléchir les genoux en cadence — « *Unten-oben-unten-oben* » — et, peu à peu, il prit le rythme. Au bout de quelques minutes, il se détendit et, avec l'enthousiasme d'un bon soldat, se mit à scander avec moi : « *Eins, zwei, eins, zwei.* »

Nous passâmes à un autre exercice. Je lui pris les poignets et je me mis à courir autour de la véranda. Il me suivait avec docilité, toujours en mesure. Uzi, qui contemplait ces surprenantes évolutions du haut de la véranda, remarqua en hébreu : « C'est presque surréaliste ! Je devrais aller chercher l'appareil. »

On aurait dit un numéro de clowns. De temps à autre, lorsqu'il sautait, Eichmann commençait à perdre son pyjama, et se hâtait de le rattraper.

Ce matin-là, je m'étais dit que la situation ne pouvait plus durer. Eichmann refusait de boire et de manger. Il ne bougeait pas de son lit, et, avec sa barbe de plusieurs jours, avait l'air de moins en moins appétissant. Imperceptiblement, il avait pris l'initiative. C'était lui qui dictait les conditions de son emprisonnement. Il était indifférent, apathique. Le docteur Klein l'examinait chaque matin et le trouvait en bonne forme, mais je voulais créer un climat de confiance qui l'inciterait à répondre à nos questions. Il fallait le persuader que nous ne lui ferions aucun mal — du moins pour le moment.

Je le rasai avec soin et lui enlevai sa moustache. Je ne lui demandais plus s'il voulait boire. La seule façon de traiter cet éternel subordonné, c'était de lui donner des ordres appropriés : il n'attendait que ça. Je lui ordonnai donc de boire de l'eau de son broc. Je savais qu'il avait soif et qu'il m'obéirait. Lorsque je lui mis le récipient dans les mains, il le vida complètement. Le docteur avait prescrit une nourriture légère au début, jusqu'à ce que son estomac soit à nouveau capable de supporter une alimentation normale.

Rosa apporta son petit déjeuner sur un plateau : un œuf dur et quelques biscuits. Je le surveillai attentivement, en comptant chaque gorgée et chaque mouvement de mâchoire. Prenant les biscuits un par un, je les lui mis dans la bouche. Cette bouche arrogante et fourbe, qui avait autrefois prononcé tant de grands discours...

Rosa, quand elle vit Eichmann pour la première fois, ne put détacher ses yeux de lui. Elle resta clouée sur place, tremblante d'émotion, pendant que je donnais la becquée à l'*Obersturmbannführer*. Je sentis sa répulsion. Elle se demandait comment je pouvais, moi, un juif, nourrir une créature comme lui.

Je n'éprouvais plus, en fait, qu'une sorte de dégoût à son égard, tandis qu'il cherchait à tâtons, dans le vide, la bouche ouverte comme celle d'un patient d'asile psychiatrique. Il avait été réduit en si peu de temps à l'état d'un animal traqué et gémissant. Je pensai un moment lui retirer son bandeau. Il ne semblait plus guère y avoir de raison de le laisser dans l'obscurité. Mais je continuai à le nourrir, sous les yeux de Rosa qui remuait silencieusement les lèvres. Étaient-ce des prières ou des malédictions qu'elle marmonnait alors ? Dieu seul le sait !

D'une certaine façon, elle semblait m'en vouloir ! Quand le prisonnier eut terminé son repas, elle reprit le plateau et annonça : « Je ne toucherai pas à ses couverts. Je ne pourrais pas les laver. Rien que d'y penser, j'en ai la chair de poule. » Je ne discutai pas ; je comprenais ses sentiments, même si les sentiments doivent parfois être combattus. Il fallait bien que quelqu'un fasse le sale boulot. Mon rôle de nourrice, de barbier et d'instructeur ne me procurait aucun plaisir. Je savais que Rosa avait perdu presque toute sa famille en Europe. Elle avait été sauvée in extremis avec ses parents. Ils étaient venus en Palestine lorsque la Seconde Guerre mondiale avait éclaté. De son point de vue de juive orthodoxe, Eichmann n'avait pas seulement éliminé physiquement la communauté juive, il en avait aussi détruit l'âme.

Après cette première et fructueuse tentative du matin, je voulus amener Eichmann à signer le document que Hans avait laissé.

Il fallait que l'un de nous gagne personnellement sa confiance : seul un enquêteur « gentil » parviendrait à le persuader. A vrai dire, cela ne changerait rien à son sort : signature ou pas, il irait devant la cour de Jérusalem.

Le Vieux, qui avait rédigé le document, avait de bonnes raisons de vouloir qu'il soit signé : 1) si nous étions pris par les autorités argentines, le document prouverait qu'Eichmann avait consenti librement à passer en justice en Israël ; 2) si des différends d'ordre diplomatique s'élevaient entre Israël et l'Argentine après l'arrivée d'Eichmann à Jérusalem — et c'est d'ailleurs ce qui s'est produit —, le gouvernement israélien pourrait exhiber ce papier [1] ; 3) ce serait un document historique.

Il fallait donc que je trouve le défaut de la cuirasse. Qu'Eichmann se fie entièrement à moi. La porte était verrouillée. J'approchai ma chaise près du lit et lui offris une cigarette. Il n'avait pas fumé depuis l'enlèvement. Il avala de longues bouffées, inhalant la fumée avec reconnaissance.

« *Danke schön,* dit-il d'un air gêné. C'est gentil. »

Je ne répondis pas. Je le laissai savourer sa cigarette.

« Qu'est-ce qui vous a poussé à entrer dans la S.S. ? dis-je d'un ton dégagé, pour entamer la conversation. Comment tout ça a-t-il commencé ? »

La réponse vint lentement ; il pesait chacun de ses mots, mais il parlait enfin : « J'étais jeune. Il n'y avait pas de travail en Allemagne. Je passais d'un boulot à l'autre. Quand Hitler est arrivé au pouvoir, je me suis remis à espérer, comme tout le peuple allemand. Je croyais en lui. Il nous apportait la joie et l'enthousiasme. Je pensais aussi qu'il fallait que ça change...

— Oui, mais pourquoi les juifs ? Qu'est-ce qui vous a incité à vous spécialiser dans la question juive ?

— Croyez-moi, je n'y avais jamais songé. Ça s'est fait par hasard. J'étais sergent-major dans le service de

---

1. Le raisonnement du Vieux s'avéra juste. En juin 1960, quand la crise éclata entre les deux pays, le contenu du document signé par Eichmann fut publié par le gouvernement israélien et transmis aux autorités argentines par dépêche officielle. (N.d.A.)

sécurité de la S.S., mais mon travail était fastidieux. J'étais employé dans les archives. Un certain sous-lieutenant avait été nommé à la tête de la section juive, et m'a demandé si je voulais l'aider.

— Et vous avez accepté ?

— J'ai tout de suite dit *amen.*

— Vous avez dit *amen ?* C'est beaucoup plus qu'un simple oui. Vous bénissiez votre nouvelle tâche ?

— Je veux que vous me croyiez. Je voulais quitter les archives à tout prix. Et puis je suis un romantique ; j'aimais les juifs. Croyez-moi...

— Vous aimiez les juifs ?... »

J'étais content qu'il ait les yeux bandés. Il valait mieux qu'il ne voie pas mon visage.

« Je sais que vous n'allez pas me croire, mais j'ai lu le livre de Herzl, *Der Judenstaat,* sur le rêve juif de fonder un État. C'était en 1935. »

— Je suppose que vous allez maintenant me dire que vous vouliez les aider à fonder l'État d'Israël ?

— Je n'ai fait que rassembler des informations sur les juifs pour nos officiers et nos généraux. J'ai écrit quelques mémoires là-dessus, mais je comprenais les aspirations des juifs... »

Ma foi, c'était une drôle d'expérience. Les réminiscences d'Adolf Eichmann, l'ami des juifs ! J'avais du mal à contrôler mes poings, qui se serraient déjà pour lui casser la gueule, à cet odieux flagorneur... Bien des antisémites, au cours de l'Histoire, avaient fouetté et brûlé des juifs au nom de l'amour débordant qu'ils leur portaient. Au nom du Christ.

Je respirai profondément. J'écouterais les fables d'Eichmann aussi longtemps qu'il le faudrait. Il continua :

« Croyez-moi, l'étude du sionisme m'a passionné. Je suis devenu un expert du sionisme mondial dans la S.S. J'ai fait une enquête minutieuse sur le problème de la Palestine, et sur le pouvoir politique des sionistes dans le monde. Ça, ajouta-t-il avec une pointe de fierté professionnelle, c'était mon œuvre. »

La cigarette d'Eichmann s'était entièrement consumée ; elle lui brûlait les doigts et les lèvres, mais il s'y accrochait désespérément, comme si c'était la dernière avant son exécution. Je ne lui offris pas de l'aider. Tant qu'il raconterait ses monstrueux bobards, je ne ferais pas un geste. Que les flammes le dévorent... qu'il soit réduit en cendres !

« Pour quelle raison vous êtes-vous rendu en Palestine en 1937 ?

« Écoutez, la S.S. m'a envoyé faire un voyage d'étude, pour recueillir un certain nombre de renseignements sur les juifs de Palestine. Tous les services de sécurité du monde ont des sections consacrées aux juifs, et aux autres minorités. Même les Français et les Américains en ont, je l'ai lu dans les journaux.

— Qu'avez-vous vu en Palestine ?

— Haïfa. Une belle ville. *Ach!* la vue du Mont Carmel est vraiment enchanteresse...

— Savez-vous, l'interrompis-je, que je suis de Haïfa ? Nous aurions pu nous y rencontrer, mais j'étais un enfant à l'époque. Un réfugié polonais. Nous étions si près l'un de l'autre à Haïfa, et maintenant le destin nous a réunis à Buenos Aires. »

Eichmann se tut. Je vis qu'il tremblait. Les mots « réfugié polonais » avaient ranimé ses peurs. Il essaya de m'apaiser : « Écoutez, j'ai toujours préféré les juifs aux arabes. Quand je visitais Haïfa, je prenais toujours un chauffeur de taxi juif.

— Vous me demandez de croire, après tout ce qui s'est passé pendant la guerre, que vous aimiez les juifs ?

— Vous pouvez même le vérifier ! Je n'ai jamais été antisémite. A l'école élémentaire, en Autriche, mes meilleurs amis étaient des juifs : Misha et Grisha. »

— Et où sont-ils maintenant, Misha et Grisha ? Vous les avez cherchés ? Vous les avez aidés ?

— Je suis parti en Allemagne, et puis ensuite en Hongrie. J'ai perdu contact avec eux pendant la guerre.

— Et c'étaient vos meilleurs amis... Qu'avez-vous fait pour eux ?

— *Ja... ja...* Les choses avaient changé. J'étais un soldat et je recevais des ordres... J'avais prêté allégeance à la S.S. et au Führer. Je m'étais engagé à défendre les idées d'Hitler et à obéir loyalement à mes supérieurs. » Sa voix prenait une intonation respectueuse chaque fois qu'il prononçait le mot Führer.

« Mais tout cela est terminé maintenant. Vous êtes resté fidèle à ce serment ?

— Non. Depuis la reddition du 8 mai 1945, je suis libéré de mon serment.

— Vous savez, je vous parle de soldat à soldat. Quoi qu'il arrive, nous vous amènerons à Jérusalem. Vous n'y pouvez rien, et moi non plus. Si vous signez cette déclaration, le monde entier saura que vous y êtes allé de votre plein gré, pour transmettre quelque chose d'important à l'humanité...

— Je voulais être jugé en Allemagne ou en Argentine. Laissez-moi encore une journée de réflexion. Est-ce que je peux vous demander une autre cigarette ? » Il tendit vers moi une main tremblante de convoitise.

Je changeai brusquement de ton : « Vous avez l'occasion d'accomplir quelque chose de positif dans votre vie. Le monde entier entendra parler de vous, si vous êtes prêt à passer en jugement à Jérusalem en tant qu'officier allemand. »

Mon prisonnier demeura silencieux. Il se creusait la cervelle. Il se tournait et se retournait sur son lit comme un animal pris au piège. Il en oublia un instant qu'il était attaché, et tira de toutes ses forces sur ses jambes.

J'ouvris l'anneau de fer.

« *Danke schön,* dit-il. Pourrais-je avoir un verre d'eau, s'il vous plaît ? » Toujours la même politesse stricte.

« Un instant... »

J'ouvris la porte et fis signe à Uzi de venir. Je lui dis calmement : « Je pense que je pourrai arriver à le faire signer. »

Uzi monta la garde pendant que je grimpais l'escalier à toute allure. Je me rendis dans la chambre d'Hoffman. Il n'était pas là. D'un garde-manger qui contenait toutes sortes de gâteries, je sortis une bouteille de vin. Je repris ma place auprès d'Eichmann, et lui remplis son verre. Je le lui mis dans la main ; il le porta à ses lèvres et s'arrêta net. Il avait senti l'odeur du vin.

« *Das ist Wein,* déclara-t-il.

— Du vin rouge », lui dis-je.

Le visage d'Eichmann, s'illumina : « J'aime le vin rouge. » Et il le but solennellement, gorgée par gorgée, en levant fréquemment la tête, comme s'il craignait d'être interrompu à tout instant. « C'est un excellent vin, murmura-t-il. Je ne comprends pas pourquoi vous faites tout ça pour moi. Vous me traitez très bien... » Il fit claquer sa langue, en connaisseur.

Uzi nous observait, et attendait quelques explications. Je pris la bouteille, afin de la remettre à sa place avant le retour d'Hoffman. Trop tard : il était déjà dans l'escalier. Je n'avais plus qu'à cacher le vin. Je pouvais être sûr qu'Hoffman ferait une scène quand il s'apercevrait de la disparition de la bouteille.

J'allai à la salle à manger. La table était couverte d'une nappe blanche, et les bougies du sabbat étaient allumées. C'était donc vendredi. J'avais perdu le compte des jours. Rosa était en train de réciter la prière. Les hommes étaient assis autour de la table et attendaient Uzi.

« Je t'ai gardé ton dîner, me lança Rosa.

— Pas la peine, lui répondis-je grossièrement. Je préfère m'ouvrir une boîte de conserve. » Pourquoi avais-je dit cela ? Je ne le savais pas au juste. Pour contrarier Rosa ?

Hoffman entra en coup de vent. Il était bouillant d'indignation. « Où est le vin de la sanctification ? » s'exclama-t-il.

Meir était debout, un mouchoir sur la tête en guise de kippa, prêt à bénir le vin.

« Je n'ai pas retrouvé le vin, dit Hoffman d'un ton accusateur, sans viser personne en particulier. Quelqu'un l'a pris... »

Meir suggéra, conciliant : « Ça ne fait rien. On prendra du jus de tomate. »

Je ne prononçai pas un mot. Il fallait que je sorte immédiatement pour ne pas hurler de rire. L'ironie du sort... Seul Eichmann but du vin ce soir-là.

Je retournai à mon poste. Je restai assis pendant de longues heures avec mon prisonnier. Nous gardâmes tous deux le silence. Chacun était perdu dans ses pensées. Un certain changement s'était produit en lui. Il était désormais plus détendu, bien qu'il fût toujours attaché à son lit de fer. De temps à autre, il s'endormait. Quand il se réveillait, il semblait délivré de sa peur panique. Il avait commencé à croire que son exécution n'était pas imminente.

A travers la porte, j'entendis s'élever la voix de Rosa. C'étaient les chants mélodieux du sabbat. La voix plus grave de Jack se joignait à la sienne, en duo : « Va, mon aimé, à la rencontre du Sabbat... » Des chants juifs traditionnels qui me rappelaient des souvenirs poignants, chez mon père...

Jack apporta, de la table du sabbat, une assiette de soupe et un morceau de poulet — ordre du docteur. Pendant que l'œil morne, je mangeais mes conserves à même la boîte, Jack sourit :

« Tu t'en tires mieux que tu ne crois. On a eu des tranches de foie ranci, de la soupe qui avait un goût d'eau de vaisselle ; du riz et des pâtes collés en un bloc poisseux... oh, et des petits pains faits maison, spécialement pour le sabbat... brûlés, naturellement. Heureusement que le docteur Klein est là. Elle est capable de nous empoisonner tous. »

Jack proposa de me relayer, pour que je puisse à mon tour bénéficier de la chaude atmosphère de notre vendredi soir, mais je déclinai son offre. Je voulais rester seul avec mon prisonnier. Pour savourer le goût très spécial de ce vendredi soir en compagnie d'un captif nazi que nous avions poursuivi dans le monde entier. Trois semaines auparavant, j'étais assis avec ma mère, dans la lointaine Haïfa, et j'attendais cet instant avec impatience. Il était arrivé et je voulais le vivre jusqu'au bout.

On entendait parfois au-dehors un bruit de pas qui martelaient la cour. C'était l'un des nôtres qui effectuait son tour de garde. La tempête était si violemment déchaînée dans la nuit que les portes et les fenêtres semblaient à chaque instant sur le point d'être emportées. Un fracas tel qu'on ne savait pas si les forces de la vengeance étaient en train d'enfoncer le portail, ou si c'était simplement la bourrasque qui le ballottait.

Eichmann s'assoupissait par intermittence. Les coups de tonnerre paraissaient l'affecter plus que tout. Dès qu'il commençait à somnoler, un grondement assourdissant l'éveillait en sursaut ; il se dressait et tirait brusquement sur sa chaîne, comme s'il était sur le point de passer au peloton d'exécution. J'écoutais moi aussi la fureur de l'orage. J'avais provisoirement abandonné le dessin.

A travers la porte entrouverte, je voyais Uzi faire les cent pas nerveusement, le long de la véranda. Il avançait, les mains dans le dos et la tête en avant. Sa longue capote balayait le plancher de bois. Je connaissais bien Uzi et je savais que des milliers de pensées se pressaient dans sa tête. De temps à autre, il s'immobilisait devant les fenêtres et scrutait à travers les fentes. Je me demandais ce qu'il cherchait. Il se tourna tout à coup vers moi et me fis signe de venir. « C'est exactement le genre de nuit où ils pourraient arriver. » Je le regardai sans comprendre. « Qui ça, “ ils ” ? Qui peut arriver ? »

— Les nazis ! Ceux qui cherchent Eichmann ! Ils ont dû trouver les lunettes. Et ils en ont conclu qu'il avait été kidnappé. »

Le vent qui mugissait au-dehors secouait les portes et les fenêtres ; Uzi s'arrêta net et courut à la fenêtre : « Ce soir, personne ne doit fermer l'œil. Nous allons préparer la cachette. Je veux que Meir examine tous les volets et toutes les portes. Et que toutes les voitures soient prêtes pour le départ. »

Je le regardai avec inquiétude. Nous étions de vieux compagnons d'armes. Dans toutes les opérations auxquelles nous avions participé ensemble, Uzi avait gardé son sang-froid. Quelque chose l'avait changé. Tous ces événements éprouvants qui se succédaient, et la responsabilité qui lui incombait depuis le début de l'opération à Tel-Aviv, et plus encore depuis que nous étions installés dans la villa. Nous étions complètement coupés de l'actualité, du monde extérieur, ce qui ne faisait qu'augmenter la tension. L'expression soucieuse d'Uzi était suffisamment éloquente.

J'essayai de le calmer. L'espace d'un instant, il me communiqua ses propres doutes. Moi aussi, je vivais dans un monde étrange. Celui d'Eichmann, avec lequel j'étais cloîtré dans une petite chambre. Uzi appela le docteur Klein pour qu'il prenne la relève auprès d'Eichmann. Nous sortîmes ensemble sous l'orage. Le vent sifflait et il pleuvait à torrents. Les arbres s'inclinaient et se balançaient, les réverbères s'éteignaient par intervalles. Nous retrouvâmes Meir et Jack, trempés, en train de s'abriter dans un coin près du garage. « Tout va bien. Il n'y a personne. Il faut être fou pour sortir par un temps pareil. »

Uzi n'était pas convaincu. Nous quittâmes la villa par la porte de derrière. Ce serait une sacrée malchance, pensais-je, si nous tombions précisément maintenant sur une patrouille de police ; mais pour satisfaire Uzi, et pour me rassurer personnellement, je décidai de faire une ronde à pied dans le quartier des villas. Nous marchâmes donc ensemble, en nous efforçant de garder les yeux bien ouverts sous la pluie battante. Nous inspectâmes toutes les voitures qui étaient garées dans le voisinage, en jetant un coup d'œil à l'intérieur de chacune pour vérifier qu'elles étaient vides, prêts à nous cacher à la moindre alerte.

Nous achevâmes notre tour et revînmes à la villa. Nous n'avions rien vu de suspect, mais Uzi avait décidé que ce serait une nuit de vigilance. Cela devint en fait une nuit de peurs indéfinissables et sans cause, une nuit d'incertitude qu'il passa à arpenter la cour de la villa en plein vent. L'orage perdit un peu de sa violence, mais les portes et les fenêtres continuaient à grincer et à claquer sans relâche.

Plus le temps passait, et plus nous resserrions notre dispositif de surveillance. Uzi lui-même alla s'accroupir en haut du mur, enveloppé dans son pardessus pour se protéger du froid mordant, et scruta les alentours. Je tentai de le persuader qu'il n'était pas nécessaire de nous imposer ces tours de garde chaque nuit. Il se rendrait malade plutôt que d'y renoncer : « J'ai comme l'impression que les organisations nazies n'ont pas tout à fait abandonné Mr Klement. Je suis sûr qu'elles le cherchent. Si nous réussissons à repérer à temps le moindre mouvement de leur part, ça pourrait être d'une importance vitale. On pourrait au moins évacuer discrètement ce saligaud. »

Uzi semblait s'être transformé en radar vivant. A la vérité, je me demandais d'où il tirait ses pouvoirs de détecteur de pensée, capable de percevoir à distance les bruits de pas de l'adversaire. Mais il était inutile, je m'en rendis compte, d'essayer de le dissuader. Ses appréhensions étaient fondées [1].

---

1. En janvier 1966, le fils aîné d'Eichmann, Nikolaus, rapporta, dans une interview à l'hebdomadaire ouest-allemand *Quick* : « Le 12 mai 1960, j'étais sur un échafaudage quand mon frère Dieter est arrivé et m'a dit,

Quand je revins dans la chambre, Eichmann était éveillé. Il nous avait certainement entendus marcher autour de la maison. Il savait déjà reconnaître mon pas.

« Gros orage, me dit-il, manifestement désireux d'engager la conversation.

— Aucune importance. En Israël, vous verrez, c'est le printemps. J'ai entendu dire que vous aviez appris l'hébreu », poursuivis-je.

Il fronça les sourcils, et soudain sa voix s'éleva : « *Aleph, beit, gimal, dalet, heh...* » et il récita, pratiquement sans faute, tout l'alphabet hébreu.

Je pouvais à peine en croire mes oreilles.

« Vous en savez plus que ça !

— J'ai suivi des cours avec un rabbin à Berlin, mais j'ai oublié la plupart des mots que j'ai appris.

— Pourquoi avez-vous étudié l'hébreu ? Presque tous les juifs parlaient l'allemand.

— Je suis un perfectionniste. Quand je travaillais dans la section juive, j'avais demandé à l'état-major une allocation de trois marks pour une heure de cours avec le rabbin. Je voulais acquérir des connaissances précises sur la question juive.

— Quel rapport avec la langue hébraïque ?

— La langue, c'est toute une mentalité. On ne peut pas comprendre le problème du peuple juif sans en

---

hors d'haleine : " Le vieux a disparu ! " J'ai tout de suite pensé aux Israéliens. Dieter et moi avons traversé Buenos Aires à toute vitesse pour aller à San Fernando. En chemin nous avons alerté un officier S.S. que je ne peux pas nommer. C'était le meilleur ami de mon père. Il nous a dit qu'il y avait trois possibilités... La troisième possibilité, c'était qu'il soit aux mains des Israéliens. Pendant deux jours, nous avons fait les commissariats, les morgues et les hôpitaux. En vain, bien sûr, et c'est alors que nous avons compris. Un groupe de jeunes péronistes s'est mis à notre disposition. Il y avait parfois des groupes de trois cents personnes qui convergeaient vers notre maison. Un dirigeant du mouvement disait : " Kidnappons l'ambassadeur d'Israël. Nous l'emmènerons loin de la ville et nous le torturerons jusqu'à ce qu'ils rendent votre père. " Un autre ami de mon père, un ancien officier S.S., a mis en place un réseau de contrôle maritime et aérien. A chaque gare importante, à chaque terrain d'aviation, à chaque carrefour, il y avait un de nos hommes... » (N.d.A.)

connaître la langue d'origine. Je me souviens d'une certaine prière que le rabbin m'a apprise en hébreu : *Shma Yisraël Adonaï Elokeinu Ehad.* »

Chacun de ces mots, au fur et à mesure qu'il les égrenait, me transperçait le cœur. Il me semblait entendre un roulement de tonnerre qui éclipsait tout ce que la tempête pouvait produire au-dehors. La profession de foi sacrée ! La prière des mourants ! Les dernières paroles extorquées aux juifs sur le bûcher, génération après génération. Le cri d'agonie de millions de juifs dans les camps, devant les portes des chambres à gaz.

La rage m'empêchait presque d'articuler ; « Connaissez-vous la signification de ce que vous venez de dire ?

— *Ja* », répondit-il, plein de bonne volonté. Il me donna la traduction exacte de la phrase en allemand : *Hör, Israël, der Herr unser Gott, der Herr ist eins*[1].

Ce n'était évidemment pas seulement chez le rabbin qu'il l'avait entendue ; il l'avait aussi entendue maintes fois prononcée par ses victimes, lorsqu'elles s'alignaient, en marche vers la « solution finale ».

« Vous avez peut-être entendu des mots hébreux comme *Aba, Ima ?*

— *Aba ? Ima ?* » Il essayait de se rappeler. « Ça pourrait vouloir dire... non, je ne vois pas. Qu'est-ce que c'est ?

— *Vater, Mutter...* papa, maman. Ce que les enfants juifs criaient lorsqu'ils couraient après les wagons qui emportaient leurs parents vers les camps de concentration. Bien sûr, par la suite, vous avez fait venir des trains pour les enfants également... »

Eichmann n'était pas stupide au point de ne pas se rendre compte que j'étais en fureur. Il hésita, ne sachant pas quoi répondre. Ses fausses dents cliquetèrent dans sa bouche : « J'ai obéi aux ordres. Je n'étais pas le seul.

1. « Écoute, ô Israël, notre Seigneur Dieu, Dieu est Un. »

— C'est vous qui avez eu l'idée de la " solution finale ".

— Non. C'est venu d'en haut. A la réunion de Berlin en 1941, il y avait sept autres participants.

— Qui ?

— *L'Obergruppenführer* Heydrich présidait la séance. Nous devions régler le problème des centaines de milliers de juifs qui nous étaient tombés entre les mains dans les zones occupées. Entre-temps, nous avions aussi envahi la France, et il fallait également trouver une solution pour les juifs de France.

— Je comprends votre problème. La solution finale, l'extermination. Tuer, tout anéantir.

— Non ! Non ! Je voulais les envoyer en Palestine. Puis j'ai proposé un plan pour transférer quatre millions de juifs à Madagascar, mais il a été repoussé. Heydrich, Himmler, Müller — ils ne voulaient pas en entendre parler.

— Alors vous avez suggéré une solution : les emmener en train dans des camps de concentration, et quand les camps ne suffiraient plus à contenir tous les juifs, il n'y aurait plus qu'à les supprimer, c'est ça ?

— Je n'avais rien à voir là-dedans. Je ne m'occupais que des transports, mais au procès de Nüremberg, tout le monde a rejeté la responsabilité sur moi...

— Mais vous avez visité les camps de la mort. Vous avez visité Treblinka, Auschwitz, Maïdanek et les autres. Qu'avez-vous pensé quand vous avez vu les cheminées qui fumaient ?

— Je ne me suis pas occupé de la liquidation. Je suis un homme qui ne peut pas supporter la vue du sang. Je ne peux pas regarder une plaie ouverte, et c'est pour ça qu'on m'a dit que je ne pourrais jamais être médecin.

— Et quand vous avez vu des milliers de morts, quand vous avez vu les cadavres qu'on sortait des chambres à gaz pour les jeter dans les fours crématoires, je suppose que vous n'avez pas pu regarder non plus ? Avez-vous fait la moindre remarque ? Avez-vous tenté de faire quelque chose ?

— Ça me rendait malade, croyez-moi. A Treblinka, un capitaine m'a montré comment il préparait des cabanes hermétiquement fermées, avec un moteur de sous-marin. Et il m'a dit que quand le moteur serait mis en marche, les gaz qui s'échapperaient asphyxieraient les juifs. C'était effroyable.

— Vous avez protesté ? Vous avez fait une réclamation à ce sujet ? Qu'est-ce que vous avez fait pour arrêter ça ?

— Ce n'était pas de mon ressort. Moi, je tapais à la machine et je faisais mon travail. J'aurais peut-être dû protester, et démissionner, ou simplement me tirer une balle dans la tête.

— Mais vous n'en avez pas eu le courage. Vous tenez à votre petite personne. Maintenant, il est trop tard, et même si je vous donnais un pistolet, vous ne pourriez pas payer pour ce que vous avez fait. »

Un peu avant l'aube, vers quatre heures du matin, je vis Meir debout devant la porte. « Va dormir. Va te coucher ! Ça suffit ! » me dit-il. Il prit ma place et je partis m'allonger deux heures dans ma chambre, derrière la cuisine.

C'était la première nuit que je passais en compagnie de Rosa ; nous avions chacun un lit, aux deux extrémités de la chambre. Elle était pelotonnée sous une pile de couvertures que lui avait données Hoffman. Comme je me jetais tout habillé sous mes propres couvertures, j'entendis sa voix légèrement étouffée : « Bon sabbat... »

J'étais un peu déconcerté à l'idée de partager une chambre avec cette fille étrange. Je sentis qu'elle n'arrivait pas à dormir et qu'elle voulait engager la conversation.

— C'est dommage que tu ne sois pas venu dîner avec nous hier soir.

— Je t'ai entendue chanter. Je crois qu'Eichmann t'a entendue, lui aussi.

— Ne prononce pas son nom devant moi, dit-elle.

— Tu sais, continuai-je, cette soirée dans la villa m'a fait penser au ghetto. Un groupe de juifs enfermés dans une maison, entourés d'Allemands, mais qui continuent à observer les commandements du sabbat.

Rosa restait silencieuse. Tout à coup, elle me demanda : « Est-ce que tu crois en Dieu ?

— Quelquefois. (Je l'entendis glousser dans le noir.)

— Comment ça, quelquefois ?

— Quand je pense à ce qui est arrivé aux juifs, je doute de son existence, mais quand je suis moi-même dans le pétrin, je suis croyant. Mon père m'a élevé dans le respect de Dieu. Pour la première fois, cette semaine, après avoir capturé Eichmann, j'ai commencé à me dire que les voies de Dieu étaient bien bizarres. Une boucle terrible a été bouclée.

— Qu'est-ce que tu veux dire ? »

— Écoute. Eichmann nous a infligé des supplices atroces, nous a assassinés ; et notre petit groupe est venu, et l'a fait prisonnier. Dieu a sa logique particulière, semble-t-il.

— J'ai appris à ne pas poser de questions à Dieu, et à ne jamais douter de Ses voies, répliqua-t-elle d'un ton catégorique.

— Ces gens du ghetto avaient des quantités de questions. Les enfants, les femmes, les vieillards. Les Allemands ont fait subir au peuple juif le sort le plus effroyable qu'il ait jamais connu. Tu n'as jamais demandé à Dieu pourquoi ?

— On ne peut pas s'adresser à Dieu comme s'Il était fait de chair et de sang ; Dieu voulait nous éprouver, comme Il a éprouvé Abraham quand Il lui a demandé de sacrifier Isaac. »

— Tu manges exclusivement kascher, n'est-ce pas ? Et tu observes les commandements. Est-ce que tu crois que tu as le droit de forcer tout le groupe à manger kascher ? »

— Mais je ne vous force pas. » Elle était scandalisée. « Dieu m'en garde. Bien sûr que ma cuisine est kascher. Ça t'ennuie ?

— C'est une contrainte. Une seule femme décide pour tout un groupe qu'il va manger kascher. »

Je poursuivis : « Tu sais, Rosa, je me demande parfois ce qui t'a amenée à entrer dans le Service secret. Dans des missions comme celle-ci, ou en voyage, ça doit être difficile d'observer les commandements.

— Non, ce n'est pas difficile, répondit-elle fièrement. Tout ce qu'on fait par amour ne peut vous causer que du plaisir. Mais si le travail, la mission, m'obligeaient à profaner le sabbat, à enfreindre les commandements — je le ferais !

— Tu mangerais de la viande de porc ?

— Non. Je prendrais du bœuf, rétorqua-t-elle avec une splendide inconséquence.

— Mais mangerais-tu du porc ? » Je voulais qu'elle me réponde.

— Écoute, Peter, les juifs ont toujours préféré affronter le bûcher ou le pilori, plutôt que de manger du porc.

— Est-ce que tu coucherais avec un étranger si la mission l'exigeait ? »

Il y eut un long silence. « Peut-être... » C'était sorti tout d'un coup.

« Tu le ferais ?

— Aucun juif n'est allé au supplice pour ça. » Elle pouffa de rire. « J'ai eu des doutes sur ce genre de choses. Un jour je suis allée voir mon rabbin et je lui ai dit ce que je faisais. Il m'a donné une dispense. Il est plus important de sauver des vies que de respecter le sabbat, m'a-t-il expliqué. Il m'a dit que si les besoins de la sécurité l'exigeaient, je pouvais transgresser les interdictions. »

Elle continua à parler. Sa voix monotone murmurait dans l'obscurité. J'étais mort de fatigue et je m'endormis.

Le 14 mai

J'avais attendu l'occasion. Hoffman était parti faire des courses avec « sa femme » Rosa. J'avais décidé que ce jour-là, quoi qu'il arrive, j'obtiendrais la signature d'Eichmann. Si je parvenais à le faire craquer sur ce point, je réussirais probablement à lui arracher le secret de Mengele.

Je chipai le phonographe qui se trouvait dans la chambre d'Hoffman, ainsi qu'un certain nombre de disques. Je transportai tout ce matériel dans la chambre d'Eichmann : il s'agissait de créer une atmosphère propice aux confidences.

C'était une décision que j'avais prise à la suite du décevant interrogatoire du matin. Hans avait passé des heures à essayer de soutirer à Eichmann l'adresse de Mengele, et à tenter de lui faire signer la déclaration. J'étais présent pendant l'interrogatoire qui avait été conduit, comme la première fois, de façon sèche et autoritaire. Je me demandais pourquoi Eichmann, dans la situation où il était, s'efforçait de garder ses secrets et refusait même de signer, puisque concrètement cela ne changerait rien pour lui.

Le docteur Klein jouait tout seul aux échecs dans le salon. Meir et Jack faisaient des rondes autour de la villa. Uzi était calé dans son fauteuil ; il jeta un coup d'œil narquois sur le phonographe : « Qu'est-ce que c'est ?

— Nous aurons un peu de musique aujourd'hui. Du flamenco, du tango, de la rumba... ça lui déliera peut-être la langue... »

Je versai du vin dans le verre d'Eichmann. Je posai le saphir sur le disque, et les accords d'un flamenco emplirent la pièce.

Eichmann fut immédiatement sur le qui-vive ; il dressa la tête et écouta attentivement la musique. Il cherchait à deviner ce qui allait suivre ce petit prélude. Il se rappelait probablement les orchestres spéciaux qui jouaient un air de « bienvenue » à chaque fournée de nouveaux arrivants, afin d'entretenir l'illusion des victimes jusqu'au dernier moment. Ils allaient ainsi joyeusement à leur perte, en battant la mesure, et leur attention était détournée des visages altérés des « ouvreurs ».

« *Wunderbar, wunderbar*... murmura-t-il. Une musique merveilleuse. »

Je lui ordonnai de s'asseoir dans son lit. J'ôtai son bandeau. Toujours docile au point de ne pas oser ouvrir les yeux sans ma permission. Je lui commandai de le faire, et je dus même répéter l'ordre à plusieurs reprises. Tout son corps tremblait de peur.

Il ouvrit les yeux et vit pour la première fois la pièce où il était tenu prisonnier. Il se mit à fixer le mur, de peur de croiser mon regard. Comme un chien soumis qui évite son maître après avoir fait une bêtise. « Vous m'emmenez quelque part ? me demanda-t-il, apeuré.

— Non. Nous restons ici. »

Je lui tendis le verre de vin, et m'en versai un à moi aussi. J'étais debout en face de lui. Il fallait qu'il me regarde ; je l'observai avec insistance. Il baissa les paupières. Le verre trembla dans sa main. La lumière le faisait ciller, comme s'il avait perdu l'habitude du jour. Il avait les yeux gris-bleu, exactement comme les miens. Les yeux d'un homme en état de choc, avec une lueur de démence dans le regard. Le genre d'expression qu'on voit sur les portraits de Hitler, de Müller, de Himmler et de Goebbels.

Eichmann posa son verre et se frotta vivement les yeux. La musique continuait. Il but alors une gorgée de vin, en me jetant furtivement des regards obliques — pour jauger l'adversaire, en quelque sorte. J'y décelai du respect, et même de l'admiration. C'était un peu inattendu : j'avais pensé qu'il ne verrait en moi qu'un vague étranger. Ni l'un ni l'autre ne nous étions jamais imaginés, même dans nos élucubrations les plus folles, en train de boire du vin ensemble, au son d'un air de danse sud-américain.

« Excellent vin, marmonna-t-il, pour gagner du temps. Quelle belle musique, je n'arrive pas à y croire.

— Vous vous souvenez de la conversation que nous avons eue hier ? demandai-je familièrement.

— Oui, répondit-il d'un air soupçonneux, se demandant où je voulais en venir.

— Vous n'avez rien à perdre. Je vous conseille, pour la dernière fois, de signer cette déclaration. Elle n'a qu'une valeur morale. Vous devez bien ça aux juifs qui ont survécu. Vous avez signé tant de documents, quand vous étiez jeune, qui distribuaient la vie et la mort sans jugement... Vous n'avez pas hésité alors. Vous avez maintenant l'occasion de signer ce document de votre plein gré. Un petit geste de regret, Eichmann ! »

Je suis sûr que l'officier des transports ne comprenait rien à la situation : pourquoi, alors que son destin était entre nos mains, cherchions-nous patiemment à le convaincre, sans le menacer ni le contraindre ? Bon Dieu, pensai-je, voilà un jeune juif, un Israélien pardessus le marché, en train de demander poliment à cet assassin de signer un bout de papier. Et il refuse ! Mais qui est le prisonnier ici ? Un simple coup de poing sur la tête, et il signe tout ce qu'on voudra.

Eichmann soupira. Pourrait-il, si ça ne me dérangeait pas, avoir encore un peu de vin ? Depuis la cigarette, c'était la première fois qu'il demandait quelque chose.

Je lui remplis à nouveau son verre, et repris, d'un ton persuasif : « Du tribunal de Jérusalem, vous aurez la possibilité de vous adresser au monde entier. Votre petit enfant vous entendra, lui aussi. Votre femme pourra venir. Vous aurez un avocat allemand. C'est la dernière fois que je vous en parle. Je peux vous promettre personnellement une chose : j'irai vous voir au tribunal de Jérusalem !

— Vous resterez avec moi tout le temps ? Même en Israël ? » demanda prudemment Eichmann. Il avait manifestement commencé à me faire confiance.

« J'essaierai. Je ne peux pas vous le garantir. Mais je viendrai vous voir à Jérusalem ! »

Eichmann s'était renversé sur le lit, raide comme un piquet. Ses yeux grands ouverts étaient rivés au plafond.

« Pouvez-vous me lire la déclaration ? » demanda-t-il.

Je la lus lentement, à haute voix : « Je, soussigné Adolf Eichmann, déclare par la présente de mon plein gré : mon identité réelle étant désormais connue, je comprends qu'il est vain de tenter d'échapper à la justice. Je me déclare prêt à me rendre en Israël et à comparaître devant un tribunal compétent. Il est bien entendu que je bénéficierai de l'assistance d'un avocat, et que je m'appliquerai moi-même à clarifier les faits qui me sont reprochés pendant mes dernières années de service en Allemagne ; je décrirai les faits tels qu'ils sont et sans les travestir, pour que les générations futures puissent connaître la vérité. Je fais la présente déclaration de mon plein gré, sans avoir été contraint par des menaces ni trompé par des promesses. Je souhaite trouver enfin le repos de l'âme. »

Eichmann ne bougeait pas. Je lui tendis la déclaration avec un stylo. Sans un mot, il posa le papier sur la table de nuit, et il écrivit sous mes yeux : *Puisque je ne peux plus me rappeler tous les détails, et qu'il m'arrive de confondre les événements ou les dates, je demande par la présente la possibilité d'avoir accès aux documents et aux témoignages appropriés, qui me permettront d'établir la vérité.*

Sa main tremblait. Il signa : *Adolf Eichmann, Buenos Aires, mai 1960.*

Je pliai soigneusement le document et le mis dans ma poche. La bouteille était vide, et les derniers accords d'un tango langoureux se faisaient entendre. Je bandai à nouveau les yeux de mon prisonnier. Je gardai mon sang-froid. Cet animal devait être dressé, une fois pour toutes.

Eichmann sirotait pensivement son vin. Il se taisait. Je choisis un autre disque, au hasard. C'était un tango argentin.

« L'Argentine... murmura Eichmann, je suis prêt à être jugé en Argentine ou en Allemagne. »

Il n'y avait rien de mystérieux dans sa préférence pour l'Allemagne. Une simple procédure de transfert. Les Allemands le relâcheraient au bout d'un an ou deux. Il se pourrait aussi qu'il ne soit jamais traduit en justice ; et, s'il était mis en prison, plus d'une main secourable l'aiderait à en sortir ; personne ne l'entendrait jamais raconter l'histoire du crime monstrueux de la « solution finale ».

« Vous devez aller à Jérusalem. Vous le devez à vos victimes. Vous le devez à la jeune génération allemande. Pour que l'Histoire ne puisse jamais se répéter. Vous, Eichmann, qui avez été responsable de ces massacres, vous serez aussi l'homme qui leur lancera un avertissement à tous ! Vous le devez à votre jeune fils... »

J'attendis sa réponse. Eichmann se retournait en tous sens sur son lit. Son visage était secoué de tics. L'enfant de sa vieillesse commençante... c'était certainement son point sensible. Tout à coup, il se lança dans un monologue plaintif, d'une voix basse et égale :

« Oui, oui, il y a déjà un an, j'en ai entendu parler par deux de mes amis qui revenaient d'Allemagne. De cette culpabilité .collective, à cause de ce qui s'est passé pendant la guerre. Ça m'a beaucoup tracassé. J'ai eu l'impression de fuir mes responsabilités. Je ne veux pas que les jeunes Allemands aient ce poids sur leur conscience. Ni mon fils. Que va-t-il lui arriver ?

— Vous pourriez faire mieux que cela. » J'essayais de suivre le cours de ses pensées. « Vous pourriez nous dire où est Mengele.

— Je vous ai dit la vérité, je vous le répète : je ne sais pas où est Mengele. Vous devez me croire ! »

A ce moment-là, quelqu'un arriva en courant dans le couloir. La porte s'ouvrit brusquement pour laisser apparaître Hoffman, qui écumait de rage. Uzi le retenait par le bras, sans rien comprendre.

« Tu passes mes disques à ce... ce salaud ? bredouilla-t-il. Est-ce que tu as perdu la tête ? » Son poing se balançait à un millimètre de mon nez. Il avait encore son pardessus et son chapeau. « Ma musique pour ce boucher ? »

Eichmann se recroquevilla, terrorisé par toutes ces clameurs. Il n'avait aucune idée de ce qui se passait. Je tentai de plaider ma cause, mais Hoffman m'imposa brutalement silence.

« Ce bourreau a assassiné mes parents. Pendant des jours et des nuits entières, je n'ai pas pu trouver le sommeil. Surtout depuis que cette vermine est sous notre toit. Les ordres, je dois les exécuter, mais lui passer du tango ! De la musique ? Avec mon phono et mes disques ? »

Uzi tenta de le calmer, mais sans le moindre succès. Rosa passa la tête à travers la porte, pour lui apporter son soutien : « Hoffman a raison, absolument raison ! » cria-t-elle. Tout le groupe était maintenant rassemblé sur la véranda. « Qu'est-ce qu'il y a ? Mais qu'est-ce qu'il y a ? » questionnaient-ils tous.

« Il donne un concert pour Eichmann ! » hurla Hoffman, qui suffoquait presque sous l'affront. Eichmann pâlit lorsqu'il entendit son nom.

« Nous ne faisions pas la fête, mon vieux, tentai-je d'expliquer. Ça faisait partie de mon travail...

— Non, coupa-t-il. Nous avons reçu l'ordre formel de ne pas lui parler. »

Son regard furieux rencontra alors la bouteille vide. C'était plus qu'il n'en pouvait supporter.

Hoffman se libéra de l'étreinte d'Uzi, se jeta sur la bouteille et la saisit à deux mains. Sur quelle tête allait-elle atterrir ?... Tous les paris étaient ouverts.

« Et tu lui as donné du vin ? » Sa voix était devenue rauque. Tout le sang s'était retiré de son visage habituellement rubicond ; il avait viré au gris cendre. « Une petite réception pour Herr Eichmann ? Tu as perdu toute dignité, tout sens de la mesure ? Jusqu'où vas-tu t'abaisser ?

— Tu as fait quelque chose d'effroyable, Peter — Rosa faisait chorus. C'est répugnant. Tu as pris le vin de la bénédiction et tu l'as versé pour ce païen.

— Attends un peu, tu vas voir. Tu ne vas pas t'en tirer comme ça. Je demanderai une enquête. Tu le paieras. » Hoffman secouait son poing, qu'il se retenait à grand-peine d'écraser sur ma tête. Il avait tendu la bouteille à Rosa, qui la berçait tendrement. Il ramassa lui-même le phonographe et les disques avec ostentation et sortit de la pièce.

Dans le silence qui suivit, je m'effondrai sur ma chaise. Mon Dieu, qu'avais-je fait ? Étais-je allé trop loin ? Je comprenais leur point de vue. Toute la mise en scène que j'avais montée était bel et bien écœurante. Uzi entra, me tapa gauchement sur l'épaule et me dit d'un ton bourru : « T'en fais pas. C'est pas si grave que ça.

— Il a signé la déclaration ! m'exclamai-je. Il est prêt à aller à Jérusalem... »

Nous ignorions tous deux la présence d'Eichmann dans la pièce. Jack entra à son tour et sourit d'un air mal assuré : « Pourquoi t'es-tu mêlé de ça ? Nous avons l'ordre de ne pas lui parler. »

Le docteur Klein m'examinait gentiment, d'un regard presque clinique, sur le seuil de la porte. « Détends-toi, Peter. Demain, ils auront tout oublié.

— J'ai utilisé le vin et le phono comme moyens de persuasion, c'est tout. » Le docteur Klein hocha la tête ; il comprenait.

Meir fut le dernier à se joindre au chœur des consolateurs : « Ça ne fait rien. Ça ne fait rien, Peter. Ce sont des choses qui font mal, c'est tout. Je ne suis pas en train de justifier Hoffman, mais je le comprends. De toute façon, tu ne l'as pas fait pour t'amuser. Laisse-moi m'occuper d'Hoffman ; il se calmera vite. »

Uzi était resté, après le départ des autres : « Quand il est question de sentiments, on ne sait jamais à quoi s'en tenir avec les gens, mais en termes purement professionnels, tu as très bien fait. J'aurais fait la même chose à ta place. »

L'affaire du vin et de la musique donna lieu à d'interminables débats dans la villa. Pas un instant je ne crus que la colère de Rosa et d'Hoffman était dirigée contre moi. C'était leur manière d'exprimer ce qu'ils ressentaient envers Eichmann. Hoffman s'enfermait des heures durant dans sa chambre au premier. Rosa ne cessait d'interpeller tous ceux qu'elle croisait. La discussion constituait une sorte de soupape de sécurité, qui permettait de relâcher toute la tension accumulée. Plus nous prolongions notre séjour dans la villa, plus l'issue de l'opération devenait incertaine. Dans combien de temps pourrions-nous sortir de ces murs, et pour combien de temps encore devrions-nous servir de bonnes à cet assassin ?

Je pris mon dîner avec Eichmann ce soir-là, tandis que les autres se mettaient à table. J'entendais leurs voix, désormais plus calmes ; ils discutaient encore.

L'un des camps affirmait que notre travail consistait à garder Eichmann jusqu'à son départ pour Israël, et c'était tout. Rosa, avec sa bruyante opiniâtreté coutumière, était le meneur de ce groupe. De l'autre côté, Uzi soutenait mon point de vue : tant que nous serions en Amérique du Sud, nous devions tout faire pour amener Eichmann à signer le document, et à dire ce qu'il savait des autres criminels nazis.

Vers minuit, l'orage se déchaîna à nouveau, le vent mugit, des éclairs livides déchirèrent le ciel morne et les éclats du tonnerre ébranlèrent la maison.

Comme si les dieux eux-mêmes se mettaient de la partie, dans le bruit et la fureur.

Le 15 mai

Eichmann était assis devant le grand miroir. Il avait toujours son bandeau sur les yeux. Sur le mur, à côté du miroir, se trouvait une photo agrandie de l'*Obersturmbannführer* lui-même, dans toute sa gloire d'officier S.S.

J'étais debout derrière lui, et j'examinais son reflet dans la glace. Je comparais sa physionomie de jeune officier du IIIe Reich au visage marqué que j'avais sous les yeux. Eichmann, qui ne savait pas trop à quoi s'attendre, remuait nerveusement sur sa chaise.

C'était le « jour du maquillage ». Uzi venait de rentrer d'une réunion avec le Vieux, dans un de ses repaires habituels de Buenos Aires. Il apportait les nouvelles que nous attendions : nous quitterions la villa dans quelques jours. Nous devions être prêts à sortir Eichmann des frontières argentines. Il était temps de lui faire un lifting pour qu'il soit tout à fait méconnaissable : quelqu'un pouvait le chercher au passage de la frontière. Il faudrait aussi lui fournir un nouvel assortiment de faux papiers.

La chambre d'Eichmann s'était enrichie d'une table avec tout un nécessaire de maquillage, et d'un grand miroir. Les expériences que j'avais faites dans mon laboratoire en Israël et les dessins que j'avais griffonnés pendant mes longues heures de garde se révélaient fort utiles, maintenant que j'essayais de créer une nouvelle personnalité pour mon prisonnier.

La meilleure solution, pensai-je en comparant les deux têtes, serait de lui restituer sa jeunesse perdue. Personne ne chercherait un jeune homme d'une trentaine d'années. Et j'étais en proie à un désir irrépressible : celui de recréer le visage qui avait semé la terreur dans toute l'Europe occupée. Jamais je ne retrouverais une occasion pareille. De plus, aucun maquilleur n'aurait pu souhaiter sujet plus accommodant.

Uzi, assis sur le lit, suivait avec attention les préparatifs, sans mot dire. J'ôtai la veste de pyjama d'Eichmann. Elle était incompatible avec le personnage que je voulais construire. Eichmann était une vraie pâte molle entre mes mains.

« Est-ce que vous allez m'envoyer ailleurs ? » demanda-t-il avec inquiétude. Il craignait que nous ne soyons en train de lui faire la toilette du condamné.

Tout en l'habillant d'une chemise fraîchement repassée, je le rassurai : « Je vais vous rendre la jeunesse que vous aviez du temps de l'armée allemande. »

Je détachai le bandeau. Il lui fallut quelques secondes avant de pouvoir ouvrir les yeux et, une fois de plus, avant de s'accoutumer à la lumière. Il eut un choc lorsqu'il se vit dans le miroir, pour la première fois depuis son enlèvement. Il examina son visage avec incrédulité, les yeux écarquillés, en promenant ses doigts sur ses joues, comme pour s'assurer que la captivité ne l'avait pas changé. Je m'écartai pendant quelques minutes, pour le laisser se réconcilier avec son image. Je voulais qu'il se détende, que ses traits soient exempts de toute trace de tension, afin d'appliquer plus commodément le maquillage.

Uzi nous avait expliqué auparavant qu'Eichmann franchirait peut-être la frontière en tenue de steward d'El Al. Dani devait arriver dans peu de temps avec un uniforme fait sur mesure.

Eichmann était moins inquiet, et il observait mes

gestes dans le miroir. Je commençai par le raser de près, pour que le maquillage adhère mieux à la peau. Je m'efforçai d'effacer les rides autour de ses yeux et sur son front. Je modelai les joues creuses et le menton, afin d'arrondir et de rajeunir son visage. Le travail avançait et, sous mes mains, la figure se mit à ressembler de façon de plus en plus frappante à celle de la vieille photo. Je retouchai les fils argentés de la chevelure et lui refis son ancienne coiffure.

Eichmann était d'une complaisance servile. Lorsque je tournais sa tête pour la placer dans l'angle voulu, il gardait la pose sans bouger, jusqu'à ce qu'il ait reçu un ordre explicite, ou que je modifie moi-même d'un geste sa position.

Au bout de deux heures de travail, durant lesquelles j'oubliai presque quelle tête se prêtait si docilement à mes mains expertes, je parvins à obtenir l'image que je voulais. Je nouai un foulard autour de son cou. Il ne manquait plus que la casquette de S.S. pour compléter le portrait d'un Eichmann régénéré.

J'attendais avec impatience l'arrivée de Dani pour mettre la dernière touche. Je le laissai à nouveau seul devant le miroir et m'assis sur le lit à côté d'Uzi. Un éclair d'orgueil passa sur le visage d'Eichmann — comme une très ancienne réminiscence. Il tourna la tête de-ci, de-là, puis il examina son profil, le côté gauche d'abord. Oui, c'était bien comme ça qu'il était, *au bon vieux temps.*

« Vous pouvez vous lever, lui dis-je, et vous regarder dans le miroir autant que vous voudrez.

— *Das ist gut! wunderbar!...* » marmonna-t-il, fasciné par son reflet. J'aurais été incapable de dire si c'était devant mon talent artistique qu'il était en admiration, ou tout simplement devant lui-même.

Quelqu'un frappa. Je dis à Eichmann de fermer les yeux. Il obéit sur-le-champ à mon commandement, et rien n'aurait pu le décider à les rouvrir, sinon un nouvel ordre. Je ne savais pas qui allait entrer à ce moment-là. La porte s'ouvrit sur Hans et Dani. A la vue d'Eichmann, ils s'immobilisèrent, quelque peu horrifiés.

« Vous avez devant vous l'*Obersturmbannführer*, Eichmann ! » annonçai-je. Lorsqu'il entendit mentionner son rang dans la S.S., Eichmann se redressa sur sa chaise. Dani, valise en main, semblait pétrifié. Il avait pâli. C'était la première fois qu'il le voyait. Il est vrai que le spectacle de ce revenant, qui avait fait régner la terreur et la mort dans toute l'Europe pendant la jeunesse de Dani, était assez saisissant. Ce fut Hans qui rompit le silence : « Peter, tu es un artiste. C'est la réplique exacte d'Eichmann dans la fleur de l'âge. »

Le premier compliment de Hans. J'avais dû me surpasser. Uzi grommela : « Si on l'emmène comme ça, une de ses anciennes victimes pourrait le reconnaître. Il faut que tu modifies le maquillage. »

Dani me remit en silence l'uniforme, avec la casquette, et tout le monde quitta la pièce. J'ordonnai à Eichmann de passer les vêtements qui avaient été faits pour lui sur mesure. Je le coiffai de la casquette à visière, en l'inclinant légèrement sur le front, comme sur la photo. Tout d'abord, il parut lui-même bouleversé devant l'image resplendissante que lui renvoyait le grand miroir. D'un petit mouvement de la main, il repoussa sa casquette, pour la mettre dans son angle favori. Il se redressa de toute sa stature ; il semblait soudain plus grand. L'uniforme lui avait rendu son ancienne assurance. Son expression changea ; et le petit quelque chose qui manquait, et qu'aucun maquillage ne peut suppléer, acheva la métamorphose. Au cri de « *Heil, Hitler !* » il aurait bondi au garde-à-vous, levé le bras pour le salut nazi et claqué les talons.

Je me sentais moi-même mal à l'aise. La transformation que j'avais effectuée était assez impressionnante. C'était là le véritable Eichmann, et non pas le vieil homme grisonnant et pitoyable, vêtu d'un pyjama rayé, qui avait occupé ce lit ! C'est comme ça, pensais-je, que je voudrais te pendre, dans cet attirail. Je briserais chacun de tes os. Je te pulvériserais. Je... mes poings se fermèrent, puis je me détendis. Je l'avais soudain perçu différemment, comme une marionnette, un épouvantail ou un clown. Donnez-lui donc un costume et retenez votre souffle. Il est prêt à reprendre son rôle — pour de bon ! Il se sentait bien là-dedans, et n'importe quel vieil uniforme ferait l'affaire, pourvu qu'il lui confère une apparence d'autorité. Il bomba son torse. Oh, la joie de se sentir à nouveau important ! Combien parmi ces minables, ces crapules, ces vauriens malfaisants, étaient-ils devenus de présomptueux seigneurs dès qu'ils avaient endossé ces uniformes lustrés, ces bottes noires, ces casquettes à visière et ces brassards imposants ?

« Qu'allez-vous faire de moi ? demanda-t-il, anxieux tout à coup.

— Nous vous préparons pour un long voyage. » Il me regarda d'un air interrogateur, attendant de plus amples explications.

« Pas en train ! ajoutai-je d'un ton sarcastique.

— Très bel uniforme, dit-il, en admirant les galons d'argent et les insignes de ses épaulettes.

— Les uniformes sont toujours beaux, répondis-je. La tenue S.S. était mieux évidemment, plus martiale, surtout les bottes... »

Il se tut. Je l'installai à nouveau sur la chaise, et tâchai d'effacer la ressemblance trop forte avec son ancien personnage. L'uniforme d'El Al me facilitait un peu les choses.

J'appelai Dani ; il entra avec ses flashes et son appareil. Dani, toujours très troublé, se mit au travail avec la fureur d'un possédé. Lui qui était habituellement si pondéré, se montrait brusque et nerveux. Il « mitrailla » plusieurs fois Eichmann, sous tous les angles possibles, sans prononcer un seul mot. Il aurait certainement préféré tenir un fusil entre ses mains, et trouer de balles tout le corps d'Eichmann, au lieu d'impressionner cette physionomie détestée sur des plaques de celluloïd.

La tension qui régnait entre le photographe et son sujet était manifeste. Rosa et Hoffman, dont chaque fibre respirait l'horreur et le dégoût, semblaient partager les sentiments de Dani. Cependant, Rosa ne put s'empêcher de murmurer à l'oreille d'Hoffman, d'un ton admiratif : « Peter a rendu sa jeunesse à cette ordure... mais regarde comme il a l'air jeune. »

Le docteur Klein, qui s'était joint aux spectateurs, déclara : « Je sais maintenant que je suis entouré d'une bande d'acteurs. Le héros a fière allure ! Apparemment, il apprécie le scénario. »

Jack était debout, les mains dans les poches, la tête penchée, avec l'air blasé de celui qui sait que la vérité dépasse la plus invraisemblable fiction. Un costume de Purim [1] pour le criminel. Une exhibition macabre dans un théâtre privé pour une audience choisie.

Tout le monde se dispersa, Dani rangea ses appareils après une heure de travail et partit en claquant la porte. Je jetai un coup d'œil à Uzi et courus après lui. Me glissant dans la voiture à ses côtés au moment où il actionnait le démarreur, je coupai le moteur.

« Dis donc, mon vieux, lui demandai-je, contre qui es-tu si en colère ?

— Personne, dit sèchement Dani. Il respira profondément : A la minute où je l'ai vu, quelque chose s'est passé en moi. » Un spasme de douleur contracta son visage.

« Je pense que c'est arrivé à chacun d'entre nous. »

Il avait l'air encore plus abattu. « Et je suis là, dit-il avec amertume, à prendre de jolies photos de ce saligaud qui a assassiné mon père. Et je n'ai pas fini de

1. Fête qui célèbre dans la joie la délivrance des juifs de Perse par Esther. En cette occasion, les enfants ont coutume de porter des déguisements.

le regarder : il y a des douzaines de photos à développer.

— Tu t'es porté volontaire pour cette mission, n'est-ce pas ? »

Il hocha la tête avec tristesse.

« Tu veux que je te donne un coup de main ? Je pourrais t'aider à préparer les documents.

— Non, je le ferai moi-même. Je ne savais pas que j'étais aussi faible. Bon Dieu, comme il prenait plaisir à toute cette comédie, l'ordure ! L'enfer de Dante... Ça va aller. Je m'en remettrai. Je lui préparerai les papiers les plus authentiques qu'il ait jamais vus dans sa vie. Je serais plus heureux si c'était son acte de décès... Enfin, ajouta-t-il, c'est peut-être un peu ça. »

Le regard tourmenté de Dani me hanta pendant des heures. Uzi et moi étions peut-être pétris d'un limon plus grossier. Sinon comment pouvions-nous passer des jours et des nuits dans la même pièce qu'Eichmann, alors que des gens comme Dani craquaient au bout d'une heure ?

Lorsque j'entrai dans ma chambre pour me reposer un peu, je trouvai Rosa en train de piquer un somme. Elle était allongée, tout près du poêle, à moitié nue. Sa chemise de nuit était remontée au-dessus de ses genoux ; elle avait défait son corsage et ses seins pâles semblaient appeler la chaleur d'une caresse. Les formes indéniablement agréables de cette dame dans son lit faisaient un singulier contraste avec la silhouette de mon prisonnier en pyjama rayé. Il y avait longtemps que je n'avais pas eu l'occasion de contempler un corps allongé, comme une invite silencieuse. Et de Rosa émanait tout à coup un charme de femme. Dans certaines circonstances, le corps et la personnalité tout entière peuvent s'abandonner. A ce moment-là, tout en elle était charnel. J'étais presque sûr qu'elle ne dormait pas. Une veilleuse brûlait doucement au-dessus de son lit. C'était la première image romantique qu'il m'était donné de regarder dans la villa.

« Rosa, Rosa, pensai-je, que peut-on faire de toi ? » Pendant un instant, je fus presque tenté d'aller la rejoindre dans son lit tiède, mais c'était une entreprise un peu risquée. Elle pouvait me prendre dans ses bras, comme elle pouvait se mettre à prier pour exorciser le spectre de la luxure qui se déchaînait dans ses virginales entrailles. Rosa, Satan et moi réunis. Non, pensai-je, il valait mieux la priver de ce plaisir. Je savais d'expérience que dans un groupe comme le nôtre, rien ne passait inaperçu. Les ragots me poursuivraient jusqu'à la fin de mes jours : Peter et Rosa ont fait l'amour sous le même toit qu'Eichmann. D'ailleurs, en dépit de mon peu d'aménité à son égard, les sourires et les regards significatifs allaient bon train quand j'avais le dos tourné, à cause de la chambre que nous partagions. Inutile d'alimenter tous ces commérages. Hoffman s'emparerait avec avidité du moindre faux pas de ma part, et se plaindrait de mon inconduite.

Rosa ouvrit les yeux et surprit mon regard lubrique.

« As-tu faim ? demanda-t-elle, sans faire un geste pour se couvrir.

— Rosa, mon petit, qui aurait pu penser que ces choses informes que tu portes cachaient un corps de femme ? Pas mal du tout, je t'assure.

— En tant que croyante, je me préoccupe plus de mon âme que de mon corps. Le corps n'est que le réceptacle de l'âme.

— Ouais ? Et la tentation de la chair ? C'est une bonne chose ?

— Parfois, répondit-elle avec un sourire enjôleur.

— Il fait froid, dis-je sur le même ton. Il faut que je me mette au lit. »

Elle s'écarta, pour me faire une place à côté d'elle. Je tournai le poêle vers mon lit et me couchai tout habillé.

« S'il n'y avait pas Eichmann dans la pièce à côté, lui assurai-je, ce serait différent. »

Elle me tourna ostensiblement le dos et tira la couverture sur sa tête.

« Rosa, je ne voulais pas te blesser. Je ne suis pas religieux. Et je ne suis pas de bois non plus, mais j'ai comme l'impression qu'on nous guette à travers le mur. »

Le 16 mai

Ce jour-là, toute l'activité s'était concentrée dans la cuisine. Le cliquetis incessant des casseroles, les odeurs de nourriture, les vaillants efforts de Rosa qui transpirait et marmonnait devant ses fourneaux, tout trahissait le caractère exceptionnel de cette journée : le Vieux venait dîner.

Meir aida Rosa à mettre la table. Hoffman, ne tenant pas en place, balaya le plancher et secoua les tapis, sans quitter son chapeau. Le parfait maître de maison, fier d'accueillir un hôte de marque. Personne ne savait exactement à quel moment le Chef arriverait — sinon que, pour des raisons de sécurité, ce ne serait pas avant la nuit.

Nous espérions que le Vieux nous apporterait enfin les nouvelles salvatrices : quel jour, à quelle heure et de quelle façon Eichmann allait être expédié en Israël. Les jours s'étiraient sans fin. Les nuits de vent et de pluie se succédaient avec une régularité monotone. La plupart d'entre nous avaient à peine mis le pied hors de la villa depuis que nous y étions installés.

Uzi se mit lui-même au poste d'observation, pour nous annoncer l'arrivée du Vieux dès qu'il verrait sa voiture poindre à l'horizon. Je demandai à Meir de me relayer par intervalles auprès d'Eichmann, afin de pouvoir participer au repas du soir. Quelques secondes après le cri de guerre d'Uzi, le Vieux apparut, toujours coiffé de son chapeau d'astrakan; Aharon l'accompagnait. Ils semblaient tous deux de bonne humeur. Le Vieux nous serra la main à tour de rôle, rayonnant de plaisir et de satisfaction.

« Où est le prisonnier? » voulut-il tout de suite savoir. Uzi, Aharon et moi le conduisîmes vers la pièce où Eichmann était détenu. Le Vieux entra d'un pas énergique, puis il se planta à côté du lit, pour l'observer. Pendant quelques minutes, il fixa silencieusement la silhouette étendue, aux yeux bandés. Il semblait rechercher certaines marques, certains traits physiques qui trahiraient sa nature de monstre déguisé en être humain. C'était assez réconfortant de voir Eichmann allongé là, sans défense, devant l'homme qui était à l'origine de sa capture. Le Vieux hocha la tête, comme s'il était en grande conversation avec lui-même. Son front se déplissa, et une expression de profond contentement glissa sur son visage. Pour lui, qui harcelait les services secrets depuis des années, et qui voyait maintenant l'aboutissement de son action, c'était un moment à savourer. Encore une étape — le transfert de la proie en Israël —, et il aurait désormais sa place dans l'histoire d'Israël. Le plus pessimiste des nazis n'aurait pu prévoir, à l'époque où ils ravageaient l'Europe, qu'un jour viendrait où le chef des services secrets de l'État souverain d'Israël les traquerait implacablement.

L'atmosphère à table était joyeuse et insouciante ce soir-là. Le Vieux présida le dîner et versa gaiement le vin dans les verres. Nous étions son équipe personnelle, triée sur le volet, et il était fier de nous. Rosa apporta les plats, tout fumants : en tout cas, nous mangerions chaud. Nous trinquâmes à la santé de tous : « *le chaïm!*[1] » Nous attendions avec une telle impatience ce que le Vieux avait à nous dire que nous n'accordâmes aucune attention à la nourriture insipide. Lui,

1. A la vie!

cependant, ne tarit pas d'éloges sur les exploits culinaires de Rosa.

Sans préambule, comme il en avait coutume, il se leva, brandit son verre de vin et déclara : « J'ai informé le Premier ministre Ben Gourion qu'Eichmann était entre nos mains. Il m'a demandé de vous transmettre ses remerciements personnels. Cette génération, et toutes celles à venir, se souviendront de vous, les soldats anonymes, qui grâce à votre ingéniosité et à votre dévouement, avez bouclé le criminel qui est allongé dans la chambre d'à côté.

— Si nous devons rester anonymes, interrompis-je, dans l'esprit de camaraderie démocratique qui caractérisait ce genre de réunion, comment les générations futures sauront-elles de qui elles doivent se souvenir ? »

Le Chef plissa malicieusement les yeux, mais il ajouta seulement : « Au fond de leur cœur, les gens savent qui sont leurs soldats anonymes. » Puis il reprit, d'un ton plus sérieux : « Le 19, c'est-à-dire dans deux jours, le *Britannia* d'El Al atterrira à Buenos Aires. Le 20, nous nous envolerons pour Jérusalem avec l'assassin.Je sais que vous avez été longtemps cantonnés dans vos quartiers, mais ce n'était pas facile d'organiser ce vol spécial. Et jusqu'au moment où l'avion touchera le sol argentin, nous ne pouvons être sûrs de rien. C'est pourquoi nous avons aussi un bateau israélien prêt à appareiller. »

Uzi tendit solennellement au Vieux la déclaration signée par Eichmann. Il lut la signature avec surprise et satisfaction. Uzi me désigna, d'un geste plein de gentillesse, comme l'homme qui avait réussi à convaincre Eichmann.

« Peter, je veux que tu utilises toute l'influence que tu peux exercer sur Eichmann pour essayer de découvrir la cachette de Mengele, dit le Chef.

— Est-ce que le vin, la musique et les séances de gymnastique font partie des méthodes autorisées ? »

demandai-je d'une voix forte. Hoffman et Rosa me regardèrent.

« Tous les moyens sont bons si tu découvres la cachette de ce criminel ! »

La réponse du Vieux frappa Hoffman de stupeur. Le chef des services secrets en personne avait rétroactivement donné sa bénédiction à toutes mes singeries.

« Ce document, poursuivit le Vieux, est de première importance. Il servira à couper court à toute polémique. »

Tout à coup, il se pencha vers Uzi : « Quoi qu'il arrive, si la police ou une quelconque organisation nazie pénétraient dans la villa, par la force ou par la ruse, ne le lâchez pas. Et ce n'est pas tout, je vous ordonne aussi, au cas où vous seriez arrêtés par la police, de donner l'adresse de mon hôtel à Buenos Aires, et d'informer les autorités que vous avez enlevé Eichmann sur mon ordre. »

Uzi combattit avec acharnement ce dernier point. Aucun d'entre nous ne voyait la nécessité d'impliquer le chef des services israéliens en cas d'arrestation. Les objections d'Uzi furent catégoriquement rejetées : « C'est une question d'éthique, répondit le Vicux avec fermeté. Je n'admettrai aucune discussion sur ce sujet. »

Uzi avait encore une question à poser : « Qu'arrivera-t-il à la famille d'Eichmann, lorsqu'elle aura perdu son soutien ? » Ça, c'était une surprise qu'il gardait en réserve depuis quelque temps.

« Nous n'avons pas l'intention de leur faire du mal. Le moment venu, j'autoriserai la femme d'Eichmann à lui rendre visite en prison en Israël.

— Non, dit Uzi, ce n'est pas ce que je voulais dire ; qui va subvenir aux besoins de la famille ? Il est évident qu'ils n'ont pas d'autre source de revenus. Je pense que l'État d'Israël devrait les aider... »

Le Vieux lança à Uzi un regard sévère. Il était très contrarié. « T'es-tu jamais demandé ce que devenait la famille d'un banal délinquant, lorsqu'il était emprisonné ? Il n'existe aucune disposition légale, dans aucun pays, exigeant que l'État subvienne aux besoins de la famille du délinquant. Le chef de famille est censé penser lui-même aux personnes dont il a la charge, avant de choisir le crime. Alors qu'Eichmann a assassiné en masse, et que sa famille savait parfaitement ce qu'il faisait. » Les idées originales d'Uzi semblaient l'avoir considérablement irrité.

Je comprenais pourtant Uzi. C'était sa forme de noblesse. Il pouvait participer, avec la plus grande conviction, à l'enlèvement d'Eichmann, tout en prenant pitié de ceux qu'il considérait comme des innocents. Son sens de la justice extrêmement développé le distinguait de la plupart d'entre nous.

Avec la brusquerie qui le caractérisait, le Vieux changea de sujet. Il avait repris son rôle de chef. Il échafaudait déjà de nouveaux plans. Il remercia Rosa brièvement, mais avec chaleur, pour son « excellent repas ». Il nous félicita tous pour notre « abnégation » et manifesta son regret de nous avoir isolés si longtemps dans la villa.

« Mais on voit enfin le bout du tunnel, ajouta-t-il. Je suppose que la famille d'Eichmann et les néo-nazis vont intensifier leurs recherches. Nous n'avons aucune information précise, mais vous devez redoubler de précautions. Nous sommes maintenant si près du succès... Les vérifications doivent être principalement centrées sur le terrain d'aviation. J'ai ordonné à Aharon de s'en occuper, et de prendre une décision définitive quant à l'itinéraire que nous emprunterons pour amener Eichmann à l'avion. »

Tous les yeux étaient maintenant tournés vers Aharon : « A mon avis, le moyen le plus sûr et le plus rapide, c'est de faire passer Eichmann en uniforme d'El Al, comme membre de l'équipage. Quand le véritable équipage arrivera avec l'avion d'El Al, nous effectuerons plusieurs trajets de reconnaissance ensemble, afin de tester les réactions des gardes-frontières. »

Le Vieux fit ses adieux à tous, mais nous demanda, à Uzi et à moi, de venir le rejoindre dans la cuisine. Nous nous assîmes autour de la table, et le Vieux m'examina avec un sourire amusé.

« Je sais que tu aimes jouer la comédie, me dit-il, et j'ai pensé à toi ces derniers jours.

— Eh bien, il me semble que j'ai joué mon rôle, répondis-je, en souriant à mon tour.

— Non. J'ai un nouvel emploi pour toi. J'ai besoin d'un authentique certificat d'hôpital. »

Je ne voyais pas le rapport entre le jeu d'acteur et le certificat médical. Il avait toujours été brillant et inventif mais, avec lui, il fallait rester sur ses gardes. Son imagination sortait parfois des limites du possible. Uzi et moi échangeâmes un regard intrigué, puis nous nous tournâmes vers le Vieux. Nous attendions qu'il expose son scénario.

« Je veux que tu ailles à l'hôpital. Tu te présenteras comme un malade souffrant d'un traumatisme. »

J'écoutais tout cela avec incrédulité. Une idée pareille avait en effet de quoi me traumatiser ! Je ne savais pas si je devais en rire ou en pleurer. Il ne manquait plus que ça, au moment où je croyais déjà avoir un pied hors de cette villa.

« Pourquoi as-tu besoin du certificat ? demandai-je.

— Pour Eichmann ! dit-il, ce qui ne fit qu'accroître notre perplexité. Tu vas entrer à l'hôpital sous un faux nom. Le nom sous lequel tous les papiers d'Eichmann ont été préparés. Tu comprends, il aura l'air d'un malade, et se comportera comme tel, à cause des piqûres que le docteur Klein lui aura faites dans la voiture, entre la villa et l'aéroport ; il faudra que nous ayons un certificat médical à montrer à la police des frontières, au cas où il y aurait un cafouillage quelconque. »

Cette proposition ne m'enthousiasmait guère. Toute

ma vie, j'avais opéré en secret. J'avais toujours évité les contacts officiels avec les autorités, sous quelque forme que ce fût.

Je comprenais que le Vieux ait conçu ce plan et me l'ait présenté sans me laisser le temps de réfléchir. Il aurait le plus grand mal à trouver quelqu'un d'autre qui puisse jouer le *malade imaginaire*[1].

« Je préférerais ne pas avoir de rapports avec les institutions argentines, quelles qu'elles soient. Mais s'il n'y a pas d'autre solution, je serai bien obligé de jouer le jeu. Quand dois-je me rendre à l'hôpital ? demandai-je.

« Demain ! Mais je réfléchirai encore à la question. Je suggère que tu bavardes un peu avec le docteur Klein. Que tu te fasses décrire quelques symptômes. »

Uzi qui s'était tu jusque-là, me lança un avertissement : « N'en fais pas trop, sinon ils ne te laisseront pas sortir de l'hôpital. Nous devrons monter une autre opération, rien que pour te tirer de là ! »

Le Vieux m'observait d'un œil pénétrant. « Ça n'a pas l'air de t'enchanter ?

— Non, répondis-je sans ambages. Tant que je serai engagé dans l'activité clandestine, je m'abstiendrai autant que possible de tout contact avec les autorités. »

Le Vieux, qui à l'évidence pensait tout haut, dit d'un ton patient : « Parles-en avec le docteur Klein. Je te ferai connaître ma décision demain. »

Je ne pouvais pas savoir qu'à ce moment-là, alors que nous discutions dans la cuisine, le Vieux avait déjà un autre candidat. C'était sa façon de procéder : toujours une solution de rechange. Il n'avait nullement l'intention de renoncer à son plan. Il avait en fait sélectionné un jeune Israélien, un kibboutznik de passage à Buenos Aires, sans lui dire au juste pourquoi il devait jouer ce rôle.

Ce jeune homme fut effectivement admis dans un

---

1. En français dans le texte.

hôpital de Buenos Aires le 17 mai, en raison d'un traumatisme causé par un accident de la route. Il fut soumis à certains examens et ressortit de l'hôpital le 20 mai, avec tout un assortiment de certificats attestant son « état ».

Dani dut alors faire des copies de ces certificats pour Eichmann qui, si nécessaire, serait présenté à l'aéroport comme souffrant d'un traumatisme ; mais, en fin de compte, ce fut inutile.

Le Vieux mit son chapeau d'astrakan, nous serra la main et disparut dans la nuit avec Hans et Aharon. Mais auparavant il m'attrapa par l'épaule et chuchota : « Continue, essaie de découvrir l'adresse de Mengele, c'est très important. Nous avons encore le temps de le cueillir. » Quand le Vieux se mettait une idée dans la tête, il n'en démordait pas.

Nous retournâmes à table, dans le salon. Les bougies du sabbat vacillaient encore. Rosa servait du thé et du café. Les restes avaient été abandonnés à Meir, qui suçait les os du poulet. Jack le regardait, fasciné. Il considérait, avec une admiration non dissimulée, la capacité d'absorption illimitée du tube digestif de Meir, qui engloutissait avec régularité d'énormes bouchées. De temps à autre, il gémissait, feignant le désespoir : « C'est incroyable... c'est un tonneau sans fond qu'il a là-dedans... »

Le docteur Klein ne se joignait jamais à notre joyeuse compagnie. Il lui était impossible de s'acclimater à l'atmosphère débraillée du salon. Il nous considérait comme une bande d'originaux dont le destin l'obligeait à partager l'existence pendant quelque temps : après tout, son sort était lié au nôtre. Un étranger qui serait entré dans la pièce n'aurait eu aucun mal à identifier le docteur. Son costume sombre, sa chemise blanche amidonnée, sa cravate discrète étaient impeccables.

Hoffman buvait son café à petites gorgées, en soupesant pensivement son énorme trousseau de clefs, comme s'il égrenait un chapelet de soucis. Il savait reconnaître chaque clef, à sa forme et à sa couleur. Il pouvait dire, sans se tromper, à quelle villa ou à quel appartement elle correspondait. Il avait dû travailler dur pour accumuler ce petit paquet. Tout à coup, il parut avoir pris une décision et lança à Uzi : « Au cas où ils nous arrêteraient ici, est-ce que tu enverrais vraiment les flics au Vieux, comme il l'a dit ? »

Uzi répliqua promptement : « Non ! » et continua à grignoter les miettes qu'il ramassait sur la nappe. Rosa exprima son opinion : « Ça n'avait pas l'air raisonnable, que le Vieux demande à être mis en rapport avec la police si les choses tournaient mal. »

Uzi rassembla un petit tas de miettes sur la nappe blanche.

« Il y a, fis-je remarquer, des ordres qu'il faut écouter mais, quant à les exécuter, c'est une autre affaire. Quelquefois, le Vieux fait fi du bon sens, ou des impératifs professionnels, et se fonde sur des considérations de conscience personnelle qui sont incompatibles avec sa position et ses responsabilités. »

Comme ce vendredi avait été particulièrement gai, grâce à la visite du Vieux, nous prîmes tous des tours de garde d'un quart d'heure auprès d'Eichmann, afin de nous détendre un peu. De temps à autre, l'un d'entre nous se levait pour aller faire une inspection rapide au-dehors.

Le 17 mai

Au point du jour, après un sommeil réparateur, je relayai Jack qui feuilletait distraitement un livre ; j'éveillai Eichmann.

Je voulais effectuer une dernière tentative pour découvrir l'adresse de Mengele. La résistance que m'opposait Eichmann dès que j'abordais ce sujet ne m'avait pas découragé. J'avais patiemment reformulé mes questions dans ma tête, et j'étais sans cesse à l'affût du moment propice. Il devait y avoir un moyen de percer cette carapace ; et si j'arrivais à toucher la corde sensible, il finirait bien par s'épancher. J'observais la forme de son crâne pendant qu'il dormait, dans le vague espoir d'y trouver la clef du mystère. C'était le moment ou jamais : dès qu'il serait à Jérusalem, entouré de policiers et d'avocats, et bardé de livres juridiques, il serait impossible d'établir un contact personnel avec lui, comme je l'avais fait dans la villa.

Mon succès ne dépendait pas uniquement du bon vouloir d'Eichmann. Je devais faire appel à toute mon ingéniosité pour comprendre le mécanisme de cet esprit biscornu. Si le monde était réduit aux dimensions de cette chambre, et si nous en étions tous deux les seuls habitants, je pourrais le persuader qu'il était temps de parler, de raconter, de dévoiler les replis les plus secrets de son âme. Était-il seulement accessible à la parole ? Et y avait-il en lui une aptitude à la confession ? Jusque-là, je n'avais fait qu'érafler l'écorce. Je n'étais jamais arrivé au noyau.

Il était un peu plus de trois heures du matin. Une pluie monotone tambourinait depuis des heures. Eichmann respirait profondément dans son sommeil. La respiration lourde d'un homme accablé. Un plissement inquiet barrait son front. Quelques gouttes de salive avaient coulé de ses lèvres, et ses poings étaient serrés. Je ne savais pas comment m'y prendre pour ne pas l'effrayer. Si je prononçais son nom, il tenterait, en dépit de la chaîne qui enfermait sa cheville, de bondir hors du lit pour claquer les talons. J'attendis que sa respiration fût plus calme. Je remplis la carafe et la posai sur la table avec un léger tintement. Il tourna la tête vers moi, se dressa sur un coude, et je lui mis un verre d'eau dans la main. Il le lampa avidement.

« Merci, Peter, merci, dit-il en levant la tête.

— Il est trois heures du matin, lui dis-je. Ça fait une semaine que je suis ici avec vous.

— Oui, je sais. Moi aussi je compte les jours.

— Je pensais que vous seriez plus franc avec moi. Je ne fais pas pression sur vous, je ne vous questionne pas. Je ne vous cuisine pas. Mais je crois que c'est important pour vous, de me dire tout ce que vous savez. »

Il ne perdait pas une seule de mes paroles et tremblait de peur. Il tripotait nerveusement la couverture. Eh bien, semblait-il demander, quoi encore ?
« Je vous ai tout dit. Que voulez-vous savoir ? » Il se prit la tête entre les mains.

« Je ne vous demande pas la vérité sur tout. Vous ne pourriez pas raconter tout ce que vous avez fait pendant la guerre en une semaine. Même si vous le vouliez. Cependant, je ne vous crois pas quand vous dites que vous ne connaissez l'adresse d'aucun autre nazi à Buenos Aires.

— Je vous l'ai déjà expliqué. Ils ont peur de moi. Pour eux, je suis comme un lépreux. Ils m'évitent.

— Mais vos fils sont liés au parti nazi. Vous voulez

me faire croire qu'ils ne le savent pas non plus ? Ou qu'ils ne vous ont jamais rien dit ?

— Ils ne m'ont jamais rien dit ! »

J'étais embarrassé. Je le dévisageai sans mot dire, ne sachant pas comment sortir de cette impasse. On ne peut pas les avoir tous ! Était-il sincère, oui ou non ? Je sentis monter en moi une envie féroce de le saisir par la peau du cou, de lui arracher son pyjama, de le secouer, de le rosser, de l'injurier, pour que ça sorte enfin : « Parle ! Parle, déchet d'humanité ! » Mais ça n'aurait servi à rien. J'étais envahi par un sentiment d'échec cuisant. Il devait pourtant y avoir un moyen de l'atteindre... Lui ouvrir le crâne et aspirer tous les secrets qui s'y dissimulaient ? Sa fidélité au serment, au Führer, aux nazis, était-elle si sacrée ? Il affirmait ne plus être lié par ce serment, mais il ne s'en délivrerait jamais, aussi longtemps qu'il vivrait. La fraternité des meurtriers était plus forte que lui. La pilule avait quand même été dure à avaler, lorsque ses camarades nazis l'avaient laissé tomber. Mais c'était une trahison entre frères. Alors que j'étais un étranger qui tâchait d'établir un rapport humain avec lui ; je m'étais imaginé qu'il y avait une parcelle d'humilité en lui, et je m'étais heurté à un mur. J'avais cherché la faille minuscule qui pourrait mener à un seul individu — Josef Mengele.

« Nous savons que vous n'étiez pas le seul responsable de tous ces crimes de guerre. Le docteur Mengele, où est-il maintenant ?

— Je vous ai déjà dit que je ne savais pas.

— Vous avez dit que vous ne pouviez pas supporter la vue du sang. Le docteur Mengele, lui, a vu des océans de sang. Et, à ce qu'il paraît, non sans plaisir. Il a personnellement procédé à des expériences médicales ignobles. Il a inventé des tortures à faire dresser les cheveux sur la tête, votre illustre collègue. Il n'avait aucun scrupule à utiliser des femmes et des enfants comme cobayes. Son goût du sadisme était tel qu'il a rendu des centaines d'enfants juifs aveugles en leur injectant des colorants dans les yeux pour les bleuir, avant de les supprimer pour ne laisser aucune trace de ses abjections. Pourquoi un homme comme celui-là échapperait-il à la justice ?

— Je ne sais pas où il est. Je ne sais pas !

— Mais envers qui êtes-vous si loyal ? Le docteur Mengele ? Il vous a abandonné à votre sort. Il se réjouira de votre capture. Il pensera qu'il peut désormais vivre en sécurité.

— Je ne sais rien de lui.

— Voulez-vous que nous demandions à vos enfants ?

Eichmann tressaillit. « Mes enfants ne savent rien. Ils n'ont jamais fait de mal à une mouche.

— Vos enfants ont des amis parmi les nazis d'Argentine. Ils vivent avec eux. Ils savent.

— Ils ne savent rien. Il y a beaucoup d'Allemands ici, mais pas ceux que vous cherchez. Josef Mengele... c'est un homme riche.

— O.K. Nous finirons par découvrir ce qu'ils savent, de toute façon.

— Non, non ! hurla-t-il. Mes enfants n'ont rien fait. Je suis le seul à avoir une responsabilité. Pourquoi voulez-vous les impliquer ?

— Si vous me révélez l'adresse de Josef Mengele, maintenant, pendant que nous sommes ici à Buenos Aires, vous rendrez service à la fois à des milliers de victimes et à vous-même. Un homme de cette espèce ne peut pas être laissé en liberté pour la seule raison qu'il est soutenu par une famille riche et que d'autres nazis le protègent. Cet homme a arraché des cœurs humains de ses propres mains. Il a imaginé les expériences les plus cruelles, les plus diaboliques. Il a découvert toutes sortes de supplices raffinés, entraînant une mort lente, dans une agonie atroce. Non pas parce qu'il avait reçu des ordres, mais parce que ça l'amusait ! »

Eichmann se défendit énergiquement : « Si j'étais libre, j'essaierais de le trouver, mais je suis enchaîné à ce lit. Je ne peux pas bouger. Je veux que vous me croyiez : je ne sais pas où est Mengele. Il n'a pas besoin de moi. Il se protège par ses propres moyens, il a de l'argent. Je ne peux pas vous aider », cria-t-il dans un tremblement convulsif. Il éclata en sanglots.

« Regardez dans quel état je suis, gémissait-il. Vous ne me croyez pas et les nazis se méfient de moi. Je suis si seul. »

Je lui donnai un peu d'eau. J'attendis qu'il cesse de pleurer. Des larmes ruisselaient sur ses joues, sous le bandeau. Je lui tendis une serviette pour qu'il s'essuie le visage. Je m'assis, vaincu. J'avais perdu la bataille, irrémédiablement. Est-ce qu'il jouait la comédie ? De quelle substance est fait un nazi ? Je le haïssais de toute mon âme.

Aujourd'hui encore, je pense que je n'ai pas réussi à pénétrer dans l'intimité de sa conscience. Bien que j'aie été, dans la villa, le seul à l'approcher d'aussi près.

Le Vieux nous avait promis que notre calvaire allait bientôt prendre fin, et que l'arrivée de l'avion d'El Al était imminente. Mais nous étions distraits et impatients : le syndrome typique des équipes opérationnelles enfermées et inoccupées.

Le plan pouvait encore être modifié. Et plus nous nous attardions à Buenos Aires, plus les risques augmentaient. Bien que rien n'indiquât, à la radio ou dans la presse, qu'une recherche fût en cours, la tension montait parmi nous. Il suffisait qu'un groupe de gens apparaisse dans une rue avoisinante, ou qu'une patrouille de police fasse sa ronde de routine dans le quartier, pour que nous ayons la gorge nouée. Ça y est, pensions-nous, dans quelques minutes ils seront à la porte de la villa... Nous avions bien sûr un plan pour évacuer Eichmann rapidement, mais rien ne dit que nous aurions pu l'appliquer au moment crucial.

Nous ne pouvions compter que sur nous-mêmes. Nous faisions donc le moins de bruit possible pendant la journée, afin de ne pas nous faire remarquer par les habitants des villas voisines.

L'allégresse qui avait suivi la capture d'Eichmann avait été de courte durée. Cela ne représentait plus rien d'extraordinaire maintenant. Nous nous sentions solitaires et abattus, dans cette maison dont nous étions prisonniers. Rosa elle-même faisait de gros efforts, pendant ces derniers jours, pour laisser de côté les prescriptions alimentaires, et pour nous servir des plats plus comestibles.

Une nuit, je la réveillai pour lui demander de nous préparer deux pleines casseroles de macaronis. Je lui expliquai comment il fallait procéder pour les cuire *al dente,* sans en faire une pâtée collante. Le lendemain, elle réussit effectivement à mitonner deux casseroles pleines de macaronis parfaits, fondants à souhait. Je demandai à Uzi de prendre la relève dans la chambre d'Eichmann. Il était tard dans l'après-midi, et nous nous rassemblâmes tous dans le salon, autour de deux récipients fumants, posés à un bout de la table chacun. Je pris une casserole et Meir s'empara de l'autre. Je déclarai ouvert le concours international de goinfrerie. Chaque casserole contenait douze portions. Heureusement, les pâtes étaient impeccablement cuites. Rosa avait enfin saisi l'essence du macaroni !

Les autres avaient pris place de chaque côté de la table, et nous regardaient à tour de rôle. Meir et moi étions les seuls concurrents en lice. Je demandai une carafe d'eau ; Meir en fit de même.

J'étais toujours prêt à tenir un pari, mais cette fois je savais que je ne pourrais pas avaler le quart de ces *lockschen* sans eau. Je souris à Meir avec la désinvolture de celui qui est sûr de gagner. En fait, quand je regardais son grand corps, et la platée de pâtes, je ne me sentais sûr de rien. Je pensais au combat libre qui avait eu lieu en Israël, entre Meir et moi. Alors, tout comme maintenant, ce n'était pas une question de taille, mais de technique et de méthode.

Tous les ustensiles étaient permis : chacun de nous avait une petite pile de fourchettes et de cuillères à sa disposition. Il ne devait pas rester une seule nouille dans la casserole. Je voulais saper le moral de mon adversaire dès le départ. Meir prêta le flanc à mes attaques en remarquant : « Je mange comme d'habitude », et il enroula autour de sa cuillère de bois une quantité de pâtes qu'aucun mortel ordinaire n'aurait songé à introduire dans sa bouche.

L'homme le plus apte à remplir le rôle de juge, c'était évidemment le docteur Klein, notre médecin attitré. Il était en tout cas étranger au groupe et ne ferait preuve d'aucun favoritisme. Sans compter que si l'un de nous s'étouffait, il valait mieux l'avoir sous la main. Le docteur s'assit à côté de Meir, et je fus assisté par Jack, qui chuchota calmement : « Tu vas perdre. Il avalera les nouilles et la casserole avec. »

Le docteur donna le signal du départ. Le public jacassait avec entrain. Jack faisait, à mon intention, un commentaire détaillé des progrès de Meir. Je tâchai d'ignorer mon adversaire et de me concentrer exclusivement sur les macaronis. C'est la chose la plus importante de ta vie, ne cessais-je de me répéter, en remplissant, bouchée par bouchée, mon tube digestif récalcitrant. Lorsque j'eus avalé la moitié de ce rata jaunâtre, je jetai un coup d'œil sur Meir, qui en avait le visage entièrement tapissé ; les guirlandes de nouilles accrochées à ses oreilles rappelaient les papillotes des garçons de *yeshiva*. Je ne pouvais pas voir où il en était, mais à la façon dont il mastiquait, il avait l'air en bonne voie.

De fréquentes gorgées d'eau m'aidaient à ingurgiter cet écœurant plâtras. Ma casserole semblait inépuisable. J'avais l'impression d'être une oie gavée pour son foie. J'accélérai, il fallait en finir au plus vite. Je demandai un peu de beurre. Je le plongeai d'une main dans la casserole, et je touillai de l'autre. Puis je levai le récipient et, me servant de mes mains comme entonnoir, je déversai des cascades de nouilles dans mon gosier. Je vidai mes poumons et, tout en reprenant mon souffle, j'en aspirai encore quelques-unes. La villa entière s'était faite macaroni. Des cordes de *lockschen* se balançaient devant mes yeux en me narguant. J'avalais sans discontinuer. Meir eut un renvoi. Jack était hilare. Je faillis tout recracher dans la casserole en essayant de réprimer le fou rire qui me gagnait.

Le récipient se vidait, lentement mais sûrement. Je ramassai à la main les pâtes qui restaient et les enfournai à toute vitesse. Ouf, la casserole était vide. Je la reposai, levai un bras et me couvris la bouche de l'autre. J'avais gagné ! J'étais rempli de nouilles jusqu'à la trachée. Je n'aurais pas pu en prendre une de plus sans m'étouffer, mais enfin j'avais gagné.

Jack hurlait : « Il a fini ! » Qui avait fini ? Meir était encore en train de fourrer quelques pâtes dans sa bouche ; c'était terminé. Nous nous regardâmes. Nous formions un spectacle édifiant, avec ces tortillons jaunes collés à nos cheveux, nos sourcils et nos mentons. Comme une paire de bambins qui mangent tout seuls pour la première fois.

« Si je n'avais pas bouffé une demi-douzaine de pommes juste avant, je vous aurais battus tous les deux. » Jack s'étranglait encore de rire.

Le docteur Klein me déclara solennellement champion du monde des pâtes. Je n'étais plus là pour recevoir la médaille. J'étais parti prendre l'air ! De l'air ! Il me fallait de l'air à tout prix. Je suffoquais, j'éclatais, j'avais mal partout. Mon estomac était si distendu qu'il semblait sur le point d'exploser. Le docteur courut me rejoindre, assez inquiet : « Je suis venu ici pour m'occuper d'Eichmann, mais à ce qu'il paraît je vais avoir un autre patient. » Il me regarda avec une sollicitude mêlée de respect : « Je ne sais pas comment tu as fait. Vu la longueur de tes intestins, comparée à celle des macaronis mis bout à bout, je n'arrive pas à comprendre où tu as pu caser tout ça ! »

Aharon vint tôt, ce soir-là, avec de bonnes nouvelles : c'était maintenant ferme et définitif. L'avion spécial d'El Al atterrirait à Buenos Aires le 19 mai à cinq heures de l'après-midi. C'est-à-dire dans moins de quarante-huit heures. C'était une information qu'il avait de source sûre, expliqua Aharon. Le vol avait été reporté des dizaines de fois depuis le 11 mai. Mais demain, enfin, l'avion décollerait, et arriverait via Recife.

Le moral de l'équipe, qui avait à nouveau sombré depuis le championnat de *lockschen,* remonta de façon spectaculaire. Nous entourions tous le messager avec empressement — excepté Meir qui gardait Eichmann.

« Tu veux dire qu'on peut commencer à faire nos bagages ? demanda le docteur Klein, avec une joie non dissimulée.

— Ça ne serait pas un mal que les valises soient prêtes, dit Uzi ; nous devons nous préparer à quitter les lieux à tout moment.

— Et le Vieux, demandai-je, où est-il ?

— Il poursuit ses rondes autour du terrain d'aviation, répondit Aharon. Nous avons intensifié la surveillance sur le terrain pour deux raisons : d'abord pour repérer les forces de sécurité chargées de protéger les missions officielles qui viennent assister aux commémorations ; et ensuite, pour nous assurer que les organisations fascistes et néo-nazies ne tenteront pas de saboter l'avion d'El Al. La presse a annoncé qu'une mission israélienne, conduite par le ministre Abba Eban, était attendue. »

Aharon resta seul avec Uzi et moi pendant quelques minutes : « Le Vieux veut savoir si vous avez réussi à tirer d'Eichmann l'adresse de Mengele.

— J'ai tout essayé, dis-je. Je crois qu'il n'a aucune idée de l'endroit où pourrait se trouver Mengele ; ou alors il n'est pas du genre à casser le morceau.

— Ça m'étonnerait qu'il ne sache rien, rétorqua Aharon. Il y a des quantités d'indices qui montrent que Mengele a vécu ici pendant des années. Il aurait au moins pu te donner son ancienne adresse.

— Tu sais quoi ? dis-je à Aharon. Dis simplement au Vieux que j'ai échoué. »

Le 18 mai

La villa était remplie de valises. Je n'avais jamais vu des gens aussi heureux d'emballer leurs affaires. Nous n'avions qu'une idée en tête : sortir de cette maison au plus vite. Ce n'était pas seulement la présence d'Eichmann qui nous pesait ; nous ne pouvions plus nous supporter nous-mêmes. Derrière les sourires plutôt crispés, et les blagues de dernière minute, se cachait un inexplicable découragement.

Hoffman avait l'air particulièrement sinistre. Lui, qui débordait toujours d'activité, semblait s'être retranché dans une morne passivité, comme s'il avait tout perdu en ce monde. Il errait dans la villa, en secouant son énorme trousseau de clefs, et il en examinait tous les recoins d'un œil torve. En fait, son travail était terminé. La valise Samsonite qui avait si généreusement déversé les liasses de billets verts était maintenant vide. Sa sentence avait été prononcée la veille, lorsque Aharon avait annoncé que notre départ était imminent : on n'avait plus guère besoin de M. Hoffman, l'homme d'affaires allemand.

Je n'avais pas oublié notre petit accrochage. Je le trouvai dans ma chambre, en train d'écouter un concerto de Bach. Sa grosse valise de cuir était ouverte sur le sol, avec, à l'intérieur, ses élégants costumes et ses chemises de soie soigneusement pliés. Il y avait aussi un plaid écossais, un souvenir de Buenos Aires.

« Tu m'offres un cognac ? » proposai-je.

Il fut tout d'abord pris de court, mais son hospitalité coutumière reprit le dessus ; il se leva et vint m'accueillir comme un vieil ami qu'on n'a pas vu depuis des années. Il était gêné. Je voulais en finir avec cette affaire. « Je te dois une excuse », dis-je. Hoffman alla arrêter le disque. « Pas la peine, ajoutai-je, ça ne me dérange pas. Tu sais que j'aime la musique.

— Peter, j'ai passé l'éponge là-dessus, dit-il doucement, en détournant les yeux. J'y ai beaucoup pensé. Je ne voulais pas te blesser. Le soir où tu es parti kidnapper Eichmann, j'étais sur des *spilkes* [1] ici. J'imaginais chacun de tes gestes. On dit que c'est bien plus dur pour celui qui attend à la maison que pour ceux qui sont en pleine action sur le terrain. C'est exactement ce que je ressentais. C'est tout à fait vrai. Écoute, Peter, je monte dans ma chambre et je vois que le phono a disparu. Ensuite j'entends de la musique qui vient de la chambre d'Eichmann. Je n'ai pas pu me contrôler. J'étais hors de moi, il me semblait que j'entendais ma famille marcher vers les fours crématoires, au rythme des orchestres d'Eichmann. »

Je ne savais pas quoi dire. Dans le silence qui suivit, chacun évitait le regard de l'autre. C'était oppressant. Il fallait que je parle. Je tendis la main : « Hoffman, tous ceux qui ont vécu dans cette villa ces derniers temps resteront amis, pour toujours ; je veux que tu le saches, et que tu ne l'oublies pas quand nous nous verrons à Tel-Aviv. »

J'étais content d'avoir dit ce que j'avais sur le cœur. Hoffman se dirigea vers l'étagère où se trouvait sa collection de disques et en choisit un. L'air de flamenco...

« Prends-le comme souvenir, dit-il. Quand tu l'entendras en Israël, ça te rappellera plein de choses. Moi aussi, je me souviendrai de cet air. »

---

1. Charbons ardents.

Hoffman tira de sous son lit une bouteille de cognac Napoléon et versa deux verres. Uzi arriva sur ces entrefaites et s'exclama : « Du cognac ! Ma parole, on dirait que je l'ai flairé... Je suis toujours partant pour un petit cognac — et, là-dessus, il se servit un verre. J'ai envie d'un morceau de chocolat, Hoffman. Où est le chocolat ? Inutile de faire des réserves, on rentre demain. »

Je comprenais maintenant pourquoi Uzi allait si souvent en catimini dans la chambre d'Hoffman. Uzi leva son verre dans ma direction : « Va relayer Meir, vite. Sinon, il va dévorer Eichmann tout cru. Il est à moitié mort de faim, à l'heure qu'il est. »

J'avalai mon cognac d'un trait et je quittai la pièce. Je croisai Meir qui grimpait l'escalier quatre à quatre, fonçant vers le chocolat. Eichmann était réveillé. Il avait reconnu le bruit de mes pas. Il me salua d'un « bonsoir, Peter ».

« Encore quelques heures et la nuit va tomber », dis-je. Tout compte fait, Eichmann paraissait assez bien disposé. Je m'amusai un moment à faire quelques autres croquis. Cette fois je m'attachais surtout aux détails. La forme des orteils, l'ossature.

« Eichmann, dans deux jours nous partons. » Il y eut un long silence. Puis je demandai avec douceur : « Qu'est-ce que ça vous a fait, de perdre la guerre ?

— Je voulais me tirer une balle dans la tête. Je n'aurais jamais pensé que ça pouvait arriver. Je voulais défendre Berlin mais j'étais occupé à détruire les documents. Je brûlais les papiers secrets du Reich que j'avais en ma possession.

— Mais en fin de compte, vous avez préféré vivre. » Eichmann ne répondit pas tout de suite.

« Ce n'était pas uniquement pour moi. J'avais une famille. Je me souviens de la guerre qui arrivait aux portes de Berlin. Müller nous avait tous réunis. Un officier de la 4e section de la Gestapo nous a donné, à chacun, un jeu de faux papiers pour que nous puissions fuir. Müller m'a soudain demandé quels papiers je voulais choisir, et j'ai rejeté son offre. Je ne pensais qu'à une chose : défendre Berlin contre les Russes.

— Non, je ne vous crois pas, Eichmann. Vous n'aviez tout simplement pas le cran de vous suicider. Pas plus que vous n'aviez le courage de mourir en défendant Berlin.

— Toute cette histoire de faux papiers m'écœurait. J'étais sûr que le Reich pouvait être défendu. Je voulais que le travail de routine continue, malgré les bombardements intensifs. Les employés étaient dans les bureaux, devant leurs machines à écrire. Ils époussetaient tout méticuleusement. Vous allez trouver ça grotesque, puisque c'était déjà fini, à ce moment-là. Le Reich était perdu, mais les employés allemands sont comme ça. Moi aussi j'étais un employé. J'avais des ordres. »

Le « travail de routine » me restait en travers de la gorge. Mais quelle espèce d'homme était-il donc ? Un misérable prisonnier, enchaîné à son lit, entouré de haine et de mépris, et malgré tout incapable de comprendre qu'il était à notre merci. Le travail de routine, c'était le transport des juifs. La poursuite du massacre.

« Qu'entendez-vous par " travail de routine " ? Vous voulez dire continuer à envoyer les fourgons à bestiaux, comme avant ? Tout le monde n'avait qu'une envie, ficher le camp avec les faux papiers, et il n'y avait plus que vous pour travailler consciencieusement ? »

Eichmann prit peur à mon ton menaçant : « Je voulais dire que nous n'aurions pas dû fuir. Nous étions des soldats, des fonctionnaires, pas un troupeau de moutons. Nous avions une responsabilité.

— Alors pourquoi êtes-vous parti ? Pourquoi ne vous êtes-vous pas rendu, et n'avez-vous pas affronté vos responsabilités ? Pourquoi ne vous êtes-vous pas tiré une balle dans la tête, comme vous en aviez l'intention ? Mensonges ! Tout ça n'est que mensonges !

— Non. Je voulais que nous nous battions jusqu'au bout. J'ai avancé toutes sortes de propositions pour la défense de notre dernière ligne, mais quand Kaltenbrunner m'a dit de ne pas tirer sur les soldats américains et britanniques, j'ai compris que c'était la fin. Le commandement suprême avait décampé ; ils voulaient sauver leur peau. Beaucoup commençaient à préparer leurs alibis pour les Alliés. Je me suis rendu compte que si je restais, je serais le bouc émissaire. Le destin m'a amené en Amérique du Sud.

— Ce n'est pas le destin qui a fabriqué ces faux papiers au nom de Ricardo Klement. Qui vous les a donnés ? Et n'est-il pas vrai que vous vous êtes caché sous le nom d'Eckmann ?

— Au début, j'ai pris le nom d'Otto Eckmann. Quand j'étais prisonnier des Américains, au camp d'Oberdachstatten. Ils ont cru ce que je racontais, que j'étais officier dans une unité de combat de la S.S. En mars 46 je me suis évadé avec de faux papiers au nom d'Otto Heninger. Pendant quatre ans, j'ai travaillé dans les forêts de Kolnbach. De là, j'ai gagné l'Italie, c'était en 1950. Un moine franciscain m'a donné un passeport de réfugié au nom de Ricardo Klement, et un visa argentin. Je suis finalement arrivé à Buenos Aires en juillet 1950.

— Pour y mener une vie de chien. Vous vouliez vous cacher dans un trou minable comme San Fernando ?

— Je me suis trompé. Oui, vous avez raison, une vie de chien. J'avais peur de mon ombre. Chaque fois qu'on frappait à la porte, je croyais que c'étaient des agents israéliens. Je ne devrais peut-être pas vous dire ça, mais quand vous m'avez enlevé, je savais parfaitement qui vous étiez.

— Mais vous avez gagné quinze ans de liberté, et vous avez eu un autre enfant.

— Si on peut appeler ça vivre. Vivre dans une peur continuelle. En craignant ses amis aussi bien que ses ennemis. Le monde entier se retourne contre vous.

— A quoi pensez-vous, allongé sur ce lit, depuis que vous êtes ici ?

— J'ai les yeux bandés, et je ne peux rien faire. Alors je pense à la guerre, au Führer, à ma famille. Je suis fatigué, et je souhaite que tout ceci soit terminé.

— Et les juifs ? Vous avez pensé à eux ?

— Beaucoup. Comment pourrais-je oublier ? »

Avant que je puisse formuler ma question suivante, la porte s'ouvrit, et le docteur Klein entra avec sa trousse noire. Il allait soumettre Eichmann à un examen complet, en prévision de son prochain voyage en avion. Il inspecta également les veines de sa main droite, par lesquelles il injecterait le narcotique.

« Il se porte comme un charme », déclara le docteur en rangeant ses instruments.

Des pas pressés se firent entendre dans le couloir. Meir et Uzi entrèrent précipitamment dans la chambre ; ils avaient l'air lugubre. Uzi parla rapidement à voix basse : « Il se passe des choses bizarres dehors. Des fourgonnettes de police sillonnent le quartier. Je n'aime pas ça du tout. » Quand Uzi avait ce pincement du côté du nez, c'était mauvais signe.

« Est-ce qu'ils se sont arrêtés près de la villa ? » Je remarquai qu'Eichmann s'efforçait de suivre la conversation.

« Ce qui m'inquiète, dit Meir, c'est la façon dont les gars conduisent. Vraiment très lentement.

— On ne va prendre aucun risque, Meir. Prépare la civière et apporte-la ici. Je ferai le guet. Envoie Rosa dehors, avec un cabas, et dis-lui de nous faire un rapport complet de la situation. »

La tension montait. Est-ce qu'on avait pu nous découvrir à la dernière seconde ? Jack se posta dans l'arrière-cour, d'où il pouvait surveiller la route. Rosa prit son cabas, se drapa dans une dignité toute ménagère, et sortit calmement, accompagnée d'Hoffman.

— Est-ce qu'on le met dans la cachette ? demanda Uzi, qui observait la nationale du haut de la véranda.

— Attendons encore quelques minutes, suggérai-je ; entre le moment où les flics atteindront le portail et celui où nous ouvrirons, nous aurons largement le temps de le mettre sous le plancher. S'ils connaissaient vraiment notre adresse exacte, ils auraient cerné la maison immédiatement, et ils auraient débarqué pour faire une perquisition.

— Je ne veux pas prendre ce risque, insista Uzi. Cachons-le et préparons la voiture pour fuir par la porte de derrière ! »

Meir et moi, nous nous apprêtions à transporter Eichmann sur la civière, quand nous entendîmes la voix d'Uzi : « Attendez, attendez. Il y a deux grosses voitures noires arrêtées au carrefour. »

Nous avions les nerfs à vif. Étaient-ce la police et les forces de sécurité qui agissaient de concert ? Que savaient-ils ? Lorsqu'on est en plein cœur d'une opération, les pensées les plus folles, les pires appréhensions vous traversent, et on y croit dur comme fer.

Du poste d'observation, on voyait deux hommes et une femme descendre de la première voiture, et entrer dans la villa voisine, au coin de la rue. Quatre hommes sortirent de la seconde automobile, et se mirent à attendre debout devant la maison. Une voiture de police les rejoignit. L'autre véhicule avait disparu. Où avait-il pu passer ?

La sonnette du portail retentit à trois reprises. Meir se hâta d'aller ouvrir à Hoffman et à Rosa. Ils marchèrent tout droit vers la véranda, pour faire leur rapport à Uzi. « Ce n'est pas dirigé contre nous, dit Hoffman, radieux. Le propriétaire de l'épicerie nous a dit qu'un ministre du gouvernement venait d'arriver pour rendre visite à ses amis de la villa voisine. Les deux voitures de police sont là par mesure de précaution, conformément aux règles de sécurité habituelles. »

Nous laissâmes Eichmann dans sa chambre. Il était très attentif à nos mouvements, mais il ne comprenait pas ce qui se passait. Il espérait peut-être qu'il allait être sauvé.

Au bout de cinq heures, le calme revint. Les voitures s'éloignèrent enfin. Ce soir-là, j'éprouvais un immense dégoût pour Eichmann. J'étais déçu qu'il n'ait pas joué cartes sur table, et qu'il ait refusé de me révéler ce qu'il savait. Je l'avais pourtant traité comme un être humain, et non comme la bête répugnante qu'il était. Mais il en avait profité : sous ses airs d'homme apeuré, il cachait bien ses secrets. Le régime nazi avait fait de lui un véritable coffre-fort abritant d'effroyables mystères, et il avait fini par s'y barricader lui-même. J'étais persuadé que tous les enquêteurs de la police israélienne réunis ne parviendraient pas à lui soutirer les renseignements dont ils avaient besoin au sujet des autres criminels de guerre ; une fois qu'il serait sous la protection de la loi israélienne, il retrouverait même son assurance. Il continuerait à rejeter la responsabilité sur le régime nazi dont lui, Eichmann, n'avait été que l'instrument. Il pourrait tout au plus aider à établir des statistiques. Il ne contesterait pas les chiffres, le nombre de trains qu'il avait fait partir. Mais, même si les cargaisons de gens qu'il avait expédiés à la mort ressuscitaient devant lui et racontaient les atrocités dont ils avaient été victimes, il persisterait dans ses allégations : il n'y était pour rien, il n'avait fait qu'obéir. Il suffisait de penser à ces centaines de milliers de gens qui étaient morts dans des fourgons bondés pour comprendre : pour l'*Obersturmbannführer*, c'était de la marchandise qu'il affrétait.

Cette nuit-là, je ne me sentais pas d'humeur à le garder. Je demandai à Meir de me relayer. J'avais besoin de respirer un air différent, loin de cette chambre.

Rosa s'était couchée tôt ; elle se rendait compte que je n'arrivais pas à trouver le sommeil. C'était inhabituel de me voir allongé sur mon lit à cette heure-là.

« Que se passe-t-il ? questionna-t-elle. Tu n'es pas avec Eichmann ?

— On devrait le brûler vif, dis-je avec conviction, et tous les Allemands avec lui.

— Est-ce qu'il t'a dit quelque chose sur Mengele ? demanda-t-elle avec curiosité.

— Rien de nouveau. Il dit qu'il ne sait pas où il est.

— Dommage. Peut-être qu'en Israël ils arriveront à le faire parler.

— Ce sera trop tard. Tu ne t'imagines tout de même pas que Mengele va rester là gentiment, à attendre qu'on vienne le cueillir ? Quand les média divulgueront la nouvelle, les nazis seront drôlement secoués. Ils rentreront à nouveau sous terre, comme des taupes. Ce n'est pas tous les jours qu'on a l'occasion de participer à une mission historique, tu sais, Rosa.

— Ne prends pas ça trop à cœur, cette affaire de Mengele, dit-elle d'un ton apaisant. Si Dieu le veut, nous mettrons la main sur tous les autres. »

Je suis peut-être un laïc, mais j'aime bien entendre parler de Dieu. J'aurais bien aimé en entendre un peu plus, mais je me tus. Pourquoi Dieu ne le voudrait-il pas, en effet ?

« Que se passera-t-il en Israël quand ils annonceront publiquement la capture d'Eichmann ? » demanda Rosa. Tout à coup, je revis Tel-Aviv.

« Le service de sécurité sera adulé par tout le monde. Et des milliers de gens revivront le souvenir des horreurs liées au nom d'Eichmann.

— Nous serons là, n'est-ce pas, quand ils annonceront la nouvelle ? La moitié du gouvernement est déjà au courant. Elle pensait tout haut : ... s'il n'est pas placé sous bonne garde, il y aura un lynchage public.

— Crois-moi, peu importe comment Eichmann mourra. Ce qui compte, c'est qu'il soit amené en Israël. Après tout, quel besoin avons-nous de lui ? Qu'il confirme que les atrocités nazies ont bien eu lieu ? Il y a encore des foules de gens pour en témoigner.

— Tu peux faire confiance au Vieux. Toute la police et toutes les forces de sécurité protègeront ce salaud de nazi pour qu'il soit parfaitement présentable devant les juges. »

Le 19 mai

Nous roulions vers l'aéroport de Buenos Aires. Uzi était au volant. Je pouvais me prélasser sur mon siège et admirer le paysage. Un soleil humide avait enfin réussi à percer les nuages. Les champs s'étendaient sans fin, plus verts que jamais. Je respirais avec volupté cet air de liberté. C'était la première fois que nous sortions en plein jour depuis la capture d'Eichmann. Après ces longues journées d'incarcération volontaire. Demain ou après-demain, je pourrai à nouveau me promener à ma guise. Je flânerai dans les rues, je verrai des amis, j'irai au café et au restaurant, et je ne penserai plus à cette affaire.

Les maisons étaient toutes ornées de drapeaux argentins, de banderoles et de fanions multicolores qui claquaient joyeusement dans la brise. Tout avait un air de fête : chaque jardin public avait son orchestre ; des enfants s'ébattaient un peu partout ; ici ou là, une *señorita* brune dansait le flamenco, accompagnée par les applaudissements et les acclamations d'une assistance enthousiaste.

Plus nous approchions de l'aéroport, et plus les détachements de soldats et de policiers se faisaient nombreux. Des véhicules de l'armée stationnaient à tous les carrefours, prêts à escorter les innombrables missions étrangères qui accouraient de tous les coins de la planète pour la commémoration. Cette atmosphère de kermesse m'enchantait.

Uzi était lui aussi gai et détendu. Il se réchauffait à la tiédeur du soleil qui filtrait à travers le pare-brise. « Voilà ce que j'aime, disait-il à voix basse comme s'il parlait tout seul, un petit coin chaud et ensoleillé. Je pourrais presque me croire à la plage, à Gordon... » Les yeux mi-clos, il rêvait au retour.

Nous voulions vérifier, une dernière fois, le trajet que nous emprunterions pour emmener Eichmann à l'aérodrome. C'était l'occasion d'assister à un événement mémorable : l'atterrissage du premier avion israélien sur le sol argentin. Pour nous, ça n'était pas n'importe quel vieux coucou, et nous étions partis tôt dans l'après-midi pour être là-bas à cinq heures, heure à laquelle il était attendu.

L'aéroport était en pleine effervescence. En plus du trafic aérien habituel, il y avait les avions des missions étrangères. L'activité était si débordante que les détachements armés eux-mêmes étaient submergés. A ce moment-là, n'importe qui aurait pu saboter tranquillement une installation, et disparaître sans être inquiété.

Tout en nous dirigeant vers la terrasse de l'aéroport, nous repérâmes la présence de quelques-uns des nôtres, qui avaient pris position à différents postes d'observation stratégiques. Le Vieux était là, lui aussi, assis à une table de restaurant d'où il pouvait surveiller les pistes. Il était en compagnie de Hans et d'Aharon. La table était couverte de bouteilles de bière.

Nous grimpâmes rapidement l'escalier qui menait à la terrasse des visiteurs. C'était là que les gens du pays se rassemblaient pour accueillir leurs amis ou leurs parents, ou pour les accompagner à l'avion, en manifestant leur joie ou leur chagrin avec une exubérance toute latine. Des avions décollaient, d'autres se posaient sur le sol. Un groupe d'Israéliens élégamment habillés bavardaient en hébreu. C'était le personnel de l'ambassade israélienne qui attendait, au grand complet, la mission officielle. Uzi et moi nous abstenions de parler en hébreu. Les gens de l'ambassade ne nous connaissaient pas, et nous les évitâmes soigneusement.

L'avion d'El Al était en retard. Il était presque six heures, et le jour s'obscurcissait rapidement. Nous étions soucieux, mais tant que le groupe d'Israéliens restait sur la terrasse, il n'y avait aucune raison de partir. Le *Britannia,* nous le sûmes plus tard, avait été retenu à Recife, à cause d'un problème administratif quelconque, et n'avait été autorisé à poursuivre sa route vers Buenos Aires qu'après de longs et éprouvants délais.

A sept heures passées de quelques minutes, nous vîmes les couleurs bleue et blanche s'avancer le long de la piste. Le *Britannia* était enfin arrivé. J'étais fou de joie. Quel soulagement ! L'opération entrait dans sa phase finale. Le personnel de l'ambassade se précipita pour accueillir la mission. Nous ne détachions pas les yeux de l'avion. Le *Britannia* s'approcha de l'aérogare, et le vrombissement des turbopropulseurs nous perça le tympan. Des membres du personnel de l'aéroport déroulèrent, sous les feux des projecteurs, un immense tapis rouge qui allait jusqu'à la passerelle. Les cameramen étaient prêts. Tout était éclairé comme en plein jour. Des diplomates argentins et israéliens marchaient vers l'avion, en haut duquel se tenait discrètement une hôtesse souriante. Une fanfare de l'armée attendait le signal du chef d'orchestre.

Nous ne pûmes réprimer, nous qui connaissions la véritable raison de l'arrivée du *Britannia,* un léger sourire à la vue de la silhouette corpulente du ministre Abba Eban, qui descendait la passerelle avec assurance, l'air épanoui et satisfait, en jetant des regards supérieurs autour de lui. Le général de division Meir Zorea, un petit homme râblé, apparut à sa suite. C'était l'un des officiers les plus réputés de l'armée israélienne.

Ces deux personnages étaient au courant de nombreux secrets d'État. Mais, en l'occurrence, ils n'avaient pas été informés du motif pour lequel ils effectuaient ce voyage très spécial. Les relations entre Abba Eban et le Vieux n'avaient jamais été très chaleureuses.

En attendant, le spectacle continuait. Le ministre et le général donnèrent l'accolade à leurs hôtes argentins et israéliens. Ils restèrent solennellement au garde-à-vous pendant que l'orchestre jouait les hymnes nationaux des deux pays. A notre propre surprise, nous les imitâmes. Nous avions une boule dans la gorge. Entendre, si loin de chez nous, les accords de *Hatikvah*... Nous étions les seuls à savoir, avec le Vieux, en quel honneur l'hymne était réellement joué.

Abba Eban, dont les lunettes scintillaient sous les projecteurs, se redressa et prononça son discours dans un espagnol impeccable. Je n'en saisis pas un mot, mais je faisais entièrement confiance à notre ministre pour transmettre, de sa voix suave et persuasive, tous les vœux de Jérusalem à l'État argentin.

L'équipage descendit à son tour. Nous reconnûmes les deux pilotes choisis par le Vieux pour l'opération : Zvi Tchar et Shmuel Vadlis (ils étaient tous deux dans le secret). On entrevoyait trois jeunes visages au-dessus d'eux ; c'étaient ceux de nos collègues du Service. Ils devaient garder l'avion pendant qu'il serait à l'arrêt sur le terrain d'aviation.

Lorsque nous descendîmes les marches, nous aperçûmes le Vieux, toujours assis à sa table. Il était radieux, et caressait des yeux le grand oiseau d'acier frappé de l'étoile de David, qui s'était posé là sur son ordre.

Le 20 mai

A six heures du matin, je me levai pour relayer Meir. « On dirait que c'est notre dernier jour ici, chuchota-t-il avec un sourire de satisfaction. Ces dix derniers jours m'ont paru dix ans.

— Maintenant qu'on en voit le bout, je ne sais pas si j'aurai la patience de le supporter, ce dernier jour, répondis-je.

— Et la cachette ? demanda Meir. Est-ce qu'on ne devrait pas tout remettre en place, là-dessous ?

— Je m'en occuperai ce soir, une fois qu'on sera sûr que l'avion est bien parti avec Eichmann. N'importe quoi peut encore arriver, même à la dernière seconde », expliquai-je.

Après le départ de Meir, je sortis ma trousse de maquillage et je disposai tous les produits sur la table. J'avais encore plusieurs heures à attendre, mais je ne voulais pas rester là sans rien faire. Je donnai un coup de brosse à l'uniforme d'El Al qui était destiné à Eichmann, et le posai sur une chaise.

Personnellement, je n'avais aucune raison de me presser. Les derniers ordres du Vieux, transmis par l'intermédiaire d'Aharon, étaient les suivants :

1) Eichmann devait être prêt à partir pour l'aéroport à neuf heures du soir.

2) Le décollage du *Britannia* était prévu pour minuit.

3) La voiture d'Aharon conduirait Eichmann à l'aéroport, avec le docteur Klein, Uzi et Jack.

4) Une deuxième voiture, avec Hans au volant, protégerait celle d'Aharon. Elle transporterait aussi Meir et Hoffman.

5) Rosa et Peter resteraient dans la villa. Aharon et Uzi les rejoindraient après le décollage.

6) Rosa se rendrait dans la villa de Dani où elle l'aiderait à tout remettre en ordre. Dès que leur travail serait terminé, ils quitteraient l'Argentine par un vol ordinaire.

7) Uzi, Aharon et Peter constitueraient l'arrière-garde, et partiraient dans un délai de quarante-huit heures, après s'être assurés que toutes les traces de l'enlèvement avaient été effacées.

Eichmann était le seul à ne pas se rendre compte de l'imminence de son départ. Le bandeau l'empêchait d'observer les préparatifs. Il percevait cependant l'agitation générale. Quelque chose se passait, mais il ne savait pas quoi ! Les fréquentes allées et venues dans sa chambre, les chuchotements n'avaient pas pu lui échapper. Était-il lui aussi à bout de patience, espérait-il un changement quelconque ?

Tandis que je lui faisais accomplir ses exercices, il ne put se contenir davantage et me demanda : « Est-ce que vous m'emmenez ailleurs ?

— Oui, dis-je. Aujourd'hui vous partez enfin pour Israël. »

J'étais en train de lui tenir les mains pendant qu'il faisait ses flexions, et je sentis un frisson, une sorte de décharge électrique, qui lui parcourut tout le corps. Ses jambes tremblaient. Une sueur froide perlait sur son front. Il avait toujours su, naturellement, qu'il serait emmené en Israël. Mais c'était seulement maintenant qu'il en mesurait toutes les conséquences. Ses lèvres se tordaient. Eh bien, qu'il cuise dans son jus, ce salaud...

Pour la première fois, je me vengeais. L'incertitude de son sort le tourmentait ? C'était pourtant le traitement qu'il avait infligé aux millions de gens qui avaient embarqué dans ses trains.

Je voulais continuer la séance de gymnastique, mais le docteur Klein, qui s'était lui aussi levé plus tôt, arriva pour examiner Eichmann.

« T'en fais pas, toubib, lui dis-je, on lui a préparé sa bouillie. Comme tu l'as demandé. »

Il sourit avec indulgence, ausculta Eichmann et partit, sans prononcer un mot.

Eichmann était dans tous ses états. Je ne l'avais jamais vu aussi bouleversé. La perspective d'être emmené comme captif en Israël, terre des juifs, l'affolait littéralement. Pour le moment, il était détenu au cœur de l'Argentine. Le vague espoir d'être sauvé, qui l'avait soutenu jusque-là, venait de se briser. A moins d'un miracle, tout était fini. Mais il avait beau s'appeler Eichmann, il n'avait pas perdu toute illusion : « Peter, est-ce que je pourrais vous parler, avant notre départ ? Après tout, vous avez été le seul à me traiter comme un individu ordinaire, et pas comme un prisonnier. Pourquoi avez-vous fait ça ?... »

J'allai fermer la porte à clef, pour être sûr que personne ne nous interromprait. Je le fis asseoir sur le lit et lui ôtai son bandeau. Il avait le regard vitreux.

« Vous m'emmenez dans un pays dont tous les habitants sont juifs. Loin de ma famille. Tout le monde me hait là-bas. A vos yeux, je suis plus mauvais que le diable en personne. On me montrera du doigt dans la rue. C'est lui, celui qui a tué six millions de juifs. Quelles chances y a-t-il pour moi là-bas ?

— Ni plus ni moins que pour n'importe quel meurtrier traduit en justice, répliquai-je durement. Plus que vous n'en avez laissées à vos victimes. Vous aurez le droit d'avoir des avocats allemands, votre femme pourra venir, vous pourrez voir qui vous voudrez. Quelle chance avez-vous donnée aux juifs ?

— J'ai aidé des juifs, cria presque Eichmann. Je sais que vous ne me croirez pas. Ça paraît ridicule... Quand la famille de Kastner a eu des ennuis, et qu'elle a été arrêtée par la Gestapo, je l'ai sauvée. Sa femme et moi, nous en avons sauvé beaucoup d'autres, à leur insu... Oui, c'est horrible, ce que j'ai fait. Je n'arrive pas à me comprendre moi-même... » Il parlait confusément, par phrases décousues.

« Le docteur Kastner est mort, dis-je. On ne peut pas lui demander ce qu'il en pense.

— Je sais. Je l'ai lu dans les journaux. Il a été assassiné. Je crois que c'est une erreur de votre part. Il a sauvé beaucoup de juifs. Vous pouvez demander à sa femme. Je l'ai aidée à échapper à la Gestapo. »

Ce n'était pas la première fois qu'Eichmann tentait d'invoquer le nom de Kastner. Moi aussi, pendant que je le gardais, je n'avais pas pu m'empêcher de penser à cette sombre histoire. J'avais souvent eu envie de lui poser des questions sur le travail d'intermédiaires qu'il avait assigné à ces juifs qu'il bafouait. Je savais qu'il mentirait. Que pouvait-il dire ? Tout l'accuserait : ce genre de stratagème, qui convenait parfaitement à sa nature hypocrite et sournoise, lui avait permis de satisfaire son souci d'efficacité...

Et surtout pouvais-je, moi, son ravisseur, accepter de ses lèvres un témoignage concernant un autre juif ?

A Tel-Aviv, avant mon départ pour l'Argentine, l'énigme du docteur Kastner m'avait déjà torturé l'esprit. En me plongeant dans le dossier Eichmann, j'avais douloureusement pris conscience du caractère tragique de cette affaire.

Non contents de forcer les juifs à creuser leurs propres tombes, les nazis avaient conçu un raffinement diabolique : ils chargeaient certains juifs de procéder à la « sélection ». Eichmann et ses acolytes demandaient à ces hommes de dresser des listes de « transport » pour les camps de la mort, les autorisant ainsi à choisir, parmi leurs coreligionnaires, ceux qui devaient être supprimés, et ceux qui allaient survivre. Nul ne saura jamais ce qui s'est passé dans l'esprit et dans le cœur de ces hommes, contraints par leurs tortionnaires de déterminer le sort des membres de leur propre communauté...

J'étais loin de me douter qu'un jour je ferais partie de l'équipe qui enlèverait Eichmann lorsque j'eus l'occasion de réfléchir à ce problème. C'était en mars 1957, quand on apprit l'assassinat d'une éminente personnalité israélienne, le docteur Israël Rudolf Kastner. Depuis quelque temps, ce personnage mystérieux, très élégant, déchaînait un véritable scandale public, et sa disparition brutale mit tout le pays en émoi.

La police arrêta trois jeunes gens soupçonnés d'avoir tué le docteur Kastner, un soir d'hiver, devant sa maison, boulevard Emanuel à Tel-Aviv. Il avait été blessé à mort par de nombreux coups de pistolet et succomba neuf jours plus tard. Le Vieux, avec sa promptitude et son efficacité habituelles, les avait fait arrêter le soir même du meurtre.

Je m'étais, plus d'une fois au cours de mon travail de routine, heurté à l'organisation clandestine à laquelle appartenaient les trois hommes. Un petit groupe d'extrémistes fanatiques. La nouvelle de l'assassinat m'avait déprimé. Je ne pouvais pas croire que des gens responsables aient pris la décision d'« exécuter » Kastner.

Toute cette affaire, qui avait commencé comme une querelle personnelle, avait rapidement pris des proportions de drame national. Le docteur Kastner, un important dirigeant de la communauté juive hongroise qui faisait maintenant son entrée sur la scène politique israélienne, poursuivait en diffamation un certain docteur Malkiel Grünwald. Celui-ci avait publié une brochure polycopiée dans laquelle il accusait Kastner, qui avait été président du Comité de secours de la communauté hongroise pendant la Seconde Guerre mondiale, d'avoir laissé les juifs à la merci des nazis, en échange de sa propre sécurité, de celle de sa famille et de ses amis. Le docteur Kastner niait ces accusations et avait entamé une procédure contre Grünwald. L'affaire fut portée devant les tribunaux, mais c'était maintenant Kastner qui était au pied du mur : il était sommé de réfuter les accusations de Grünwald. Celles-ci concernaient la nature des relations et des contacts entre Adolf Eichmann et Kastner, au bureau principal de la Sécurité du Reich à Budapest, où Kastner se rendait fréquemment en tant qu'intermédiaire privilégié. L'accusateur se retrouvait sur le banc des accusés. Kastner tenta d'expliquer qu'il avait fait tout ce qui était en son pouvoir pour sauver les juifs de Hongrie, en négociant avec Eichmann une série de transactions « *Blut für Ware*[1] ». Dans son arrêt, qui disculpait Grünwald, le juge Rinyamin Halevi écrivit que Kastner avait « vendu son âme au diable » — le diable étant Eichmann.

On ne pouvait pas prononcer de sentence plus funeste à l'encontre d'un juif vivant parmi ses frères en Israël.

Le verdict divisa l'opinion, aussi nettement qu'un coup de hache, en deux factions rivales. La première prétendait que Kastner n'avait pas eu le choix, et qu'il avait été obligé d'agir ainsi avec Eichmann, même lorsqu'il avait établi lui-même les listes de transport pour les camps de la mort. La deuxième dénonçait sa conduite avec véhémence, et soutenait qu'il avait tiré profit de sa position pour sauver sa propre peau et celle de ses parents. Un juif qui occupait une place comme la sienne, affirmaient-ils, ne pouvait pas impunément

1. Littéralement : du sang contre des marchandises. Formule désignant une série de tractations entre dignitaires juifs et nazis, au cours desquelles on échangeait des vies humaines contre des camions — dont les nazis avaient évidemment grand besoin à l'époque.

marchander des vies humaines, si étroite que fût sa marge de manœuvre.

L'affaire Kastner devint un symbole pendant ces premières années de la souveraineté d'Israël, où l'on intenta un certain nombre de procès à des juifs accusés d'avoir rempli le rôle de « kapo » et d'avoir collaboré avec les nazis.

Personnellement, je pensais à ce moment-là que plusieurs dirigeants juifs avaient contribué à endormir la vigilance des autres membres de la communauté. Le seul fait qu'ils aient négocié avec Eichmann et ses auxiliaires suffisait à créer l'illusion que tout pouvait encore « s'arranger ». Il y avait une raison d'espérer, quelque chose à quoi se raccrocher.

Le meurtre du docteur Kastner fut un détonateur : les Israéliens étaient profondément désunis sur cette question. Un tiers du peuple juif avait été massacré, et la malédiction nazie subsistait, semant le doute et la suspicion parmi les survivants, et stigmatisant quelques individus dont les marchandages avaient favorisé la réussite du projet nazi. Ils n'avaient pas eu d'intention criminelle, mais leur penchant pour le compromis avait masqué le véritable danger à l'ensemble des juifs, et les avait amenés à consentir à des « accommodements ».

Les Allemands, face à la tâche herculéenne de rassembler des centaines de milliers de juifs dans les camps de concentration, désiraient évidemment opérer le plus tranquillement possible. Grâce à des « arrangements », comme disait Eichmann. D'honorables chefs de communauté furent, à force de menaces et de tromperies, transformés en vils esclaves — et obtinrent à leur tour, par les mêmes moyens, la coopération des autres juifs.

Eichmann avait choisi un certain nombre d'intermédiaires pour accélérer le processus. Pour que ses fourgons à bestiaux puissent parvenir sans obstacle à destination.

Comment des hommes comme Kastner avaient-ils pu trouver la force de chicaner sur la vie et la mort de tous ces gens ? Comment avaient-ils pu anesthésier ainsi l'intelligence d'un million de juifs hongrois ? Cette question intolérable me tourmente, et beaucoup d'autres avec moi, depuis ces terribles polémiques des années 50.

Ils avaient leurs entrées au Q.G. de ceux qui administraient la « solution finale » ; il est impensable qu'ils n'aient pas su ce qui attendait leurs frères, ou plutôt leur troupeau. Étaient-ils aveugles, ou fermaient-ils les yeux pour ne pas voir ?

Il n'y eut pas un cri d'alarme. Ils auraient au moins pu tenter d'organiser la fuite. Mais qui songea, parmi ces dignitaires, à avertir les juifs d'Europe ?

Quelques-uns parvinrent à s'échapper. Une misérable poignée se révolta. A cause, peut-être, de certains dirigeants juifs qui croyaient que, même avec les criminels nazis, on pouvait arriver à un « accommodement ».

Toutes ces réflexions ne justifiaient cependant pas, à mes yeux, le trio israélien qui avait décidé de faire justice lui-même et avait décrété que Kastner devait être supprimé, de sang-froid, en plein cœur de la nuit.

Un jour, Eichmann s'était mis à parler de Kastner. Il en avait fait l'éloge. Il racontait comment il entrait librement dans son bureau à Budapest. Comment lui, Eichmann, avait sauvé sa femme de la prison. Pour lui, c'était une preuve de « philosémitisme » !

Il me parla des relations que Kastner avait établies avec la Gestapo : « Je laissais les questions juives à la discrétion de Kastner. » Grâce à quoi les Allemands, qui ratissaient la Hongrie, avaient proprement expédié 500 000 juifs au four crématoire en l'espace de sept semaines. Kastner n'avait rien dit. Puis il prit la fuite et se rendit en Israël, où il fut reçu triomphalement et où il se vit confier un poste au gouvernement. Il importait évidemment de ne pas être coupé du réseau que

Kastner avait mis sur pied en Hongrie, et de maintenir des relations avec Eichmann et les autres criminels.

Je pensais aux deux soldats juifs, Joel Plagi et Peretz Goldstein, qui avaient été parachutés en Hongrie pour encadrer une insurrection juive. Ils avaient été arrêtés pour préserver les structures instituées par Kastner. Hannah Senesh, qui faisait elle aussi partie du commando de parachutistes israéliens, avait été interceptée dès qu'elle avait franchi la frontière hongroise, et abandonnée à son sort, c'est-à-dire fusillée. Où était alors Kastner ? Qu'avait-il fait pour la tirer de là ?

Eichmann, l'ami prétendu des juifs. Quels juifs ? Ceux qui entraient librement dans son bureau ? Ceux qui l'aidaient à organiser les transports jusqu'aux portes des chambres à gaz ?

Il pouvait toujours appeler le fantôme de Kastner à son secours. Mais ce n'était ni le moment, ni l'endroit.

« Au cours de votre procès à Jérusalem, vous pourrez citer tous les témoins que vous voudrez. Raconter ce qu'il vous plaira. Je ne suis pas votre juge, dis-je.

— Mais je voulais que vous sachiez. Après tout, nous avons passé dix jours ensemble.

— Moi aussi, j'ai quelque chose à vous dire. Vous n'avez pas d'âme. Vous avez un cœur de pierre. Vous qui savez de quels crimes vos complices nazis ont à répondre, vous n'avez pas trouvé le courage de me dire où ils se cachaient. Pour moi, c'est trop tard. Gardez ça pour Jérusalem. »

Il regarda le plancher :

« A quelle heure m'emmenez-vous ? »

— Ce soir.

— Comment allez-vous me transporter ?

— Ne vous inquiétez pas. On ne vous fera aucun mal. »

Il porta ses deux mains osseuses à sa tête, qu'il balança d'avant en arrière, tandis que des larmes d'apitoiement sur lui-même noyaient son regard, et en balayaient l'inhumaine fixité.

Oui, Adolf Eichmann, la partie est perdue, maintenant. Je m'entendis demander : « Que va-t-il vous arrivcr à Jérusalem, d'après vous ? »

J'aurais pu répondre à sa place, mais avec une froide jubilation : « Je vais y mourir. C'est la dernière station. »

Je me mis au travail tôt ce soir-là, afin de raser soigneusement Eichmann. Je lui ôtai son bandeau pour le maquiller convenablement. Il était docile et coopératif. Je lui modelai une fois de plus un visage de jeune homme, comme sur la photo de passeport prise par Dani.

« Eh bien, est-ce que vous vous plaisez ? demandai-je, tandis qu'il s'examinait dans la glace.

— Vous êtes un bon maquilleur », me dit-il. Il ne pouvait pas s'arracher au miroir.

On frappa à la porte. Uzi entra. « Prêt ? demanda-t-il. Il faut qu'on se mette au boulot. Ils seront là à neuf heures, et le docteur doit le voir tout de suite.

— J'en ai encore pour quelques minutes. Je vous appellerai. »

Je tendis à Eichmann des sous-vêtements propres, une nouvelle chemise et son uniforme d'El Al. Je me retournai. L'idée de le voir nu me soulevait le cœur.

« *Ich bin bereit !* » annonça-t-il. Et en effet, il était là, tout pimpant dans son nouvel uniforme. Il ne manquait plus que la casquette. Je la lui ajustai ; il avait maintenant l'air d'un steward. Une paire de lunettes noires compléta la tenue. Ses propres fils n'auraient pas reconnu Ricardo Klement, de San Fernando.

« Aujourd'hui, nous nous séparons, lui dis-je.

— Je ne vous reverrai pas ? demanda-t-il d'un air surpris et, pensais-je, effrayé.

— Nous nous reverrons. J'ai promis de venir vous voir à Jérusalem.

— Merci. Vous avez été très correct avec moi. Merci. »

J'appelai le docteur Klein, qui entra avec Uzi.

« Eh ben, dis donc ! Le parfait steward... » s'exclama Uzi.

Eichmann était très embarrassé, et ne savait pas où se mettre. Le docteur Klein le fit asseoir sur le lit et remonta sa manche droite. Il examina la veine.

« On a combien de temps ? La question s'adressait à Uzi.

— Les deux voitures devraient arriver d'une minute à l'autre. »

Eichmann dit tout à coup, avec un accent de panique : « L'injection n'est pas nécessaire. Je ne ferai aucun bruit, je le promets. »

Le docteur Klein poursuivit ses préparatifs, impassible. Il tamponna la veine, à l'endroit où il allait faire la piqûre. Personne n'accorda la moindre attention à la prière d'Eichmann. La seringue, avec sa longue aiguille, était prête. Le docteur Klein la plongea dans la veine. Eichmann était immobile, le visage sans expression.

« Combien de narcotique lui donnes-tu, et pour combien de temps ? demanda Uzi.

— Je laisse la seringue dans son bras, jusqu'à ce que nous arrivions à l'aéroport. Je lui injecte le narcotique par petites doses, pour qu'il ait l'air malade, ou soûl. Il pourra marcher, mais il faudra le soutenir tout le temps. Il sera dans un état d'étourdissement. Je lui donnerai la dernière dose juste avant le passage de la frontière. »

Meir vint annoncer que les deux voitures attendaient dans la cour. Il était neuf heures. Le docteur Klein injecta à Eichmann sa première dose de narcotique. Au bout de quelques minutes, sa tête commença à rouler d'avant en arrière, comme s'il était ivre.

Uzi et moi l'empoignâmes sous les aisselles, chacun

d'un côté, et nous le conduisîmes jusqu'à la cour, en vérifiant que la seringue restait bien en place.

Il y avait de l'excitation dans l'air. Tous ceux qui avaient pris part à l'opération nous suivaient du regard, comme hypnotisés. Je me rappelai le soir où nous avions amené Eichmann dans la villa : le soir de l'enlèvement. Hans et Aharon sortirent de leurs voitures pour regarder Eichmann traverser la cour.

Nous l'assîmes précautionneusement sur le siège arrière ; le docteur Klein prit place à côté de lui, en tenant la seringue. La voix d'Eichmann, sourde et pâteuse, se fit soudain entendre : « Tout ira bien. Ne vous en faites pas, tout se passera bien. Vous pouvez compter sur moi. Docteur, vous n'avez pas besoin de me faire d'autres injections. »

C'était inattendu et consternant. Nous nous tournâmes, en désespoir de cause, vers le docteur Klein. « Je lui ai volontairement donné une petite dose pour qu'il puisse marcher jusqu'à la voiture », expliqua-t-il avec un geste d'excuse.

Uzi se mit à gauche d'Eichmann. Aharon prit le volant, et Jack s'assit à côté de lui. Meir était avec Hans dans la seconde voiture. Un lourd silence pesait sur la villa plongée dans l'obscurité, que seule éclairait une lueur provenant de la porte d'entrée.

Nous étions sur le point d'ouvrir le portail lorsque la voix de Rosa nous arrêta net : « Une minute... Hoffman n'est pas là ! Hoffman a disparu. »

Dans la fièvre du départ, nous avions oublié Hoffman. Hans sortit de la voiture, avec la mine soucieuse de celui qui est responsable : « Le Vieux a donné l'ordre formel d'amener Hoffman. Où est-il ? Quand l'avez-vous vu pour la dernière fois ? Je lui ai pourtant dit clairement qu'il devait embarquer dans l'avion.

— Il était là il y a quelques heures, expliqua Rosa. Il a pris la voiture et m'a dit qu'il reviendrait à sept heures. »

Nous étions très inquiets à présent.

« On n'a pas le choix, décida Uzi. On suit le plan. S'il arrive, envoie-le immédiatement à l'aéroport. »

J'ouvris le portail. La voiture de Hans s'éloigna la première, en éclaireur, et celle d'Aharon la suivit, avec ses lanternes allumées. « Bonne chance ! » murmurai-je. J'entendais leur ronronnement dans la nuit. Quand les feux arrière eurent disparu, je refermai le portail. J'eus tout à coup l'impression d'être exclu. Je les accompagnai mentalement dans leur trajet silencieux jusqu'à l'aéroport.

Je pris Rosa par la main et nous rentrâmes dans la maison vide. C'était à la fois étrange et triste. « Ce sera un long vendredi, Rosa, dis-je. Tout est enfin terminé. » Le dénouement paraissait si banal : ils l'avaient tout simplement mis dans une voiture et ils étaient partis.

Rosa m'observait. Je fus surpris de voir que la table avait été dressée avec soin dans le salon. Sur la nappe blanche brillaient deux chandeliers d'argent, et les bougies étaient déjà allumées.

« Tu n'as pas oublié les bougies du sabbat, marmonnai-je, me sentant très gauche. Crois-moi, jusqu'à présent je n'avais pas remarqué la table. Quand as-tu trouvé le temps de faire ça ?

— Le vendredi soir est sacré, répondit elle fermement. Tout est prêt pour le sabbat, mais je n'arriverai pas à y penser tant qu'Hoffman ne sera pas rentré. »

Nous traînions dans la pièce, sans savoir quoi faire. « C'est bien Hoffman, finis-je par dire. Chaque fois qu'il y a un problème, il disparaît. Et s'il lui était arrivé quelque chose ? S'il avait été arrêté ? Il ne manquerait plus que ça... »

Trois coups brefs retentirent au portail. Nous bondîmes tous deux pour aller ouvrir : ça ne pouvait être qu'Hoffman. Il était là, soufflant et haletant. Il transpirait abondamment en dépit du froid. Nous le poussâmes dans la maison.

« Où sont-ils ? Ils sont partis ? demanda-t-il avec inquiétude.

— Ils sont tous allés à l'aéroport. On ne savait pas ce que tu étais devenu.
— Est-ce que l'avion a déjà décollé ? » Hoffman ne se souciait pas de répondre à nos questions.
« Ne perds pas de temps. Prends tes affaires et file à l'aéroport. Vite! Tu y verras le Vieux ou l'un de nos hommes, le pressai-je.
— J'ai eu quelques ennuis avec la voiture. Je l'ai laissée dans une rue. Il y a un taxi qui m'attend à deux cents mètres, sur la route.
— Où as-tu laissé la voiture? On doit la rendre demain. »
Rosa était partie chercher ses bagages. Pendant ce temps, il trouva un bout de papier et me fit un croquis approximatif de l'endroit où il avait abandonné le véhicule.
Hoffman avait l'air complètement perdu. Il prit distraitement ses valises. Il était inutile de lui parler. Nous nous serrâmes la main : « A bientôt, en Israël. A bientôt, en Israël... » répétait-il mécaniquement. Il parut tout à coup recouvrer ses esprits et planta un baiser sur la joue de Rosa : « Au revoir, ma femme. Si je rate l'avion, je reviens.
— Dans ce cas, essaie de retrouver Uzi et Aharon à l'aéroport et reviens avec eux. »
Hoffman, une valise dans chaque main, hocha vaguement la tête et se dirigea vers la porte.
« Hoffman, attends un peu, criai-je. Et les clefs de tous les appartements? »
Les deux valises lui tombèrent des mains, avec un bruit sourd. Il se tâta partout, comme s'il avait été mordu par une vipère, et fouilla frénétiquement chacune de ses poches. Il en sortit enfin un énorme trousseau hétéroclite, auquel pendaient des étiquettes en plastique de diverses couleurs. Les clefs si amoureusement conservées par Hoffman, témoignage de son activité de régisseur, et qu'il avait accumulées une à une, au fur et à mesure que le Vieux donnait son

autorisation pour une nouvelle acquisition... La séparation devait être déchirante. Pendant quelques instants, il les contempla d'un œil fixe, puis il lança le trousseau sur la table, s'empara de ses bagages et courut vers le portail. Par-dessus son épaule, il jeta un dernier regard sur la villa. Elle renfermait bien des souvenirs.

Nous vîmes sa silhouette rondelette se hâter le long de la route, avec les valises qui rebondissaient de chaque côté, comme accrochées à la selle d'un vieux cheval de bataille qui galope vers l'odeur de la poudre.

« Hoffman, prends garde à toi ! Hoffman, Dieu te bénisse... » murmura Rosa dans la nuit. Des larmes brillaient dans ses yeux.

Je souris, dans le secret de l'obscurité. Absolument, Hoffman. Il n'y a que Dieu qui puisse veiller sur toi. Malgré tout, je me sentais ému. Hoffman, obligé de quitter précipitamment sa villa, comme un voleur. Nous revînmes tout doucement vers la maison et nous nous mîmes à table, soulagés.

« Tu vois, Rosa, je crois que c'est un symbole. Que toute cette affaire se termine un vendredi soir, et qu'Eichmann soit emmené en Israël en ce moment même.

— Tant que tout se passe bien », dit Rosa, qui disparut dans la cuisine pour aller chercher ses offrandes consumées.

Je ne m'étais pas encore rendu compte à quel point j'avais faim. Je me promis de faire un sort à tous les plats, savoureux ou pas.

« Rosa, ta cuisine s'améliore. Dans la prochaine villa, tu seras un vrai cordon bleu.

— Tu ne cesseras donc jamais de m'asticoter ! répliqua-t-elle avec emportement.

— Ne te mets pas en colère. Tu devrais être satisfaite de ma conduite. Après tout, j'ai partagé une chambre avec toi pendant dix jours et je ne t'ai pas touchée. Et à cause de ça, tu sais que je ne t'oublierai jamais.

— Peter, tu es incorrigible. Tu ne comprendras

jamais un cœur de femme. Il y a des choses dont on ne parle pas. »

La conversation prenait un tour dangereusement personnel. Quoi qu'il en soit, je n'avais pas l'intention de l'offenser, en cette dernière soirée dans la villa. Je commençais, en fait, à nourrir à son égard une sorte d'affection grincheuse.

Je remplis nos deux verres d'un vin rouge et sucré, et me mis à fredonner des chants du sabbat, des chants de la pâque, puis tous les chants de fête dont je me souvenais. Parfois en hébreu, parfois en yiddish. Rosa fondait de gratitude, et se joignait à moi quand elle connaissait la chanson. Le temps passa à chanter, à boire et à grignoter des friandises. Notre petite fête privée, un peu de distraction après la tension des deux derniers mois. J'avais du mal à croire que la chambre du prisonnier était vide. Que Meir n'y était pas, à attendre impatiemment d'être relayé. Que je n'avais plus besoin de faire ce travail routinier et démoralisant, qui consistait à essayer de soutirer quelques réponses à cet homme maussade et réticent. Je n'avais plus à toucher l'intouchable. A raser ce monstre humilié, à lui faire faire de la gymnastique. J'en étais débarrassé et mon *dybbouk* était exorcisé. Je pensai à ma mère, seule avec ses bougies du sabbat, dans la lointaine Haïfa. Je savais qu'elle aussi pensait à moi. Bientôt, *ima,* je serai bientôt de retour.

Il était plus de deux heures du matin lorsqu'Uzi et Aharon rentrèrent enfin, gelés mais ravis.

« Ils sont partis ! Uzi exultait. Eichmann est en route pour Jérusalem.

— Et Hoffman ? questionna Rosa. Vous l'avez trouvé ?

— C'est lui qui nous a trouvés. Un large sourire illumina le visage d'Uzi : Lui aussi, il est en route pour Jérusalem. Vous savez où il a abandonné la voiture ? »

Je lui montrai le croquis d'Hoffman. « Demain matin, pensai-je, me sentant moi-même quelque peu grisé, et oubliant que la matinée avait déjà commencé, demain matin, on ira la chercher. »

Nous nous installâmes à la cuisine, où Rosa fit de son mieux pour rassasier l'appétit féroce des deux espions qui venaient du froid, pendant qu'ils nous faisaient, entre deux bouchées, une description désordonnée mais pittoresque des derniers événements.

Escale à Santiago

« Eichmann ! Commando ! Israël !... » Tels furent les seuls mots, répétés à l'envi par les crieurs de journaux, que nous parvînmes à distinguer sur les énormes manchettes de la presse locale, lorsque nous arrivâmes en gare de Santiago.

Une sacrée réception, tout de même. « Voilà qu'on refait parler de nous », murmurai-je à Uzi. Nous étions devant un kiosque, cramponnés à nos valises ; Uzi acheta toute une série de journaux en langue espagnole. Nous n'y comprenions rien. Nous nous étions certes doutés que le secret serait révélé avant notre retour en Israël, mais nous n'avions pas pensé que les nouvelles iraient aussi vite. C'était extrêmement gênant de ne pas pouvoir lire les journaux. Quelque chose avait pu se produire pendant le trajet du retour.

Nous ne fûmes pas longs à trouver un traducteur. Une amie à nous, Jocelyn Lopez, une beauté locale dont nous avions fait la connaissance au cours de précédents voyages, se précipita à notre hôtel pour nous annoncer la bonne nouvelle : elle voulait tout nous dire sur la capture d'Eichmann.

Jocelyn devait nous servir de guide au Chili ; en attendant, elle nous donna une version anglaise des comptes rendus de la presse : « Le Premier ministre David Ben Gourion a annoncé hier, le 23 mai, à la Knesseth, que les services de sécurité israéliens ont réussi, il y a peu de temps, à retrouver l'un des criminels nazis les plus notoires, Adolf Eichmann. Celui-ci est actuellement emprisonné en Israël, où il passera en jugement d'ici peu. »

Notre amie était très excitée à l'idée de nous traduire les différents articles ; certains journalistes n'avaient pas hésité à échafauder les théories les plus invraisemblables sur « ceux qui avaient fait ça ».

« C'est merveilleux, s'emballait-elle, les journaux disent que le monde entier veut savoir comment Eichmann a été amené en Israël. D'après cet article, il a été kidnappé par un commando israélien au Koweït, où il conseillait les services secrets. »

Nous sirotions notre café, en hochant la tête avec sagacité, et en ponctuant régulièrement ses récits de « oh » et de « ah » admiratifs.

« Mais, j'y pense » notre pin-up blonde de vingt-quatre ans leva ses grands yeux bleus de la page imprimée et les fixa sur nous. « Qu'est-ce que vous faites au Chili ? *Madre !* Ce n'est pas... ça ne pourrait pas être vous qui avez capturé Eichmann... si ? »

Il y a des questions auxquelles un homme se contente de ne pas répondre.

Le matin suivant, nous fûmes brusquement tirés de notre sommeil par un violent tremblement de terre qui sembla ébranler l'hôtel jusqu'aux fondations. Rien n'aurait pu nous signifier plus clairement qu'il était grand temps de rentrer en Israël. Le Chili avait été frappé par l'un des plus terribles cataclysmes de son histoire. L'État était entièrement paralysé. Le trafic aérien et ferroviaire était coupé.

« Eh bien, la terre tremble certainement sous les pieds des nazis, lançai-je à Uzi. La capture d'Eichmann a été la première secousse pour les criminels nazis du monde entier, depuis la fin de la guerre. »

Nous voulions voir par nous-mêmes les dégâts provoqués par le séisme. Des centaines de milliers de réfugiés chiliens refluaient du sud vers Santiago. Nous avions loué une voiture pour visiter les zones sinistrées, et nous roulions à contre-courant de la marée humaine qui se dirigeait vers le nord. Nous fûmes toutefois arrêtés par des policiers et des gardes militaires, et nous nous hâtâmes de revenir à notre point de départ.

Il n'y avait rien à faire, sinon poursuivre notre voyage... Nous parvînmes, à force de courir les guichets, à obtenir deux places pour un vol sur Rio de Janeiro. Seulement nous n'avions pas de visas pour le Brésil. Pour nous en procurer, nous dûmes faire la queue chez un médecin désigné par le consulat du Brésil.

Nous nous présentâmes tous trois au cabinet du médecin avec nos faux papiers. On nous ordonna de nous déshabiller. Il nous examina l'un après l'autre, puis alla remplir son questionnaire médical. Nous l'entendîmes tout à coup murmurer, comme s'il parlait tout seul : « Un de ces jours, moi aussi j'irai à Jérusalem... »

Nous étions là, nus comme des vers, à échanger des regards sidérés. Pourquoi, en ces circonstances, le nom de Jérusalem avait-il échappé à ce docteur de Santiago du Chili ?

Aharon avait l'air très préoccupé. Aucun d'entre nous ne souffla mot. Ce ne fut que lorsque nous baissâmes les yeux vers nos organes circoncis que nous comprîmes le lien qui nous unissait, le docteur, nous-mêmes, et Jérusalem.

Rencontre à Jérusalem

Je n'arrivai moi-même à Jérusalem qu'un an plus tard, pour le procès d'Eichmann. J'avais repris mon travail de routine à Tel-Aviv, dans les services de renseignements ; et j'avais oublié, pendant ce temps-là, l'Argentine, Eichmann, la villa, et tout le mois qu'avait duré notre voyage de retour de Buenos Aires jusqu'en Israël.

Comme il était prévisible, notre anonymat resta complet. Personne ne vint nous chercher à l'aéroport de Lod. Nous n'attendions d'ailleurs personne.

Des semaines durant, la presse fit ses choux gras de l'affaire Eichmann : on évoqua longuement son interrogatoire par la police israélienne, ses conditions de détention dans une prison spéciale, etc. Les flics, les gardiens et les hommes de loi furent portés aux nues.

La lecture des « rapports » extraordinaires qui paraissaient dans la presse mondiale constituait une de nos distractions favorites. De Vienne à New York, de présomptueux « agents », disposant de « renseignements de première main » vendaient aux médias l'« histoire exclusive et véridique » de l'enlèvement d'Eichmann. C'était certainement un bon filon. Après tout, ils ne risquaient pas grand-chose : nous n'allions pas nous dresser pour démentir ces histoires à dormir debout. Les détails de l'opération et le nom des participants étaient un secret d'État bien gardé.

Parfois, nous nous trouvâmes dans des situations hautement comiques. Pendant les fêtes du vendredi soir, très à la mode en Israël, nous avions fréquemment l'occasion d'admirer le talent de nos amis, qui débitaient de longs récits, plus embrouillés les uns que les autres, sur la véritable histoire de la capture d'Eichmann. A tel point que, en comparaison nos propres souvenirs apparaissaient comme une pauvre chose insignifiante et que notre version aurait semblé la plus improbable de toutes.

Mon amie n'entendit jamais parler de mon rôle dans l'opération non plus. Mon séjour prolongé à l'étranger nous avait éloignés l'un de l'autre, jusqu'à l'indifférence.

Au cours du premier dîner que je partageai avec ma mère lors de mon retour, elle prit le journal yiddish *Letze Neues* qui donnait, par feuilletons, un compte rendu de l'enlèvement, d'après je ne sais quelle source autorisée.

« *Was sugst due ze den ?*[1] demanda-t-elle, en prenant son petit air innocent de vieille dame digne et respectable. *Man hat gehaft Eichmann ! Sug, Peter, du bist nisht gewen dorten in Argentina*[2] ?

— Et puis quoi encore ? » J'essayais de faire le malin.

« *Oy vei, Peter. Ich kenn dich !*[3] »

Agents secrets, prenez garde aux *yiddishe mama !* A son regard perçant, je compris qu'elle savait.

Le fait est que j'évitais le face-à-face avec Eichmann. Je ne voulais pas aller le voir en prison. Je laissais toutes ces corvées à Uzi. Même le soir de la pendaison. Il était là à titre de témoin, lorsque le bourreau plaça la corde autour du cou d'Eichmann, dans la cellule de sa prison à Ramle.

---

1. Qu'est-ce que tu en dis ?
2. Ils ont attrapé Eichmann ! Dis-moi, Peter, tu n'es pas allé en Argentine, par hasard ?
3. Oh, je te connais !

Mais quand le procès historique d'Adolf Eichmann s'ouvrit à Jérusalem, avec une foule polyglotte de journalistes venus du monde entier, je me trouvai, moi aussi, dans la queue qui se pressait aux portes du tribunal. A la vérité, j'étais plus que contrarié par le fait que personne n'ait songé à nous inviter, d'une façon ou d'une autre, à l'ouverture du procès.

J'étais donc au milieu de la cohue, poussant et jouant des coudes avec ardeur, dans l'espoir d'obtenir l'un des rares tickets d'entrée. Les assurances réitérées des huissiers ne faisaient qu'empirer les choses : « Vous arriverez tous à le voir. Ne vous en faites pas ! Ce procès durera des mois... Ne poussez pas ! » Je pensais à tous ces jours et à toutes ces nuits où j'avais eu le loisir de contempler jusqu'à l'écœurement cette sale gueule, dans la solitude d'une petite chambre à Buenos Aires.

La salle du tribunal était bondée, mais enfin j'avais pu rentrer. Et une fois qu'on y était, il était impossible de ne pas voir la cage de verre armé qui enfermait le prisonnier.

Le procureur général de l'État d'Israël, Gideon Hausner, avait l'air d'un hibou dans sa volumineuse robe noire, avec ses lunettes et sa tonsure luisante sur le haut du crâne. Il énumérait d'un ton théâtral les chefs d'accusation, en pointant l'index vers le prisonnier dans sa cage vitrée : six millions de morts et une poignée de survivants accablaient la silhouette voûtée. Les éminents juges restaient silencieux et impassibles. Jamais les effets de manche d'un procureur n'avaient été aussi justifiés, ni aussi sincères.

De la tribune où j'étais assis, je me mis alors à fixer Eichmann. Il était en costume noir. Deux policiers israéliens encadraient la cage de verre. Le visage familier me parut plus blême que dans mon souvenir. Chaque fois qu'il ouvrait la bouche, un long écheveau de phrases allemandes se dévidait dans la salle. J'étais peut-être le seul à sentir combien cette joute oratoire avec le procureur le réjouissait. Ce n'était plus l'Eichmann qui était descendu du *collectivo,* un soir à San Fernando. Ni celui qui était attaché à un lit de fer, les yeux bandés.

Son avocat allemand, un homme large et replet, le docteur Servatius de Cologne, se levait parfois d'un bond pour contredire une remarque du procureur. Je ne quittais plus Eichmann des yeux. Il fallait qu'il me voie, rien qu'une fois. A un instant, je fus dans son champ de vision.

Eichmann retournait dans sa tête la question que venait de lui poser Hausner. Toute l'assistance était subjuguée par l'éloquence du procureur, et tous les yeux étaient rivés sur lui. Eichmann méditait, la tête penchée sur sa poitrine ; il avait les paumes pressées l'une contre l'autre. Tout à coup, il leva la tête. Nos regards se croisèrent. Il me reconnut ; l'horrible tic, que je connaissais si bien, tordit ses lèvres. Il frissonna légèrement.

J'étais moi aussi saisi par l'émotion. Je soutins longuement son regard, comme pour lui dire : « J'avais promis que je viendrais vous voir à Jérusalem, eh bien, Eichmann, me voilà ! »

« Accusé, vous êtes prié de répondre à la question ! » La voix péremptoire d'Hausner se fit entendre.

Le fil ténu qui me reliait à Eichmann se rompit. Je me levai et sortis. Je jetai un coup d'œil sur l'assistance, qui devait être en proie à Dieu sait quelles émotions. Etrange réalité, pensais-je. Personne ne sait, parmi tous ces gens ici présents, que c'est moi qui ai capturé Eichmann... Personne, sauf lui.

TABLE DES MATIÈRES

Achevé d'imprimer
sur presse CAMERON
dans les ateliers de la S.E.P.C.
à Saint-Amand-Montrond (Cher)

N° d'édition : 3282. — N° d'impression : 3236-2114
Dépôt légal : janvier 1987
49-03-0242-01
ISBN 2-86391-202-X

Imprimé en France